女たちのサバイバル作戦

上野千鶴子

文春新書

933

女たちのサバイバル作戦◎目次

第一章　ネオリベ／ナショナリズム／ジェンダー

はじめに

日本のウーマン・リブが誕生してから四十年。第二波フェミニズムは「不惑の年」を迎え、わたし自身もポスカンことポスト還暦、最近、高齢者の仲間入りを果たしました。

この四十年のあいだに、日本の女は生きやすくなったのでしょうか。海外メディアや若いジャーナリストにそう問われるたびに、わたしはうーむ、と考えこんでしまいます。

むりに答を探せば、イエス・アンド・ノー。

ある面ではよくなったが、べつの面では困ったことになった、以前とはちがった意味で、今のほうがたいへんかもしれない、と思うことが多いからです。

この本では、わたしがそう思う理由を、なぜそうなったのか、何が問題なのか、ではどうすればよいのか――そこまでお示しできるかどうか、こころもとないのですが――を分析していきたいと思います。

その前に、リブが生まれ、フェミニズムが育ったこの四十年がどんな時代だったのかをふりかえっておきましょう。自分が生まれる時代を選ぶことは誰にもできません。この四十年は、アラフォーから下の年齢の女性にとっては生まれてからの人生のすべてでしょうし、わたし自身にとっては、成人してからの四十年間でした。その時代の変貌を、一部は片棒をかつぎながら、わたしはカラダで経験してきました。その歴史の生き証人としての観察や経験に加えて、データをもとに、世界史的な流れのなかに日本を位置づけたいと思います。そしてその時代の波に翻弄されながら、日本の女性がどう変わってきたのか、その荒波をどうわたっていけばよいのかを、お話ししましょう。

ネオリベとは何か

この四十年をひとことでいえば、「ネオリベ改革の時代」と言ってよいでしょう。

ネオリベことネオリベラリズム、新自由主義と訳されます。市場原理主義と呼ばれることもあります。市場による自由競争がもっとも効率のよい資源の交換と分配を達成すると見なして、その競争を制約しそうな規制を次々に緩和しようとする立場のことです。市場による公正な競争を通じて、優勝劣敗が決まります。勝者は報酬を受け、敗者は退場していく……のが、競争のルールです。

ネオリベ改革（日本では「構造改革」とも呼ばれました）を旗印に掲げた日本の政権には、二〇〇一年からの小泉政権がありますが、何も小泉さんが最初ではありません。それ以前から日本ではネオリベ改革のもとの規制緩和路線がすすんでいましたし、それよりもっと以前に、小泉さんにはお手本がありました。それは八〇年代イギリスのサッチャー改革、アメリカのレーガノミクスです。だから小泉改革は、「二十年遅れの保守革命」と言われたものです。

小泉さんが政権の座を去ってから、小泉改革の「負の遺産」は格差拡大だと言われましたが、小泉さん自身とその政策ブレーンだった竹中平蔵さんたちは、ネオリベ改革がまちがいだった、とはつゆほども思っていないようです。いくつかの発言から察するに、改革の道半ばにして政権を去らなければならなかったために、改革のねらいが達成できなかったのだ、もっと続けてやらせてくれていればこんなていたらくにはならなかったのに、という口惜しさが滲みます。その竹中さんは再び政権ブレーンに復帰しました。アベノミクスもその路線の延長上にあります。

その「改革」とはどういうものでしょうか。

ネオリベ旋風が世界を席巻したのは一九七三年の石油ショックがきっかけでした。『成長の限界』というローマクラブのレポートが出たのは七二年。びっくりするでしょう？　資源・エネルギーも環境も有限だ、ってその当時すでに、世界のリーダーたちは認識していたんです。

それまで第二次世界大戦後の破壊から立ち直って、イケイケの経済成長を目指していた先進工業諸国が、産油国の輸出規制と値上げとで、エネルギー資源の供給を絶たれてうろたえたのが、七三年の石油ショックでした。日本はその当時までに世界有数の自動車大国になっていたのですけれど、考えてみれば石油をまったくと言ってよいほど生産しない極東の島国で、石油の供給を絶たれたら、自動車はただの粗大ゴミになってしまいます。日本は電力も、重油を燃やす火力発電所に依存していました。石油を絶たれたら……日本経済のすべてがストップしてしまう！　そう思って多くのひとがふるえあがったことでしょう。日本は戦後、これほど対外依存度の高い、脆弱な社会をつくりあげてきてしまったのです。

石油の供給が止まっただけで、ありとあらゆる経済活動に影響が生まれ、日用品まで品不足になると予測されたために、スーパーの店頭からトイレットペーパーが消えてなくなるという騒ぎが起きました。消費者が買い占めに走ったからです。すでにアパートやマンションなど都市型の集合住宅に住んでいた多くの人たちにとって、トイレットペーパーがないことは死活問題でした。もはや一戸建ての汲み取りトイレもなく、今さら新聞紙をトレペの代用にする（そんな時代があったんです！）こともできないライフスタイルを、多くの日本人が選んでしまったのです。

同じ頃、原子力発電が国策として推進されていたことを、わたしたちは最近になって思い返していますが、それというのも石油にかわるエネルギーの安全保障を確保しようという政策意図があったからでしょう。

もともとリベラリズムこと自由主義は、市場経済を支える原理でした。不況や失業など、市場経済の限界があらわになるにつれ、国家が手もカネも市場につっこむ財政投融資で市場を統制するケインズ政策のような修正資本主義が続いていたところに、自由主義は装いをあらたにして再登場しました。それがネオリベラリズムこと新自由主義です。

七三年の石油ショックは、国際経済秩序を変えました。「強い経済」をつくるためには、市場選択が不可欠です。そのために非効率な不採算部門には消えてもらい、利益率の高い産業部門に成長してもらわなければなりません。これがリストラこと産業構造の転換、リストラクチュアリングです。先進工業諸国（日本もそのひとつです）は、あとから追い上げてきた発展途上国に不採算部門をゆずりわたし、付加価値の高い分野に重点投資していく必要に迫られました。そのためには従来型の産業の保護を廃止し、新規に競争に参入してくるひとびとへの規制を緩和し、効率の悪い官業を国から分離して民営化し（そのなかに鉄道と郵便事業がありまず）、福祉のばらまきをやめることが政策パッケージとして登場しました。

イギリスでこのネオリベ改革をおしすすめたのは、「鉄の女」こと、サッチャー首相です。ほらね、郵政民営化を唱えた小泉改革が、ちっとも新しくないことがわかるでしょう？　それ以前に国鉄民営化を主導したのは中曽根政権。その頃から日本でも、ネオリベ改革は進行していたのです。

サッチャーは「強い経済」をつくるための「強い政治的リーダー」でした。そのとおり、サッチャーはイギリス経済の立て直しに成功し、ポンドの価値は持ち直し、慢性の「イギリス病」にかかっていた英国は延命を果たしました。だからサッチャーはもっと評価されてもよい政治家なのですが、実際はとても不人気です。

八十歳を超えて認知症になったサッチャーを主題に、イギリス映画「マーガレット・サッチャー　鉄の女の涙」がつくられましたが、彼女がイギリス国民にどんなに不人気であったかを映画は描いています。サッチャーが首相に就任したのは七九年。それから失業手当も福祉もどんどん切り下げられていきました。弱者切り捨てのネオリベ改革のしわよせが、女と若者に来るのは洋の東西を問いません。イギリスのフェミニストは女がトップに立っても女にやさしい政治をしてくれるとはかぎらないことを、骨身に沁みて知っています。

サッチャーに遅れてアメリカでは八一年にレーガンが大統領になり、似たようなネオリベ改革をすすめました。これを「保守革命」と呼びます。

「保守」と「革命」の取り合わせって、へんですか？　ふつう保守対革新、って構図があれば、革新のほうが革命に近いはずですね。ですが、この時期以降、新しいグローバル秩序に対応した改革の旗を振るのは、いわゆる「革新」ではなく、「保守」となりました。攻守ところを変えて、むしろ保守のほうが「改革者」となり、革新のほうが「守れ」の大合唱をしなければならない守旧派の立場に追い詰められていきました。どんなものであれ、守りに入ればひとびとを惹きつける力を失います。「革新」派がみるみるうちに魅力を失っていく過程が、この時期から始まりました。

グローバリゼーションとネオリベ

ネオリベ改革は、グローバリゼーションに伴う国際秩序の再編過程において、各国が共通して採用した適応戦略でした。日本でネオリベ改革が本格的に始動したのは九〇年代以降のことでした。というのも、先進工業諸国が痛みを伴って推進した構造改革を、石油ショック以降の日本は、先送りすることに成功したからです。

労使協調路線で高度成長期をつっぱしってきた日本社会は、安定雇用を保証したまま、社内の配置転換で構造改革期を乗り切りました。日本の企業にはもともと多角経営のアメーバ的な生きもののようなところがあります。どういう業種や業態に触手をのばそうが、運命共同体としての企業を社員全員で守るという、共存共栄の戦略です。社員に対しても専門性を高めるよりは、オールラウンドプレーヤーの組織マンであることが求められ、そのような人材育成が社内で実施されます。パイの大きさがふえつづけているあいだは、分配のしかたを問わなくてもよかったのです。

会社社会主義とすら呼ばれる企業福祉と近代家族の組み合わせ……高度成長期に成立したこのカップリングが、リストラ期に延命してしまいました。八〇年代のバブル経済は、その最後のあだ花でした。他の先進工業諸国が産業構造の転換に苦慮している時期に、日本は「日本型経営（終身雇用・年功序列給・企業内組合の三点セット）」の成果を誇り、性革命と家族崩壊に直面した他の諸国をしりめに「日本型家族制度」の安定性を誇りました。いわゆる「専業主婦優遇策」、年金制度の「三号被保険者」が制度化されたのは八六年であることを思いだしてください。この頃まで政治はあきらかに、女性を「サラリーマンの無業の妻になるとオトクですよ」と誘導していたのです。

そしてエズラ・ヴォーゲルのような外国人のいう「ジャパン・アズ・ナンバーワン」のささやきに酔いしれたのでした。

ですが、遅くきた改革のツケを、日本社会はあとになって支払わなければなりませんでした。九一年、バブル景気が崩壊します。この九一年という年号を覚えておいてください。九一年に日本をゆるがす三つのできごとが起きます。その第一はバブルの崩壊です。第二はソ連邦の解体にともなう東西冷戦秩序の崩壊です。第三はのちに「慰安婦」問題として長く保守派との争点になる戦後処理問題の噴出です。

九〇年代、加速するグローバリゼーションの荒波のなかへ、日本はこの三つの困難をかかえて巻きこまれていきます。それからあとは、ご存じのとおり、長期化した構造不況とデフレ・スパイラルの継続です。この時期を、日本社会は高齢化と少子化、そして人口減少という人口構造の変化とともに迎えなければなりませんでした。そこから抜けだせないまま、今日を迎えています。

図表1-1　90年代以降の内閣

91～93年	宮澤喜一	（自民政権）
93～94年	細川護熙	（反自民連立政権）
94年	羽田孜	（反自民連立政権）
94～96年	村山富市	（自社さ連立政権）
96～98年	橋本龍太郎	（自社さ連立政権）
98～2000年	小渕恵三	（自自公連立政権）
00～01年	森喜朗	（自公保連立政権）
01～06年	小泉純一郎	（自公保連立政権）
06～07年	安倍晋三	（自公連立政権）
07～08年	福田康夫	（自公連立政権）
08～09年	麻生太郎	（自公連立政権）
09～10年	鳩山由紀夫	（民国社連立政権）
10～11年	菅直人	（民国連立政権）
11～12年	野田佳彦	（民国連立政権）
12年～現在	安倍晋三	（自公連立政権）

この時期、すでに始まっていたネオリベ改革は、日本ではギョーカクこと「行政改革」の名の下に本格化しました。不景気のスタートのころは、景気刺激のカンフル剤のように旧来型の行政手法、つまり公共事業投資をつづけていたのが、もはやその余裕も失い、借金体質になることが明白になってきました。思えば八〇年代には、財政収支と貿易収支という「双子の赤字」に苦しんでいたアメリカが、いつのまにか財政を立て直していたのに対し、同じ頃余裕で健全財政だった日本は、いまや世界有数の借金大国になってしまいました。わずか二十年のあいだに、政治がもたらした人災というべきツケを、わたしたちは支払わされているのです。

ここで九〇年代以降の政権のリストをあげておきましょう【図表1－1】。あんまり短命に終わるので、首相の名前を覚えるのも容易ではありません。どの政党のどの政治家の時代に何が起きたかを、覚えておきましょう。無能な政治的リーダーを持った国民の嘆きを、わたしたちは味わっているのですから。

ネオリベ／男女共同参画／ナショナリズム

ところで、ネオリベ政権とナショナリズム、男女共同参画政策とのあいだには、奇妙な関係があります。ネオリベの進行にともなってナショナリズムが強化される一方でジェンダー平等政策も推進される傾向があるからです。一例を挙げましょう。

九九年に、前文で「男女共同参画社会の実現を二十一世紀の我が国社会を決定する最重要課題」とした男女共同参画社会基本法が成立しました。全会派満場一致で可決されたその同じ国会で、「君が代・日の丸」法こと国旗国歌法が野党の反対を押し切って、政権与党の多数決で決まりました。保守系政治家は、同じ国会で男女共同参画社会基本法と「君が代・日の丸」法の両方に、同時に賛成したことになります。

この年に成立した「君が代・日の丸」法は、その後、今日までつづく長いバックラッシュに法的根拠を与えました。本文が「国旗は、日章旗とする。国歌は、君が代とする」というたった二行の短い条文からなるこの法律には、違反も処罰も書いてありません。この法律を推進し

たとか。

と証言しています。宮中の園遊会でも、天皇から、「強制はしないように」とおことばがあった自民党タカ派政治家、野中広務さんは、「強制の意図はなかった」(だから罰則規定がない)

ところがそれ以降、二〇〇〇年代になってから東京都がこの法律にもとづいて、公立学校の公式行事(卒業式と入学式)で、国旗の掲揚と国歌の斉唱とを義務づけるようになりました。[1] 東京都教育委員会の「通達」に違反した公立学校の教員たちは、訓告、戒告、停職などの懲戒処分の対象となり、回数が重なる毎に重い処分を受けるようになりました。この通達が出てから教育現場では、春がくるたびに緊張が走るようになり、毎年三桁台の人数の教職員が処分の対象となっています。都知事が石原慎太郎から猪瀬直樹にかわっても、あいかわらず違反者の処分は続いています。

こいつら、何考えてんの? というのが政治家に対するわたしの率直な疑問でした。それ以前にも八五年の国会で、当時の自民党政権は国連女性差別撤廃条約を批准しています。「女子に対する差別となる既存の法律、規則、慣習及び慣行を修正し又は廃止する」とあるこの女性差別撤廃条約を、芸者を愛人にするような日本のオヤジ政治家が支持するとは信じられませんでしたし、条文にある目標と日本の現実とのあいだの目の眩むような落差に、ぼうぜんとしたことを覚えています。

男女共同参画社会基本法をつくるにあたって、ジェンダー研究の専門家、大沢真理さんが政府の審議会の専門委員として活躍したことはよく知られています。わたしは彼女との対談で[2]、つい挑発的にこんな質問をしてしまいました。こんな法律、よう通したな、「一体どうやってごまかしたの」と。バックラッシュ派はこのわたしの発言にとびつき、その後長くバッシングの対象になりました。実はこの対談のなかで、わたしの質問の直後に、大沢さんは「ごまかしてない、きちんと議論して審議会総体の合意事項となった」と答えているにもかかわらず。そちらのほうはちっとも引用されないのです。わたしの発言はギャグのつもりでしたのに、ギャグがギャグにならないベタなひとたちが、バックラッシュ派というもののようです。

男女共同参画社会基本法が通ったのと同じ国会で成立した国旗国歌法を、大沢さんは「オヤジ慰撫法」と呼びます。長引く不況ですっかり自信をなくしたオヤジたちが、せめてもの連帯感を味わえるのがナショナリズムというもののしかけだからです。

ネオリベとナショナリズムは仲良し？

ネオリベとナショナリズムとにはふしぎな関係があります。ネオリベ改革をおしすすめる政権は、なぜだかナショナリズムの色彩が強い傾向があるからです。

日本における代表的なネオリベの旗手、小泉純一郎を思いだしてみましょう。

彼は二〇〇六年に、八月十五日の終戦記念日にモーニング姿で靖国神社に参拝した戦後最初の、いまのところただひとりの首相です。べつな年には羽織袴で参拝、というコスプレもやってのけました。日本では新しい首相が就任するたびに、靖国神社へ参拝するか否か、するならいつか、それも公人として行くか私人として行くか……がとりざたされてきました。侵略戦争であったことがあきらかな先の戦争に対するその政治家の歴史認識が、靖国神社参拝というふるまいに象徴的にあらわれると考えられたからです。それだけでなく、そのふるまいが侵略戦争の被害国であったアジアの近隣諸国の神経を逆なでし、外交関係を冷えこませる原因のひとつとなってきました。小泉さんの派手なパフォーマンスに、予想どおり中国政府や韓国政府は不快感を表明し、このおかげで、小泉政権は日中関係を五年間凍結させたとまで言われたものです。

小泉さんのアジア外交上の業績に、北朝鮮訪問と拉致被害者の帰国がありました。北朝鮮の最高権力者である金正日が拉致の国家責任を認めた9・17は、日本にとって9・11よりも重要な日付となりました。9・11で「アメリカの敵」が定まったように、9・17で日本の敵である「ならず者国家」が誰か、が明白になったからです。それ以降、自民党政権が拉致問題を、徹底的に政治利用してきたのはご承知のとおりです。北が拉致被害者の人権を侵害した「悪」であることには弁解の余地がなく、この一点で国民世論はまとまったからです。

オペラ好きの文化人宰相、バツイチでファーストレディがいなくても官邸の主が勤まることを証明し、長髪に痩軀、保守系政治家のこれまでのイメージを裏切る小泉さんが、羽織袴で靖国神社へ……なんて、ミスマッチなこととお思いでしょう。ですが、わたしにはその理由がよくわかります。

自民党をぶっこわす、と改革の旗を掲げ、そのことばどおり自民党をその地方支部の組織に手をつっこんでまで実質的に「ぶっこわした」小泉さんは、保守の基盤に自分が亀裂を入れたことを、よく自覚していました。だからこそ、片方の手で旧来の勢力に入れた亀裂を、もう片方の手で修復する、その両刀遣いが同時に必要だったのでしょう。もちろんそのふたつは互いに矛盾しています。ですが、いっぽうでやっていることを他方でうらぎる二枚舌、二枚腰のパフォーマンスをやってのけるのも「すぐれた政治家」の資質というものでしょう。小泉さんは羽織袴の背に、「よくやった、ジュンイチロー」という保守派の喝采を、聞いていたにちがいないのです。

小泉さんが後継に指名した安倍晋三政権が発足した当時、安倍さんがあるところでこんな発言をしているのを見つけました。「保守の亀裂を修復するのが自分の政治的役目」と。ほほぉ、よくわかっているな、と思ったものです。こういう亀裂の「修復」、すなわち利害の異なるひとびとのあいだに共通した一体感をつくりだすのに、もっともお手軽に動員されるのがナショナリズムというものです。拉致問題のみならず、二〇〇二年サッカー・ワールドカップ日韓共催時の「ニッポン、チャチャチャ」もそのための手段として動員されました。予想どおり、安倍さんは「君が代・日の丸」の強制をおしすすめ、教育基本法を「改悪」し、アメリカの押しつけ憲法と彼が見なす現行の憲法の「改正」をめざしました。道半ばにして短命政権で終わっ

図表1-2　男女平等政策の達成

1985年	国連女性差別撤廃条約批准 男女雇用機会均等法
1991年	育児休業法
1995年	第4回世界女性会議（北京会議） ILO 156号条約批准
1997年	介護保険法成立（→2000年施行）
1999年	男女共同参画社会基本法 改正男女雇用機会均等法
2001年	省庁再編→内閣府男女共同参画局へ昇格 DV防止法
2003年	少子化社会対策基本法

たかに見えましたが、二〇一二年の総選挙で復活を果たしました。政界復帰が不可能な政権投げ出し退陣だったのに、「再チャレンジ」に成功してしまった安倍政権を、わたしは「ゾンビ復活内閣」と呼んでいます。

ネオリベと「男女共同参画」との危ない関係

ふしぎなことにネオリベ政権は、ナショナリズムとだけでなく、「男女共同参画」政策とも親和的です。

八五年に国会で国連女性差別撤廃条約を批准して以来の、日本における男女共同参画政策の達成を年表にして示しておきましょう【図表1-2】。批准と同時に、男女雇用機会均等法や国籍法改正など国内法が次々に整備され、その総仕上げとして九九年には男女共同参画社会基本法が成立しました。同じ年には改正均等法が、職場のセクシュアル・ハラスメントの防止と対応とを「使用者の責任」としました。二〇〇一年のDV防止法では夫の暴力は違法行為となりました。

法律の整備だけを見れば、国連条約の批准以来、日本の男女共同参画政策は決して諸外国にひけをとるようなものではありません。

ところでサンカクだかシカクだか知りませんが、「男女共同参画」という用語をここで使うのはやめておきましょう。「男女共同参画」は日本政府の定訳によれば、gender equality、対照反訳すれば「男女平等」にしかなりません。それより辞書にも載っていない、こんなわけのわからない用語をつくりだしたのは、当時の自民党政権の保守系政治家に配慮した官僚たちでした。というのも、保守系政治家のオヤジたちは、「平等」ということばがだいっきらい、だからだそうです。それにくらべて「男女平等」は国際的にも歴史的にも定着したことばです。ですからわたしはこの婉曲語法のような行政用語を使わず、ここでは「男女平等」を採用することにしましょう。最近では「男女」よりも広い概念として「ジェンダー」がカタカナことばのまま流通していますから、「ジェンダー平等」とした方がよいかもしれません。

「男女共同参画」などとだれにも理解できない新語をつくったために、行政はその定義に迫られました。なかには「ジェンダー平等」がゴールであり、「男女共同参画」はそのプロセスである、という定義をする学者もいましたが、聞けば聞くほどわけがわかりません。このことばが一人歩きしたせいで、各地の女性センターは「男女共同参画センター」と名のるようになりました。「女性センター」のほうが、その成り立ちや目標からしても、ずっとわかりやすいですのにね。ほんとうは国連女性差別撤廃条約が上位法にありますから、「女性差別撤廃センター」と名づければ、センターの業務の内容や目的がもっとはっきりしたことでしょう。センターの職員のなかには、「このあたりじゃ、男女共同参画って言っても通じなくて……」と嘆くひともいますが、あたりまえです。誰も知らないことばを勝手につくったのは行政ですから。

ところでネオリベ政権は、概してジェンダー平等政策の推進側にまわってきました。橋本政権の「行革」路線を受けて無力だった総理府男女共同参画室は、内閣府の男女共同参画局に格上げされましたし、男女共同参画担当大臣が任命されるようになったのも、この後です。小渕政権は男女共同参画社会基本法を在任中に成立させました。小泉政権はつぎつぎに女性閣僚を任命しましたし、このあたりから閣僚に女性がいることはニュースではなくなりました。また小泉郵政選挙のときに、「刺客」と称して女性候補者を選挙区に送りこんだことは有名です。国会議員の女性比率はこの時期に高まりました。郵政選挙の前後で、衆議院議員の女性比率は六・九％から九・〇％へと増加しました。二〇〇九年の政権交替選挙でいったん一一・三％に達した女性比率は、二〇一二年末の総選挙で、七・九％に下落しています。

これらの政権のもとで、ジェンダー平等政策に関わる女性官僚たちが活躍の場を与えられました。坂東眞理子さんや椋野美智子さん、と固有名詞で知られるような女性官僚たち（フェミニストのビューロクラットだからフェモクラットとも呼ばれる）が有名人になっていきました。福田政権がフェモクラットの後ろ盾になったことも知られています。ネオリベ政権は、フェモクラットのパトロンの役割も果たしたのです。

男女共同参画／ナショナリズム／バックラッシュ

ネオリベ／男女共同参画／ナショナリズムの三題噺のうち、ネオリベとナショナリズム、ネオリベと男女共同参画とはそれぞれ親和性があるのに、ナショナリズムと男女共同参画とはきわめて相性が悪い関係にあります。

というのは、どこの国でも、ナショナリズムは「男らしい男、女らしい女」が大好きなのに、男女共同参画政策の背景となった国連女性差別撤廃条約は「男女の定型化された役割に基づく偏見及び慣習その他あらゆる慣行の撤廃を実現する」ことを目標としているからです。

ネオリベ改革はふたつの方向に両刃の剣として働きました。いっぽうでは既得権益をもったひとびとの集団にくさびを入れて、これを分解する役割。もういっぽうでは既得権から排除されていたひとびとの集団にもくさびを入れて、これを分解する役割。いずれの集団も機会均等の競争に投げこまれ、優勝劣敗の結果がもたらされます。それは既得権を持った集団にとっては、既得権が自明のものではなくなり、場合によってはそこから転げ落ちることを意味します。他方、既得権を持たなかった集団にとっては、これまでに得られなかったチャンスがおとずれることを意味します。女性は後者に属します。

ネオリベ改革の過程で、女性はたしかに機会を拡大しました。男女雇用機会均等法は高学歴女性の雇用機会を拡大し、意欲と能力さえあれば、男並みに総合職で働くことも可能になりました。均等法以前には、そもそもチャンスさえ与えられなかったのですから、これは大きなまがわりでした。長いあいだ女性には統率力がない、リーダーにはなれない、などと言われてきたものでしたが、それはたんにこれまでリーダーシップを発揮する機会がなかっただけで、ポジションを与えられれば、女性も男性と同じくリーダーになれることも証明されました。ポストがひとを育てます。これまで女性はたんにポストを得られなかっただけだったのです。

ネオリベ改革はこのように、既得権益層には不利に、既得権益を持たなかった層には相対的に有利にはたらきます。その結果、勝ち組と負け組とに分解したひとびとのうち、既得権益集団のなかの負け組が、既得権から排除された集団から生まれた勝ち組に怨嗟を向ける、ということが起きます。日本でも同じようなことが起きました。大卒男子で就活に失敗したニート、フリーターの男性たちが、女性の勝ち組を「仮想敵」視するような傾向が生まれました。あろうことか、彼らはそういう勝ち組女性を「フェミニスト」とかんちがいし、フェミニズムが男を追い詰め女をのさばらせた元凶だと、バッシングの標的にするようになりました。彼らは自分たちを負け組においこんだネオリベ改革に敵対する代わりに、もっと叩きやすい弱者に、攻撃を向けたのです。

強い女性、エリート女性がそのままでフェミニストではないことは、おいおい説明してわかっていただけるものと思いますが、もしそうなら勝間和代さんも林真理子さんも「フェミニスト」ということになるでしょう。そう呼ばれたらご本人たちはどう反応することでしょうか。

ネオリベ改革は、ナショナリズムと男女共同参画というお互いに相性の悪い分野に両脚をかけて、そのあいだをあやつりながら、改革をすすめていきました。

ネオリベ改革が「男女共同参画」を推進した理由？

ネオリベ改革がジェンダー平等政策を推進した理由はなんでしょうか？

答はかんたんです。女に働いてもらいたいから。

理由は少子化です。出生率がこれだけ低下すると近未来における労働力の不足は容易に予測できます。その不足を女性の労働力で埋め合わせようというのが目的です。

一九八九年に「1・57ショック」が起きます。一九六六年、丙午の年に出生率は一時的に1・58まで低下しました。十干十二支の組み合わせから六十年にいちど訪れる丙午の年に生まれた女児は、長じてのち、夫を食い殺すという中国の言い伝えがあります。それを信じてか、この年にだけ、一時的に出生率が急低下したのです。二十世紀の日本で、まさか出産年齢の若い男女がこんな迷信を信じていようとは、とおどろくようなできごとでした。ですが、翌年には出生率は元に回復し、1・58は人為的な出産回避の結果であることが証明されました。

ところがその後も出生率は徐々に低下し、八九年には丙午の年を下回る1・57を記録、戦後最低となりました。その数字が政財官界をゆるがしたので、「1・57ショック」と呼ばれるようになりました**［図表1－3］**。

図表 1-3　出生数及び合計特殊出生率の年次推移

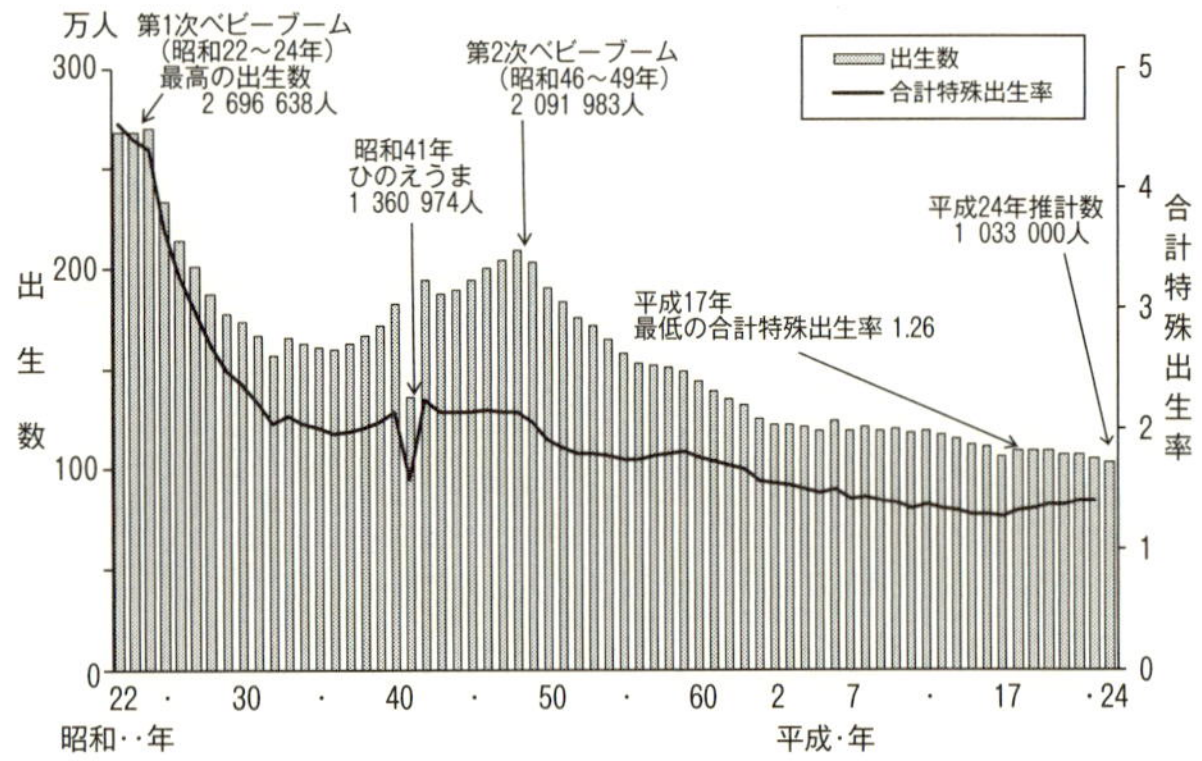

出典：厚生労働省「人口動態統計月報」より作成

経済団体はただちに憂慮を表明し、ほどなくして九一年に育児・介護休業法が成立します。労働基準法で保証されている産前産後休暇は十四週間まで。一年間の育児休業は、それまで一部の公務員にだけ保証された特権でした。それがすべての民間企業の雇用者に、一年間の育児休業を取得する権利が与えられたのです。

育休制度はながいあいだ女性労働者の悲願でした。生後ゼロ歳のあいだは授乳期間が続きます。授乳期間さえのりきれば仕事をやめずにすむのに、とどれだけの女性が涙を呑んで職場を去って行ったかしれません。女性労働者は長きにわたって育休制度の制定を求めてきたのですが、それには耳を貸さなかった経済団体が、「1・57ショック」にうろたえて、突然ふってわいたように育休法の制定へと動いたのです。このショックがどれほどのものであったかがおわかりでしょう。

　育休法の制定にあたってもさまざまな論議がありました。最初は休業は保証するが完全に無給というのが法案の内容でした。「ノー・ワーク、ノー・ペイ（働かざる者、給与を受けとるべからず）」が経営側の言い分だったからです。あんまりだというので、雇用保険から三割の給付が出るようになりました（その後、五割に増額されました）。同じ時期にスウェーデンのような福祉先進国には、育休前の給与の八割を保証する両親保険制度がありましたから、給付水準の低さは比較にならない程度でしたが、それでも育児を理由に仕事を辞めなくてもすむとは、女性労働者にとって朗報と受け止められました。新生児を育てる息の詰まるような時期も、一年たてば職場に復帰できる、という見通しさえあれば、このまま先の見通しがない閉塞感に苦しまずに、ずっと安心して過ごすことができるようになったからです。

　もうひとつの争点は、男にも育休取得の権利を与えるかどうか、でした。ほんらいの目的は授乳期間中の休業保証でしたから、ミルクタンクのない男親に育休を与える理由はない、というのが経営側の言い分でした。ですがおっぱいの出ない母親もいますし、人工栄養で育つ子どももいます。女親にできて男親にできないことは出産と授乳以外はほとんどありませんから、男親にも育休取得の権利を与えるべきだというのが労働者側の主張でした。仮に権利を与えても実際に取得する男性はほとんどいないだろうことが予測されましたから、経営側はこれに同意しました。事実この法律の施行初年度、該当者で実際に育休をとった男性は全国で二人。あっというまに地域の有名人になりました。現在でも民間企業男性の育休取得率は二・六三％（二〇一一年）。経営者たちが予測したとおり、案ずるに及びませんでした。

九一年から長引く不況のもとで、女性の就労圧力は高まっています。最近では育児期のあとに職場に復帰したい女性の割合は高まっていますし、復帰時期も、子どもがまだ低年齢のうちにと早期化してきています。それにともなって増えているのが、保育所に入れない、いわゆる「待機児童」です。

子どもが減っているのに保育所が足りない、ってへんですか？　子ども数は減っても、働きに出たい母親が増えれば、保育所の需要は増えます。幼稚園は半日開園、働きたい女性のニーズには合いません。こういう「待機児童」を収容するために、政府は次々に規制緩和をすすめてきました。これまでの認可保育所の設置基準を緩和した認定保育所をつくったり、株式会社の参入を許したり、最近では保育所と幼稚園を統合して長時間預かる「こども園」構想なども出ています。

ところで保育所は、ほんとうに「子どものため」の施策でしょうか？　幼稚園は早期教育の場として文科省の管轄、保育所は福祉施設として厚労省の管轄、設置趣旨がちがいます。保育所は親に事情があって「保育に欠ける子ども」を保護するために、日中預かるための施設で、安全の確保と食事、睡眠などの配慮が中心で、教育は目的に入っていません。だからこそ保育所の入所審査には、「母親の就労証明」が現在でも必要で、それというのも、ほんらい子育てに専念すべき母親がよんどころない経済的事情で働いていることを証明することが必要だからです。保育所にいるのは、母親の手で育ててもらえないかわいそうな子ども、というスティグマは、長い間、母と子とにはりついてきました。これに対して、幼児教育の専門家としての幼稚園教諭のプライドは高く、彼らは「こども園」への統合に反対しています。

日本における保育所の嚆矢は、旧電電（電信電話公社、現在のＮＴＴ）の職場託児でした。電話交換手という熟練労働者が出産と共に職場を離れることを抑制するために職場に託児施設を設け、休憩時間のあいまに授乳に通った、というのが託児施設の由来です。成り立ちから考えれば、保育所とはもともと女性労働力を確保するための労働政策であり、子どものための福祉政策は二の次だと言えます。

女にも働いてもらいたい、そして子どもも産んでもらいたい……日本の家族政策は、専業主婦対策から「働く母親」対策へと完全にシフトしました。ＷＬＢことワーク・ライフ・バランス政策がその象徴です。これは女にやさしい政策なのか、子どもにやさしい政策なのか……職業と子育ての「両立支援」をうたうＷＬＢは、その動機からいえば労働政策であり、少子化対策であるというべきでしょう。それすら実現できていませんが。

将来の労働力不足を埋め合わせる方法には、人口の自然増だけでなく社会増があります。前者は出生率を上げて子どもをふやすこと。後者は、外国から人を連れてくること。日本政府が女性の労働力化と少子化対策に躍起になった理由のひとつは、後者の選択肢を、政財官界が採用する気がなかったからです。外国人を入れる代わりに女性に働いてもらおう、そして子どもも産んでもらおう……それが彼らのシナリオでした。

その背後には、日本の女性が、他の先進諸国では主として外国人労働者が就くような職種についていた、という現実があります。九〇年代以降のグローバリゼーションの波のなかで、おしなべて移民労働力の流入が増加した他の先進諸国にくらべて、日本社会では、労働市場においてジェンダーが人種と同じ効果を持った、と最後に指摘しておきましょう。

1　二〇〇三年に都教委は、学校行事の式典に「国旗国歌実施通達」を出し、これをもとに「職務命令違反」者を処分した。処分された教員らは裁判所に提訴し、すでに都側が一部敗訴しているが、通達は現在も続いている。大阪府・市で計画されている教育基本条例の内容も国旗国歌の強制を含む。

2　大沢真理・上野千鶴子「対談　男女共同参画社会基本法のめざすもの　策定までのウラオモテ」より、『上野千鶴子対談集 ラディカルに語れば…』（平凡社、2001年）所収。初出は『女性施設ジャーナル5』（編集・財団法人横浜市女性協会、発行・学陽書房、1999年）。

第二章　雇用機会均等法とは何だったか？

国策になった男女共同参画

男女共同参画が「国策」となったのは一九八五年六月、国連女性差別撤廃条約が、全会派満場一致で国会で可決されてからのことです。それ以来、政府の行動計画が策定され、自治体は責務を負い、審議会が設置され、各地で条例や女性センターが次々につくられていきました。

ちなみに国際条約が正式に発効するためには、政府による署名のあとに、国会による批准という手続きを経なければなりません。国際関係には緊急性を要するものがあるので、政府の代表が全権を託されていったんは署名をしてくるが、それを裏書きするために五年以内に国会の承認が必要、という手続きです。もしこの批准ができなければ、政府は国民の信任を得られなかったことになりますから、国際社会に対して赤恥をかきます。

国連女性差別撤廃条約に日本政府が署名したのは一九八〇年、コペンハーゲンで開催された世界女性会議でのことでした。政府代表を勤めた高橋展子さんが署名しました。直前まで日本政府は署名をためらっていたようですが、現地の様子を報道していた朝日新聞特派員だった松井やよりさんが、このまま署名しなくては日本は国際社会で体面を失う、という危機感をあおる記事を送り、日本政府を追い詰めた、というエピソードがあります。「外圧」でもなければ、日本は女性差別撤廃にのりださないという認識を、多くのひとたちが共有していました。

ただし日本は今日に至るまで、国内で起きた条約違反が国内法によっては救済されない場合に、国連などに訴える個人通報制度を保証する「選択議定書」を批准していません。日本だけでなくアメリカもそうです。よっぽど国際舞台に持ち出されたらぐあいの悪いことが、両国にはあるのでしょう。

皇室典範も改正すればよかった?

条約の批准にまにあわせるべく、批准前年の五月に改正国籍法、同年五月に男女雇用機会均等法が国会で成立しました。雇用機会均等法については、あとでじっくり説明しますから、先に国籍法の改正についてお話ししますね。

それまでの国籍法は完全に父系主義でした。日本人の夫と外国籍の妻から生まれる子どもは日本国籍を取得することができましたが、反対に外国人の夫と日本人の妻から生まれる子どもは父親の国籍となることが前提。二重国籍を認めていなかった日本では、日本国籍の取得ができませんでした。これは家父長的な家制度そのもの。女は嫁げば他家のひと、「胎《はら》は借り物」で子どもは父の家系に属する、という考え方を、国籍にあてはめたものにほかなりません。日本国籍の親が、女か男かで、生まれた子どもの国籍取得の権利が異なるのはあきらかに性による差別だということで、双系主義に改正されました。

この時に、皇室典範も双系制に改正しておけばよかったのですが、当時は誰も、皇室典範が条約違反だとは言わなかったようです。

今の皇室典範は明治政府の作品で、それまでの皇室の伝統を父系単系主義にゆがめたものであることは、さまざまな研究からあきらかになっています。なぜって明治以前には、古代も、江戸時代にだって、女帝がいたことはわかっていますもの。

もしあのとき、皇室典範も改正しておけば、今さら「女帝」論議をするまでもなかったでしょう。考えてみれば日本は一九九四年に「子どもの権利条約」を批准しています。皇室に生まれた子どもが男か女かで、皇位相続権が異なるというのは、どんな生まれ方をしようが子どもの権利は平等、という考え方に反しますし、性による差別を禁止した女性差別撤廃条約にも違反します。

国際条約とは、憲法よりもすべての国内法よりも上位にある法ですから、国内法のひとつである皇室典範もそれに従わなければなりません。今さら文句を言わないでくださいね、この条約、批准したのは当時の国会のオジサマたちなんですから。もっとも天皇は「国民」に含まれていませんから、「人権」もないのかもしれません。

男女雇用機会均等法ができるまで

女性差別撤廃条約の批准がもたらしたもののもうひとつは、男女雇用機会均等法（以後、「均等法」と略称します）でした。覚えておいてほしいのは、この法律の成立にあたって、ほとんどの民間の女性団体が反対にまわったということです。え、どうしてか理解できない、ですって？　ご説明しましょう。

均等法を成立させるにあたって、担当部局は労働省の婦人少年局（当時）でした。局長は赤松良子さん。彼女がその矢面に立ちました。

ＮＨＫの「プロジェクトＸ」という番組はご存じですか？　中島みゆきのドラマティックな主題歌にのって、「男たちは闘った……」というナレーションの入る、やたらと視聴率の高かった番組です。番組が始まってからずっと長いあいだ、「男たちは……」ばかりで、女の出番はありませんでした。女はいないのか、という圧力があったのかなかったのか、初めてこの番組に登場した女性が赤松良子さんです。労使をめぐる攻防の過程で、あわや流産、となりかけたこの法律を必死で守りぬき、国会を通した、という英雄譚に仕立て上げられていました。

この番組を録画して、授業で学生に見せたという人を知っています。一九八五年、今どきの学生さんが生まれる前のことですから、そんなの知らない、の歴史的過去に属する出来事でしょう。が、どうせならその番組だけでなく、反対派の言い分もきちんと伝えてもらいたいものです。どんな出来事にも功罪の両面がありますから、一面だけを「歴史」として残すのは困りものです。なぜならこの法律の成立をめぐっては、こんな法案ならないほうがまし、なのか、それともこんな法案でもないよりまし、なのか、が大激論になったからです。

多くの女性団体、わけても女性労働団体は、どうして均等法に反対したのでしょうか？

七五年、メキシコで開催された国連女性会議で女性差別撤廃条約が締結されて以来、この条約を批准するためには、とおからず日本でも国内法の整備が必要なことは予期されていました。勢いづいた国内の女性グループは、自分たちにとってののぞましい法案をつくろう、と各地で勉強会や法案の準備会をたちあげました。七九年には、「私たちの男女雇用平等法をつくる会」が結成され、そのなかから出てきた法案の名前は、「男女雇用平等法」というものでした。

男女雇用平等法と男女雇用機会均等法というふたつの名前を見比べてください。「平等」が「機会均等」に置き換わっています。「雇用平等」と「雇用機会均等」のちがいをわかりやすくいうと、「結果の平等」と「機会の平等」のちがい、と言いかえることができます[1]。職場における女性差別を結果としてなくすというのと、男並みの機会を均等に与えるから男と対等に伍して競争に勝ちぬけ、というのとでは、法律の趣旨がまったくちがいます。「結果の平等」は保証できないが、「機会の均等」なら認めようとしたのは、経営者団体でした。「機会均等」の競争には必ず勝者と敗者とが生まれます。機会の平等と結果の不平等を受けいれよ、というのがこの法律の趣旨なら、ネオリベの原理は、このときからすでに始まっていたのです。

当初の「男女雇用平等法」の政策理念は、交渉のテーブルで、使用者側に対して労働者側が譲歩に次ぐ譲歩を強いられ、後退の一途をたどりました。「男女雇用機会均等法」は、いわばその譲歩のなれの果てでした。こんな法律がほしかったんじゃない、こんなものならいらない、という失望が、法案提出時にはすでに多くの女性団体をおおっていました。

彼女たちが法案に反対するには、次のようなもっともな理由がありました。

第一に、法案の内容があまりにアナだらけで、施行前から実効性が疑われたからです。

第二に、そんな実効性のない「名目だけの平等」と引き替えに、経営側はぬけめなくそれまでの「女性保護」を交換条件に要求してきたからです。「保護ぬき平等」、つまり平等がほしかったら甘え（保護）を捨てなさい、というのが彼らの言い分でした。

「名目平等」と「実質保護」の交換は、「わりのあわない取引」でした。

私はその頃英語の講演で、これを“unfair trade”と呼んだことがあります。が、その譲歩をのまなければ経営側が法案の成立に合意しないことが予想されましたから、法案推進派は涙を吞んで、譲歩を受けいれました。もちろん赤松さんは推進派の立場にいました。法案にさまざまな問題点があることを承知のうえで、いまこれを流したらこの先長く同じような法律が成立することがむずかしくなると考え、彼女なりの使命感に燃えて法律をつくった当事者でした。

均等法の制定過程で、経営側は「保護か平等か？」の二者択一をつきつけたのに対し、労働側は「保護も平等も」と主張しました。結果は労働側の敗北に終わりました。

この法律と引き替えに女性労働者が手放したものに、労働基準法の「女子保護規定」があります。それには、残業の制限、深夜業の禁止、危険有害業務の制限、それに生理休暇の取得の権利があります。え、生理休暇ですって？　びっくりするかもしれませんね。ご説明しましょう。が、どれも過酷な長時間労働を強いられていた女性労働者たちが、長きにわたる労働運動の過程で、ようやくかちとってきた権利だということを忘れないでください。

一九八五年まで、日本には女性労働者に月に一回有給の生理休暇を取得する権利がありました。「母体保護」が名目です。実際、月経の時期には生理痛や出血の多さで寝込まなければならないほどの身体の負担を感じる女性もいましたから、生休こと生理休暇は歓迎されていました。ですが反対に、月経にまつわる偏見が、女性差別を助長してもいました。月経のときには女性は判断力や集中力が落ちるとか、男性よりも自然に支配されやすいとかの偏見です。ホルモンの周期に左右される女性に、重要なしごとはまかせられない。月に一回、判断力の狂う女性に、核爆弾の発射ボタンが置かれているという大統領執務室の主はつとまらない、とかね。

またなかには生休をとったはずの女性の姿を、街の映画館で見かけたとかの噂が飛んで、生休がずる休みに使われているというネガティブ・キャンペーンもありました。出血でうつうつと気が滅入るときに気晴らしで映画に行くくらい、どうってことないと思うんですけどね。オレらには生休とれないのに、という男性労働者のやっかみもあったのでしょう。

当時はまだ週休二日制が確立していませんでした。週六日四十八時間労働、週に一日のお休みに洗濯や家事をまとめてこなすほかは眠りほうけるしかなかったような労働者にとっては、月にわずか一回の有給休暇でも貴重な権利だったのです。

生理休暇の権利を手放したくない、と考える日本の女性は、諸外国のフェミニストからは奇妙に映りました。なにしろ月経のサイクルは個人のプライバシーに属します。毎月いつ生休をとるかで、カラダのサイクルを会社に把握されているようなものです。月経が遅れたり、とるべきときにとらなかったりすると、すわ妊娠かとあやしまれるのも、うざいことにはちがいありません。それに、生理痛には個人差がありますし、休まなければならないほどの生理痛には、「月経困難症」という病名がついていますから、病欠をとればすむだけのことです。

一九六四年、東京オリンピックでいちやくヒロインの座にのぼった「東洋の魔女」こと日紡貝塚女子バレーチームの監督、「鬼の大松」と呼ばれた大松博文さんが、月経中も選手の練習を休ませなかったことが評判を呼びました。なあんだ、あれほど激しい練習にも、月経中の女性の身体は耐えられるんだ、と目の前で証明してみせたからです。

生理休暇の権利は戦後女性労働運動の成果のひとつでしたが、それを手放すことに女性は合意させられました。「平等を求めるなら保護を捨てよ」……男と対等になりたいなら甘えるな、と詰め寄られたからでした。

「女の甘え」と見なされた「女子保護」規定には、ほかに深夜業の禁止や残業の制限がありました。深夜業とは午後十時から午前五時までの労働を言います（看護師や医者など医療職はこのなかに入りません。自営業者もそうです）。夜十時になったら、「キミ、女だから帰りなさい」なんて言われた日には、しごとになんかならない、と多くのマスコミ労働者たちは思ったことでしょう。それにまわりが残業しているのを尻目に先に帰るようでは、管理職は勤まらないと女性管理職たちも思ったでしょう。事実マスコミ関係労組や女性管理職などは、保護の撤廃を歓迎しました。

新聞社には夜勤がありますし、TV業界にも深夜番組があります。女には十時以降しごとをさせられない、となれば職域は狭まりますし、女向けの「ゲットー」に囲いこまれます。TVの深夜番組にはTV局の女性社員は関われず、代わりにフリーランスのタレントや芸能人女性が出演しました。こうやって若さと色気だけが深夜のブラウン管（古いっすねえ）で消費されていったのでした。

新聞社でも事情は同じでした。それまで女性記者は採用されても、夜勤抜きの「婦人科」領域、つまり文化部、生活部などの限られた分野に配属されていました。使えない記者はいらない……女性記者はいたとしても、会社のお客さま扱いでした。

女性記者が夜勤を伴う地方支局勤務をこなすようになったのは均等法以降のことです。これでようやく「男性と対等」の競争に、女性も参入できるようになりました。夜討ち朝駆けで事件現場にも走りますし、サツまわりもこなすようになりました。

均等法第一期生だった某大新聞社の新米女性記者が、新人研修でのできごとを笑い話でしてくれたことがあります。研修の講師をつとめる先輩男性記者が、「ときには刑事さんを飲み屋に誘って話を聞くのも取材のうち」というのに、「わたしも誘っていいんですか」と質問したのだそうです。男が男を誘うことしか念頭になかった講師は、絶句したといいます。事件現場に女性記者がミニスカートにパンプスでやってくる時代になるとは、彼らは想像もしなかったにちがいありません。

均等法はたしかにマスコミで働く女性労働者や女性管理職にとっては、出世の妨げになる「保護」という名の手かせ足かせをはずす効果がありました。新聞社の女性採用比率はそれ以降、上昇の一途をたどりましたが、新規採用者の二割を超えたあたりから上昇傾向に歯止めがかかり、三割前後に停滞しています。二割を超えるところまでは順調に上昇を続けていたのですから、この足踏み状態には、「何か、ある」と思うのが自然です。他の企業の女性採用率を見ていても、どうやら「三割の壁」があるのではないか、とわたしはにらんでいます。根拠はないけれど、どうやら女性社員が三割を超すと、企業カルチャーが変わる、とオヤジたちが警戒しているのではないか、と疑われるふしがあるからです。そう思っていたら経営学者のロザベス・カンターに、「黄金の三割」という法則があることを知りました。やっぱり。三割を超すとマイノリティはマイノリティでなくなり、組織が変わる。経営側はそれがイヤなのでしょう。

ですが、ちょっと待ってください。マスコミ労働者や一部の管理職女性、総じて男並みに働きたいエリート女性労働者にとって、均等法はほんとうに朗報だったのでしょうか。

彼女たちが参入していった職場には、リゲインを飲んで「二十四時間戦えますか」とテンパっている企業戦士たちがいます。彼らの背後には妻も子もおり、家に帰れば「メシ、フロ、ネル」の生活が待っています。それに比べれば女性労働者は、家に帰っても自分で家事も育児もこなさなければなりません。主婦付き男性労働者とちがって最初からハンディつきのレースが待っています。だからこそ、働く女たちは「わたしだって主婦がほしいわよ」と叫んできたのでした。

この家庭責任を免れた男性労働者たち、一歩家を出れば「単身者」のふりをできる男たちと「対等の」競争に参入するのは、女性にとって最初から負けがこんだ勝負です。家庭を持つことをあきらめるか、他のだれか（実家の母や姑）に家庭責任をおしつけるか、さもなければがんばってカラダをこわすのがオチでしょう。つまり「男並みの競争」とは、もともと男に有利にできたルールのもとでの競争を意味します。そのなかにすすんで入っていく女が、悲壮に見えたり、あほらしく見えたりするのも、当然でしょう。こんな「機会均等」、だれが望んだ？

……と女性が言いたいきもちは無理もありません。

この法律は、女性労働者をエリート女性労働者と他の多くの労働者とに二極化したと言われます。均等法は一部の女性に歓迎され、大多数の女性から反対を受けました。ですが、その

「一部の女性」は、実際にはほんのひとにぎりの女性にすぎなかったことと、その「エリート女性」にとってすら、アンフェアな競争に投げこまれることを意味していました。

それではエリートならぬ大多数の女性労働者にとっては均等法の効果はどうだったのでしょうか？

均等法に反対した女性労働団体は、保護規定が廃止されると、深夜勤や残業が野放しになり、労働条件が向上しないまま、労働強化だけが起きる、と予測しました。そして結果は予測通りになりました。均等法が成立してから、使用者はむしろ女性に「これからは、あんたにも甘えを捨てて働いてもらわなくちゃね」と言えるようになったからです。

均等法の効果？

均等法はたしかに、日本の女性にとって大きな変化ではありました。

そのために均等法を契機に、それ以前に職場に出た女性を「プレ均（プレ均等法）」世代、それ以後に職場に出た女性を「ポス均（ポスト均等法）」世代と区別しています。均等法が施行されてから採用された女性は、均等法一期生、二期生と呼ばれ、その処遇やふるまいが職場で注目を集めました。

均等法には、実際にどんな効果があったのでしょうか。

その前に、均等法に反対した女性団体が、「実効性がない」と予測した根拠を、均等法の内容に即して、検討してみましょう。

均等法には四つの柱があります。「募集・採用」「配置・昇進」「教育訓練」「福利厚生」における男女平等をうたっていますが、前二者は使用者の「努力義務」規定、後二者が「禁止」規定とされています。

それに加えて定年・退職・解雇についての女性差別を禁止していますが、これらについての禁止は、過去に女性労働者がおこした裁判によってすでに違法であることが確定していましたから、均等法は実態を追認したにすぎません。

それ以前には結婚退職制、出産退職制、三十歳定年制、差別定年制など、ありとあらゆる口実で使用者は女性労働者を早めに辞めさせようとしていました。ですが、それらはすべて判例で違法となっていました。大奥の「お褥すべり」じゃあるまいし、三十歳定年制に至っては、言いがかりとしか思えません。ある大手のＴＶ局では、アナウンサーに採用した女性社員を三十歳で画面からはずす理由を、「容貌の衰え」と称したとか。[2]べつな航空会社では、三十歳になったら客室乗務員を地上勤務に移したとか。差別定年制とは、男性社員の定年が五十五歳だったころに、女性社員の定年が五十歳だったことを言いますが、こういう差別定年制の理由を使用者側は法廷で「女は早く老ける」と証言したとか。今では考えられないようなセクハラ慣行が、横行していました。

それを廃止するためには先輩の女性労働者たちの血の滲むような法廷闘争があったことは、

覚えておいてください。

結婚退職制もそういう女性たちの努力で、この時代までにはすでに違法になっていました。仮に採用時に、「結婚と同時に退職します」と誓約書を書かされていても、私文書ですから法的強制力はありません。採用面接で「結婚はどうしますか」とたずねるのは、今でこそセクハラ面接の一種ですが、当時はデフォールト。居すわられては困る、という使用者側の意を汲んで、「いいひと見つけて寿退職しまーす」と答えておいても、あとで「えー、そんなこと、いいましたっけ」としらを切ればそれでよかったのです。

均等法の欠陥

だれでもすぐにわかることですが、雇用における性差別でもっとも重要なのは「募集・採用」「配置・昇進」のふたつです。あとの「教育訓練」「福利厚生」はどちらかといえば周辺に属します。たしかに「教育訓練」における女性差別が禁止されたおかげで、それまで女性社員にだけ課されていたお辞儀の仕方とかお茶の入れ方のようなマナー講座を受けることはなくなりました。また「福利厚生」における女性差別が禁止されたおかげで、既婚女性が世帯主として子どもの扶養手当や住宅手当を受けとることもできるようになりました。[3]

ですが、かんじんかなめの「募集・採用」「配置・昇進」が努力義務だけでは、使用者は「いやあ、努力してるんですがねえ」と言えばすみます。なにしろこの法律がザル法である決定的な根拠は、この均等法が罰則規定を欠いていたことです。どんな法律にも違反を想定して、どんな罰を与えるかという規定があるものです。軽犯罪法にさえ、罰則規定がありますから、立ち小便をすれば拘留または科料に処されます。罰則規定を最初から欠いた均等法は、まじめに遵守されることをはなから期待していなかった、ととられてもしかたないでしょう。

もうひとつこの法律には大きな欠陥がありました。法の施行後、労働者と使用者のあいだに紛争が起きることは容易に想像できます。均等法には罰則規定はありませんが、紛争処理の条項はあります。それは紛争が発生した際、都道府県の労働局に設置された機会均等調停委員会（二〇〇一年、紛争調整委員会に改組）に調停を求める、というものですが、調停の手続きがスタートするための条件に、労働者側、使用者側の双方の合意申請が必要である、と決められていました。ふつうに考えて、苦情申立をするのは労働者側であることが予想されます。それを紛争と認めずに使用者側がテーブルにつかないことは、これまたおおいに予想されます。だれが考えても欠陥のある――もっとはっきり言って使用者側に有利な――規定ですから、この紛争処理手続きがうまく機能しないことは最初から予測されていました。そして実際そのとおりになりました（九七年改正で一方の申し出でＯＫになりました）。

「男子のみ」募集は禁止・「女子のみ」募集はＯＫ

大きくさまがわりしたのは、「募集・採用」時における「男子のみ」という制限が禁止されたことでした。八五年以前の新聞の求人広告をもし見る機会があったら、見てください。見開きいっぱいの求人広告は「男子のみ」「女子のみ」「男女とも」に分類され、「男子のみ」が全体の八割程度、「女子のみ」は「経理事務担当、経験者優遇、珠算三級以上」とか「ホステス急募」のような風俗業関係が主、「男女とも」は「パチンコ店住み込み、夫婦可」のようなものに限られていました。新卒の大学生なら、当時は学生部の壁に張り出された求人票を探しに行ったものですがそれも「男子のみ」が圧倒的。たまに「女子も可、若干名」という求人票を見つけては、「ほんとかな」と疑心暗鬼におちいったものでした。なぜなら女子の求人は、ほとんどカオとコネ、と相場が決まっていたからです。採用面接では親元から通えるかどうかを、無遠慮に訊かれました。当時の企業の女性社員に対する態度は、結婚前の「女の子」を寿退職まで「お預かりする」というものだったからです。だから想定外に居すわる女性社員は困った「お局さま」であり、不良債権扱いだったのです。

均等法施行後、見かけ上「男子のみ」がなくなっても、実際には募集・採用場面で女性差別が横行していることを、女性求職者たちは肌で実感していました。自宅通勤を条件としたり、結婚退職についてたずねるセクハラ面接、いくら女性の成績がよくても最後に残るのは男子だけという「女子枠」の存在をうたがわせる採用結果……早稲田大学の女子学生たちがつくった『私たちの就職手帖』[4]には、そういう性差別の事例がいくつも載っています。ですが罰則規定がないところでは告発もできません。労働省（当時）は、違反企業の実名を公表する、といいましたが、実施されたのを見たことがありません。

均等法は「男子のみ」募集を禁止しましたが、「女子のみ」はＯＫ、としました。リクツは、均等法の主旨は女性差別の禁止であり、女性の職域拡大であるから「男子のみ」の制限は法に抵触するが、「女子のみ」の職域を保存するのは法の趣旨に反さない、からだそうです。均等法成立後、半年してから「女子のみ」ＯＫという労働省の通達が出ました。こういう法の片面《へんめん》性、すなわち実質的に女性のゲットー職を温存するような通達はふざけている、と批判がありましたが、その声はもはや大きくありませんでした。半年前の均等法成立のときに、多くの女性団体の敗北感は大きく、もはや「通達」に反対する運動を組織するほどの余力が残っていなかったからです。

女性管理職はなぜ増えないか？

「募集・採用」後にも、「配置・昇進」上の女性差別が待っています。

「配置・昇進」上の性差別があるかどうかは、管理職の女性比率で測ることができます。上級職に行くほど、女性比率が低下し、部長や役員など上に行けばまっくろけの「メンズ・クラブ」になる、というのが日本の企業でした。まれには女性管理職を大抜擢する企業もありましたが、「プレ均」世代で「教育訓練」における帝王学コースを歩んでいない女性社員が、準備もなく管理職に就くと、同僚に足を引っ張られたり自滅したりで、結局「そうら見たことか」

図表 2-1　役職別管理職に占める女性割合の推移

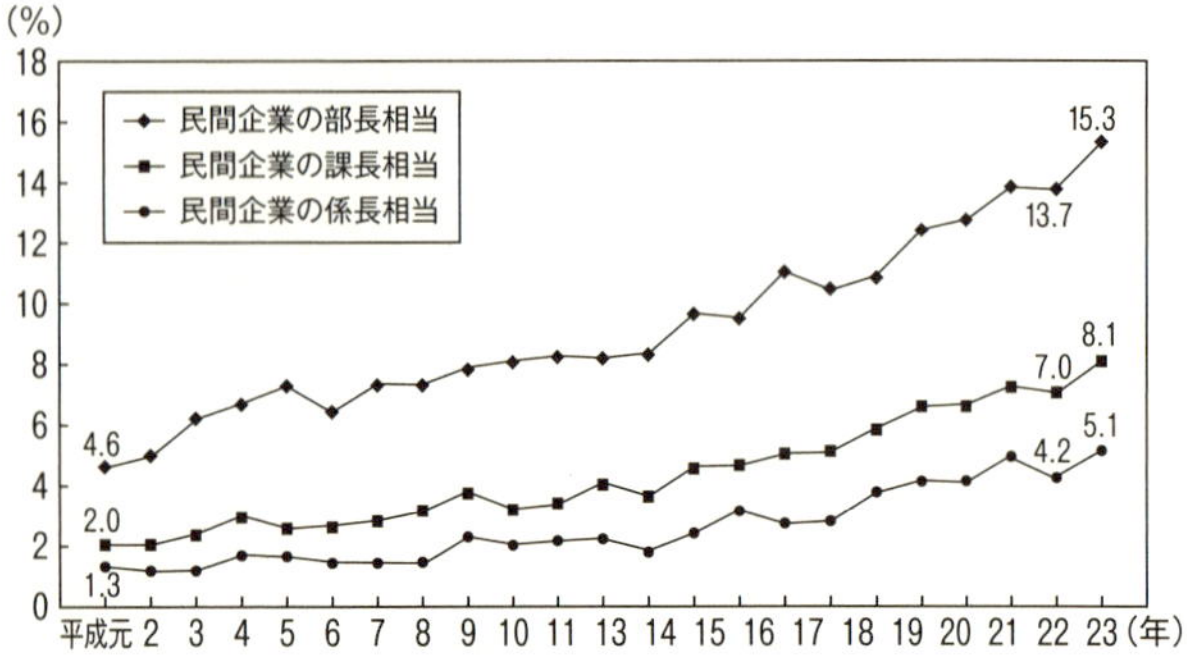

資料出所：厚生労働省「賃金構造基本統計調査」より作成

となるのがオチでした。

実際には管理職の女性比率の上昇は、均等法以後も微々たるものです【図表2-1】。係長までの下級管理職の女性比率は増えましたが、課長級以上となると急に少なくなります。部長級、役員になると今でも珍獣扱いでしょう。とくに従業員五百人超の大企業になるほど、その傾向は強くなります。

彼らに言わせると「差別はしていない」そう。管理職にとりたてたくてもその候補となる母集団に女がいないからだと言います。大企業で課長級以上の職階に就くには、勤続二十年近くの時間がかかります。そのあいだに転勤、異動を含むオールラウンドの帝王学コースを歩んでこなければなりません。「プレ均」世代には、そもそも二十年勤続の女性社員がいないだけでなく、かりにいたとしても帝王学コースを歩んだことのない窓口業務専門だったりして、適切な管理職候補とはなりません。それというのも、そもそも女性社員を一人前の戦力と見なしてこず、管理職に育てる気もなかった企業の人事戦略のせいなのですけれど。

企業は「(昇進) 差別はしていない」と言います。なぜなら女がいないから。なぜなら女は早く辞めるから。採用差別するのも、早く辞める女を採用するリスクはとれないからだ、といいます。企業はあくまで「合理的」に行動しているというのです。もし女がほんとうに男と対等に扱われたいと思うなら……甘えを捨てて、男と同じ条件のもとで競争というゲームに入ってこい、というのが彼らの言い分でした。

均等法の抜け道

それればかりではありません。日本の企業は均等法の施行前に、巧妙な抜け道をつくりました。それが総合職／一般職の「コース別人事管理制度」です。総合職は異動・転勤・出張ありの従来型のライン職コース、一般職はその補助業務、地域限定で異動や転勤にも制限があります。いままでの男性向けと女性向けコースを言いかえただけのように聞こえますが、タテマエは募集採用にあたって「男子のみ」の限定をつけない、ということで、女性差別には当たらない、というものでした。

コース別人事管理制度は、均等法の影響を最小限に食い止めるために、企業が発明したずるがしこい工夫でした。この制度のおかげで、企業は均等法を無効化し、あたかもなかったかのようにスルーすることが可能になりました。ネオリベ下の労使交渉では、つねに使用者側の方が巧妙に立ち回ってきたようです。

というのは、雇用の性差別を告発するためには、まず採用条件が同じでなければなりません。同じ条件で採用されながら性によって異なる処遇を受けたとき、初めて不当な性差別だと言うことができます。ですが、最初から採用区分が違えば、異なる職種に異なる処遇が伴うのはあたりまえ、となります。

そういえば、均等法が国会で成立したときのことをわたしは覚えています。苦い思い出です。その当時、わたしは女子短大の教員でした。女性学のコースを教えていたクラスで「みんな、きのう国会で男女雇用機会均等法が成立したんだよ！」と告げました。その直後に、「でも、あなたたちには関係ないけど……」と言わなければなりませんでした。

というのも、学歴や採用区分が同じなら同じ処遇を要求できても、最初から短大卒という学歴条件が異なれば、男性と同一の処遇を求めることなど期待できなかったからです。そして現実に短大卒の学歴を持つ学生のほとんどが女性でした。彼女たちは大卒男子が総合職として採用された職場に、最初から補助業務の要員として一般職採用されていったのです。

当時、わたしの友人に短大卒で大手商社に勤続して十年を迎えた女性がいました。新しい業務に意欲を示し、男性社員にしか課されなかった研修を自費ででも受けたいと上司に申し出たとき、その男性上司は彼女にこう言ったそうです。「キミはどう思っているかしらんが、うちの会社はキミにこれ以上の仕事は期待していないからね」……これでは女性社員が意欲を失って、くさっていくのはむりもないでしょう。

均等法一年目、フタを開けてみたら、男性はほとんど総合職、女性はひとにぎりの総合職に大半は一般職採用、という結果が出ましたが、それでも「差別に当たらない」のは採用区分の異なる職種を応募者が自発的に選択した結果だったから、です。均等法施行一年目の男性の応募者のなかには、転勤を嫌って「地域限定」の魅力から一般職に応募した者もいたと聞きます。が、採用側が、キミの希望には配慮するから、と言い含めて、総合職へと移動をすすめたとか。そうしないと「しめしがつかない」からです。

均等法施行後、大手のマスコミはこぞって総合職女性をもてはやしました。採用実態にくらべて、ほんの少数の例外的な存在だった彼女たちを、実態以上に過大にとりあげた責任はメディアにあると言ってよいかもしれません。総合職女性たちは大卒でした。同じく大卒女性であったマスコミ女性労働者が、自分と同じ立場のエリート女性に、過剰な注目を浴びせたとわたしは感じました。紙面の扱いはふつりあいに大きく、まるですべての女性が総合職になったかのようでした。彼女たちの一挙手一投足、持参する弁当のなかみまで記事になるかと思われたほどです。

その背後に、大多数の女性があいもかわらず男性社員の補助業務、いくつになっても「女の子」と呼ばれる一般職に就いている事実は覆い隠され、しかも彼女たちは今や自分の意思で

「一般職」コースを選択しているのだから、異なる処遇を受けてももはや「女性差別」と訴えることもできない、という現実には、メディアは目を向けませんでした。

コース別人事管理制度は女性差別を固定化しました。この制度は不当だと訴えた女性労働者の告発に、根拠法として均等法はほとんど役に立ちませんでした。「プレ均」世代の女性が、均等法後も継続する職場の性差別的処遇から女性を救済する訴訟を起こした、有名な住友金属工業裁判があります。弁護団の女性弁護士たちは、均等法が法廷闘争の武器にならないと嘆きました。彼女たちが根拠にしたのは労働基準法と憲法でした。そのくらい均等法には実効性がないことが、実際に使ってみて証明されたのです。

それではコース別人事管理制度はほんとうに企業にとって有利だったのでしょうか？　この制度を導入してから五年くらいした後に、さる企業の人事担当者に話を聞いたことがあります。彼の結論は失敗だった、というものです。

総合職と一般職の採用区分は、応募者の能力や適性と比例しているわけではありません。働いてみて初めて、そのひとの能力や適性がわかってきます。それに働いてから伸びる能力もあります。それなら最初から採用区分などしないで、三年、五年とチェックポイントを置いてそのひとの能力や適性をみきわめて配置および昇進させていくほうが、ずっと効率的な人材活用になる、というのがその担当者の見解でした。もっともだと思います。

実際、多くの企業で「女性初の……」と称されるような新たな職域を開拓していった女性たちは、資格や採用条件をものともしていません。電通は、均等法以前は長い間、女性は高卒か短大卒しか採用しなかった企業ですが、そのなかで頭角をあらわしていった脇田直枝さんや斎藤ようこさんのような人材がいます。脇田さんは社内起業に応じるとき、上司に「わたしに仕事をよこせ」と直談判に行ったといいます。最初から採用区分を固定すると、磨かれる才能も磨かれずに終わるでしょう。

それに気がついた一部の企業は、ほどなくしてコース転換制度を導入しました。勤続何年か経つと、一般職から総合職へのコース転換を、希望があれば受けつけるというものです。が、そのための条件はすこぶるきびしく、上司による推薦などの査定に加えて、社内のコース転換試験に通らなければなりません。結局、企業にとって役に立つとわかっている人材を例外的にとりたてるだけで、わずかな風穴が開いたにすぎません。

コース別人事管理制度はその違法性が疑われているにもかかわらず、現在も続いています。そして雇用のパイが稀少化した今日、一般職雇用は崩壊しつつあります。高卒や短大卒で「結婚までの腰掛け」として一般職に採用され、社内恋愛をして寿退職するのが夢、というこれまでの女性の定食メニューは崩壊しました。他方、総合職雇用は、わずかですがかえって拡大しています。つまり、だれにでもできるような定型的な非熟練業務は、パートや派遣などの非正規雇用に移転することができるいっぽう、男であれ女であれ、使える人材はとことん使おうと、企業がその「合理性」をいっそう高めたことがうかがわれます。長引く不況の下、受付や補助業務のような仕事をこなす女性を正規で雇っておくだけの余裕を、多くの企業は失ってきました。

企業のネオリベ戦略は強化され、総合職／一般職、正規／非正規のいずれを選んでも（実際には「選択の自由」などほとんどないにもかかわらず）、「自己決定・自己責任」の原則が待っています。こんな制度のもとでは、雇用の性差別を訴えることは、ますますむずかしくなりました。

均等法は女性を守ったか

均等法は女性の雇用にどういう影響があったでしょうか？

均等法の成立は八五年、施行が八六年。ちょうどバブル景気が始まった上り坂の時期でした。「ポス均」世代はバブル世代でもありました。八〇年代後半、労働市場は「売り手市場」で、おもしろいように内定を二つも三つもゲットする学生が少なくありませんでした。

その時期にたしかに、大卒女性の就職内定率は高まっています。晩婚化が同時に進行していましたから、卒業と同時に結婚、というシナリオは少なくなっていましたし、いずれ結婚するにせよ、それまでは職に就いているのが、女性にとっても当然のことになっていました。その選択のなかには総合職も含まれました。これを均等法効果とみるひともいます。が、ほんとうにそうでしょうか。

大卒女性の就職率は均等法以前から徐々に上昇しています。そもそも女性の四年制大学進学率そのものが上昇傾向にありました。先進的な企業のなかには、均等法以前から大卒女性を新規採用するところが出てきており、「女の時代」の波に乗って、女性を管理職に登用するところも珍しくありませんでした。ですから均等法の総合職コースは、すでに起きていた動きを後追いしただけ、とも言えます。

女性の雇用を守る法律の規制が真価を発揮するのは、好況のときではなく不況のときのはずです。九一年にバブル景気がはじけてからの就職氷河期および就職超氷河期に、男性よりも女性のほうが苦戦したことはご承知のとおりです。新卒採用市場では男女ともに内定率が下がりましたが、そのなかでも内定率の男女格差は拡大していきました。もっともワリを食ったのが、短大卒女子と高卒女子です。

これからわかることは明白です……均等法は不況期に女性の雇用を守ってくれなかった。一見均等法効果と見えた大卒女性の雇用の拡大は、法律の効果ではなく、たんにバブル景気の効果にすぎなかった、その証拠には、景気が好況から不況に転じるとその効果はただちにしぼんだからです。

均等法はわたしを守ってくれなかった……それが多くの女性労働者の実感ではないでしょうか。

均等法に実効性はなかった……それが多くの専門家の意見です。しかも法廷闘争の根拠法にすら使えなかったと、法の専門家たちは証言します。

日本の女性学の成果を集大成した『岩波　女性学事典』で「均等法」の項目を執筆したジェンダー法学者、浅倉むつ子さんによればこうです。

「八五年に成立した男女雇用機会均等法は雇用平等法というにはほど遠い法律であり、九七年の改正均等法もなお、(中略)諸外国の法律に比較して実効性確保という点からは不十分である。」[6]

ならば均等法とはいったい何だったのか?

公共政策の専門家で男女共同参画社会基本法の立役者、大沢真理さんは、「男仕立ての法律」と呼びます。均等法を解説した彼女の英文の論文で、"tailored"という表現を見つけたときの目の覚めるような驚きを忘れることができません。「テイラー・メイド」すなわち紳士服仕立ての、もっとわかりやすく意訳すれば「男性の利益にかなうように作られた」法律だった、という意味です。まったく同感です。

改正均等法の成立

均等法はあったほうがまし、だったのか、それともないほうがまし、だったのか?

八五年に成立してからもう四分の一世紀。歴史的検証をしてもよい頃になりました。

均等法に実効性がなく、罰則規定もなく、紛争処理手続きにも欠陥があることは法の制定当時からわかっていました。法律制定の推進者側の言い分は、どんなに欠陥だらけの法律でもいまここでつくっておいたほうがよい、そうすれば将来にわたって改正ができるから、というものでした。

そのとおり、九七年には改正均等法が成立しています（九九年施行）。改正均等法ではふたつの大きな変化がありました。その一は、問題だった「募集・採用」「配置・昇進」における性差別への努力義務規定が、禁止規定に変わったこと。その二は、セクハラことセクシュアルハラスメントの防止と対応が使用者側の責任となったことです。

一つめの「募集・採用」「配置・昇進」における性差別が禁止されるのは、遅きに失した、と言ってよいですが、当然のことでしょう。が、あいかわらず罰則規定はありませんから、企業は知らんぷりができます。労働省（当時）は違反企業の実名公表、と言っていますが、実際にやったことがありません。そのあいだにすっかり定着したコース別人事管理制度や不況下の就活競争の激化で、この女性差別禁止規定もすっかり骨抜きになっています。

二つめのセクハラに対する使用者責任の明文化は、企業にとって青天の霹靂だったことでしょう。それまでセクハラは、私人同士のあいだのプライバシーに属する、と企業は無視してきたからです。たまりかねて労働組合に訴えても、組合は私人のあいだのプライバシーに関与しない、とこちらも玄関払いを食らわされてきました。つまり下半身に関することは、どんな不当なことであっても「プライバシー」の名において、公的領域である職場からは見えないものとされてきたのです。

労働省の定義によれば、セクハラとは「職務上の地位を利用した相手ののぞまない性的行為の強要」、つまり職務上与えられた権力を職務外にも及ぼす権力の濫用こと逸脱行為です。この定義によって、セクハラは「私人間のプライバシー」から「職場の労働災害」の一種になりました。ちなみにパワハラこと「パワーハラスメント」とは、「職務上の地位を利用、または逸脱した権力の行使」となります。セクハラは、これに性的行為が伴ったものを言います。

以前からセクハラ対策の研修に、「セクハラを受けないために」というテーマで女性社員が受講するのを、わたしは不思議に思ってきました。セクハラとは、被害者の問題ではなく、加害者の問題。それならセクハラ加害者になる可能性がもっとも高いのは職場の管理職男性たちです。中小企業なら、社長みずからがセクハラ加害者ということがままあります。「トップの犯罪」なら、大阪府の横山ノック知事のセクハラ事件を思い出してください。それならセクハラ研修を受けるのはハイリスク・グループである男性たちであるべきだ、とわたしは考えてきました。そのとおりになりました。

改正均等法によって、企業のセクハラ研修は「いかにセクハラを受けないか」の研修ではなく、「いかにセクハラの加害者にならないか」の研修に変わりました。そのせいで人材研修会社のセクハラ対策研修プログラムは大流行りになりました。わたしの勤務していた東京大学でも、各部局の教授会に、全員必修のセクハラ研修が義務づけられたものです。企業のリスク管理を考えるなら、加害者になる蓋然性の高いグループが研修を受けるのは当然でしょう。セクハラは誰が見ても破廉恥罪ですし、企業の評判を落とすだけでなく、訴訟でも賠償金額がしだいに高額になってきました。「セクハラは高くつく」……その学習効果は大きかったと思います。セクハラ対策については――まだまだじゅうぶんとは言えませんがそれでも――改正均等法は大きな効果をもたらしました。

均等法はできた。これからだって改正していけばよい……なら、均等法は、あったほうがよかった、と結論してよいでしょうか？

ですが、もっと皮肉な事態が同時に進行していました。それは均等法が成立してから四半世紀のあいだに、均等法の適用を受けない女性労働者がぼうだいに増えていた、という現実です。均等法はできたけれど……わたしには関係ないわ、という女性たちが大量に労働市場に登場したのです。

1　「結果の平等」と「機会の平等」のちがいについては竹中恵美子編『女子労働論――「機会の平等」から「結果の平等」へ』（有斐閣、1983年）参照。

2　田原総一朗さんの妻、田原節子（旧姓村上）さんは、日本テレビにアナウンサーとして入社、結婚・出産後に「容色が衰えた」という理由でアナウンサーを降ろされたことを不服として提訴。法廷闘争に勝訴した当事者である。

3　通常、夫婦のうち収入の多い方に扶養手当や住宅手当をつけるように運用されている。

4　一九八〇年に早稲田大学の女子学生によって創刊、九八年まで十八年間続いた。初代編集長は福沢恵子さん。現在はキャリア・コンサルタントとして活躍している。

5　日本で企業の定年退職を初めて迎えた女性労働者は、戦後「独婦連」こと「独身婦人連盟」の世代。結婚適齢期には戦争で結婚相手の候補となるはずの同世代の男性たちを大量に失い、生涯独身を余儀なくされた世代の女性たちだ。彼女たちは銀行員や会社員になったが、生涯事務補助職や窓口業務など、「女の子」向けの補助職のまま定年を迎えた。

6　浅倉むつ子「男女雇用平等法」井上輝子他編『岩波　女性学事典』（岩波書店、2002年）558頁。

第三章　労働のビッグバン

労働の規制緩和

男女雇用機会均等法がネオリベ改革の一環だった、と今さらのように解釈できることには根拠があります。均等法が成立したと同じ一九八五年に、もうひとつの重要な労働法制、労働者派遣事業法が成立しているからです。均等法とちがってこちらのほうは、メディアは大きく報道しませんでした。

八〇年代以降の労働法制を年表にあげておきましょう【図表3－1】。

労働者派遣事業法（以後、派遣法と略称します）とは、周旋業とか口入れ屋とか呼ばれる就労斡旋の業務を、民間に解禁した法律です。口入れ屋は別名、ピンハネ業とも呼ばれます。この呼び方には、いくばくかの蔑視がともなっています。というのも、ひとに働き口を紹介しただけでみずからは労せずして利益を得ることに、不当感が伴うからでしょう。実際、過去には

図表3-1　80年代以降の労働法制（成立年）

1985年	雇用機会均等法 労働者派遣事業法
1993年	パートタイム労働法
1997年	改正均等法
1999年	改正派遣事業法 改正職業安定法 改正労働基準法
2000年	企画業務型裁量労働制
2007年	改正パートタイム労働法

周旋業には悪質な業者が多く、そのため政府は民業としての周旋業を禁止し、就労斡旋を公的な責任においておこなう業務としてきました。それがもと公共職業安定所、現在のハローワークです。この法律は、それを民間企業が営利のためにおこなってもよいという規制緩和をしました。民間の周旋業を法的に認めたのです。「労働のビッグバン」こと怒濤の如き規制緩和への第一歩でした。

派遣法成立の結果生まれたのが、人材派遣会社です。経済同友会の初の女性会員のひとりとなった奥谷禮子さんは、ザ・アールという人材派遣会社の創業者でした。また小泉改革のブレーンだった竹中平蔵さんは政治家を辞めたあと、人材派遣会社の大手、パソナの取締役に就きました。あとでお話ししますが、奥谷さんは「女女格差」ということばを最初に使った人ですし、竹中さんは小泉改革がもたらした「格差」の推進者です。ネオリベ派は格差がお好き、と思ってよいでしょう。その格差は、雇用の規制緩和がもたらしたものでした。

最初の頃の派遣業務は、一部の専門的な業務に制限されていました。職場のOA化（Office Automation の略語です、なつかしいですねえ）が進行中でした。八〇年代後半、出始めたばかりのワープロやパソコンの入力業務ができるような専門的な人材が、時給千八百円や二千五百円で企業に派遣されていました。たとえ派遣会社のピンハネ（中間搾取）があっても、正社員のOLよりも派遣のほうがずっと時給がよかったのです。ときはバブル期、ふつうのOLよりハケンさんのほうが、給料も能力もプライドも高かった時代のことです。

その後、派遣法は、「改正」に次ぐ「改正」を経ていきます。[1] そのつど規制緩和が進み、最初制限されていた職種が拡大されて、専門性の高い職種から非熟練的で定型的な業務へ、さらに製造業派遣の規制緩和へと進みました。「改正」という名の「改悪」です。いったん法律をつくっておいたらあとで「改正」できるからよい、ということのなかには、こういう裏道も含まれますから油断はできません。この規制緩和の方向は、あとで「労働のビッグバン」と呼ばれるネオリベ改革の一環でした。今にして思えば、八五年の派遣法の成立は、その「労働のビッグバン」への周到な布石だったとすら思えます。

今では労働者派遣はわずかな例外をのぞいて、ほとんどの職種で可能になりました。派遣だけではありません。契約社員、有期雇用、請負、パート、アルバイトなど、いわゆる非正規雇用と呼ばれる労働が大量に増えました。あっというまの変化でした。

これら非正規雇用に共通した特徴があります。それは使用者が労働者に責任を持たないですむ、ということです。雇用保証はもとより、各種の保険も保障も、福利厚生も提供しなくてすみます。製造業派遣のうち、一日請負というやり口を知ったときには、あまりの悪辣さに、開いた口がふさがらなかったものです。請負には親方制度というものがあります。個人事業主であるひとり親方に一日単位でしごとを請け負ってもらう、という契約で派遣先へ送りこむのです。契約は一日単位ですから明日の保証はありません。いつでも首を切れます。失業保険も健康保険もいりません。万が一労働災害があっても、個人事業主が自己責任でしごとを請け負っていることになりますから、労災の責任をとる必要すらありません。なんてずるがしこい！こんな手口をいったいだれが考えついたのだろう、と感心するくらいです。

覚えておいてください。戦後の労使関係のもとでは、使用者側のほうが労働者側よりもつねに狡猾で一歩先を行ったことを。均等法を含めて、労働政策は労働者側の敗北に次ぐ敗北でした。

「新時代の『日本的経営』」

この労働の規制緩和にゴーサインを出すきっかけとなった、報告書があります。一九九五年に日経連（当時。後の経団連）が出した「新時代の『日本的経営』――挑戦すべき方向とその具体策」というものです。

この報告書は、これからの経営は労働者を以下の三つのグループに分けて人材管理をすると提言しています。第一は、長期蓄積能力活用型、いわゆるライン職です。第二は、高度専門能力活用型、いわゆるスタッフ職です。第三は、雇用柔軟型、ここに派遣、臨時、契約、請負、パート等の非正規雇用が含まれます。

第一の長期蓄積能力活用型は、新卒で採用し、社内研修で人材育成をおこない、異動と転勤によってオールラウンド・プレーヤーに育てようという従来型の雇用です。つまり就職ではなく、就社型の雇用です。第二の高度専門能力活用型は、法律業務や語学能力など高い専門性を要する業務は、社内で人材を調達しなくてもできるだけアウトソーシングしていこうという考え方です。そういえばラインとスタッフという言い方のうち、派遣さんを「スタッフさん」と呼び習わしている職場もありましたっけ。つまりスタッフとは取り外し可能な人材という意味で使われています。第三の雇用柔軟型とは、別名雇用調整型、つまり景気の安全弁と呼ばれる伸縮自在な労働力、もっとはっきりいえば、使い捨ての労働力です。伸縮自在《フレキシブル》とは、誰にとってフレキシブルかといえば、労働者にとってフレキシブルという意味ではなく、使用者にとってフレキシブル、つまりつごうのよい使い方、という意味でしょう。

この報告書には日本の経営者のホンネがよくあらわれています。第一の長期蓄積能力活用型をうんとしぼりこみ、第二の高度専門能力活用型はできるだけアウトソーシングして社内コストを抑え、第三の雇用柔軟型で、定型的な業務や非熟練部門を置き換えていこうという人件費の抑制戦略です。この結果、雇用が正規と非正規に二極分解しました。総合職社員が重視されるいっぽうで、一般職社員は縮小し、非正規労働者に置き換えられていきました。企業がもはや余裕を失ったからです。

一九九五年はバブルがはじけてから四年後、もう底打ちだと言われながら、景気はとめどなく下り坂を転げ落ちていました。どこまで行けば底が見えるのか、見通しもつかない状態で、企業はデフレ・スパイラルに巻きこまれていきました。バブル期に本業以外の投資にのりだした企業は不良債権を抱え、瀬戸際に追い詰められていました。

この報告書が「日本的経営」と銘打っていることには理由があります。第一の長期蓄積能力活用型はこれまでの総合職正社員とまったく変わりません。企業は従来型の「日本的経営」を変えるつもりはない、とここで宣言したことになります。ただし、企業の組織体質をうんとスリムダウンして、贅肉抜きの効率重視に変えていこうという決意でした。ここから就活競争における「椅子取りゲーム」[2]（湯浅誠さんのことばです）ははげしくなります。なぜって終身雇用という会員制クラブの入会メンバーを、数をしぼって精選しぬかなければならないからです。

企業、とくに大企業の採用人事の方法は高度成長期からほとんど変化がありません。学歴別新卒一括採用、終身雇用、年功序列給与体系を維持しています。変わったのは「椅子取りゲーム」の椅子の数が激減したこと。企業が余裕を失ったからです。その椅子をゲットするために就活競争ははげしくなり、その椅子をゲットした男をゲットするための婚活競争もまた、はげしくなりました。一説によると企業は新入社員一人あたり約三百万円の採用コストをかけているとのこと。いったん雇ったら定年まで辞めさせられないのですから、リスクは冒せません。慎重になるのは当然でしょう。その結果、離職リスクの高い女性は敬遠されがちになります。

結果として採用における女性差別は、なくなっていません。

人事担当者によると、成績でも面接でもパフォーマンスの高いのは女性の方だとか。七対三で女が優位だが、結果採用されるのが三対七で男が優位になるんだとか。なぜってそのままの比率で採用すると圧倒的に女が増える結果になるから。オモテには出ませんが、わたしは各企業に「女子枠」があるのではないか、とあやしんでいます。

採用に性差別があるかどうかを判定するには、疫学的証明という方法があります。応募者の性比と採用者の性比とをくらべて有意に差があれば、差別の蓋然性が高い、と判定することができます。いちいちの個別の人事には理由があるでしょうし、採用過程はブラックボックスで外からは見えませんが、集団として見た場合に、男性もしくは女性のいずれかの集団にいちじるしく有利または不利に働いたと言えるこのような差別を、直接差別に対して間接差別と言います。

民間企業には差別する自由がある、と言ってもよいかもしれませんし[3]、また採用結果はわかっても応募者の性比は公表されません。が、もしこれが公務員採用の場合なら問題です。公平であるべき公務員採用に性差別があったということになるからです[4]。

わたしはあるとき、県と市町村別の公務員試験の応募者性比と合格者性比の比較データを入手したことがあります。それを見て、おもしろいことがわかりました。合格者の男性比率が応募者の男性比率をうわまわっていたのは県と町村。市では逆に合格者の女性比率が応募者の女性比率をうわまわっていました。前者、県と町村では男性優遇のなんらかの配慮があっただろうことが疑われます。それなら市では逆に女性優遇の男性差別があったのでしょうか？

時は九〇年代の後半でした。就職超氷河期で行き場を失った優秀な女子学生が、公務員採用試験に殺到していました。一般に不況期になると公務員には優秀な人材が集まる、と言われます。なぜって好況のときには民間の方が給与等の条件がよいので、優秀な人材が流れるのに対し、不況になると民間の採用が「狭き門」になるからです。不景気になってから男女を問わず優秀な人材が公務員をめざすようになっただけでなく、わけても優秀な女性が行き場を失って公務員を志望するようになった……のは、民間の女性差別の効果です。なかでも市への志望が多いのは、転勤の範囲が狭いからでしょう。そして応募者の性比と合格者の性比とを比べたとき、県町村と市とで逆転したジェンダー比は、自治体のなかでも県および町村にくらべて市が相対的に公平な採用人事をおこなっていることの証拠だと考えられます。裏返せば、県や町村では有力者のコネ採用や男性優遇があったことをうたがわれてもしかたのないデータです。公務員は地方では人も羨む特権的な職業。景気に影響されない安定した職場だからです。

性差別のみならず、学歴差別もあいかわらずです。変化したのは大学進学率が五〇％を超えると、学歴差別が学校間差別に変わったこと。一昔前に「指定校制度」というのがあってたいへん不評を買っていました。「うちは学校名を隠して応募してもらう」なぁーんて採用担当者が言っていたのはもはや昔語り。「指定校制度」ということばは消えてなくなりましたが、わざわざそう呼ぶまでもなくなったからです。大学のブランドによってエントリーから振り分けされることを、今時の学生はよく知っています。だれもそれにクレームをつけなくなっただけです。

採用人事のリスクを負わないために学歴差別、学校間差別、性差別をするのは、これまでの「成功体験」からです。彼らは企業体質を変えるつもりがありません。同質性の高い人材を集め、同期のあいだで企業内出世レースを競わせ、長期にわたる企業への忠誠心を育む……「社畜」化への道です。そのために新卒一括採用人事が止められないのです。

二〇一〇年に政府が新卒採用の弊害を唱えて、経済団体等に「卒後三年は新卒扱い」という要請をしました。とうてい真に受ける気になれないのは、いくら期限を延長しても「新卒採用」というルールそのものに変化はないこと。それに「三年延長」になれば、前年、前々年度の新卒者が新卒市場に参入してくることになりますから、新卒採用市場はますます競争が激化することが、ただちに見てとれるからです。こんなことぐらい、就活中の若者がいちばんよくわかっています。

椅子取りゲームの勝者になれば、あとは安定が待っている、でしょうか？

不況以後の現実は、正社員の労働時間が長時間化したことを告げています。週に六十時間以上働いている労働者（年間二百五十日以上就業）は、八七年に一六・三％だったのが、二〇〇七年には二一・一％に増えています（「就業構造基本調査」による）。バブル期には一時期、労働組合が賃金アップよりも労働時間短縮を、と要求しかけたことがありましたが、それも不況でふっとんでしまいました。

正社員になってもちっとも幸福そうに見えないのは、精選しぬかれた「長期蓄積能力活用型」の正社員が、精も根も尽き果てるまで労働強化を強いられているからです。それに男女差はありません。わたしは総合職になった女性たちの間に、ココロとカラダを病んだひとたちをどれだけ見てきたでしょうか。男性たちもまたうつや過労死に追い詰められていきました。正社員になったからって、うらやましく見えないのはそのためです。

政財官＋労働界の共犯シナリオ

日経連の報告書は、第三の「雇用柔軟型」を使い捨てしてよい、というものでした。長引く不況と激化する国際競争に生き残るためには、それしかないという理由からです。円高ですでに日本の労働者の賃金水準は国際標準からみて高騰していましたし、製造業は日本を逃げ出して、雇用の空洞化が始まっていました。

そうは言っても円高の恩恵を感じるのは海外に出たときぐらい。世界で有数の賃金の高い国、と言われても、国内の労働者には実感がわかないことでしょう。

この方針にゴーサインを出したのが、政界と官界です。こうして政財官が一体になって「労働のビッグバン」こと労働市場の規制緩和を推し進めることになりました。派遣法とその改正に次ぐ改正は、その路線に沿ったものです。

その結果ワリを食ったのが、若者と女性です。新卒時に就職氷河期に遭遇した年齢層の若者たちが（たまたま団塊ジュニアの世代にあたっていました）、新卒採用市場の冷え込みでフリーターになることを余儀なくされ、その後ふたたび新卒市場に参入できなかったために「ロスジェネ」こと「ロスト・ジェネレーション（失われた世代）」と呼ばれるようになったことはご存じでしょう。実際企業の採用人事は、とうてい長期計画があるとは思えないほど場当たり的です。二〇〇〇年代に景気が上向きになってから新卒採用が活発になったときに、中間の三十代の年齢層がごっそり抜けているというアンバランスな人的構成になったのはそのせいでした。

女性のほうは、若者よりもっと以前から「雇用の柔軟化」のもとにありました。女はそれ以前からパート、臨時等の非正規雇用者。不景気になってからは「最後に雇われ、最初に首を切られる last hired, first fired」とも言われる「景気の調整弁」機能を果たしてきました。いわゆる「労働力予備軍 reserve army of labor」です。戦前には農村が、戦後には家庭が、不況の圧力を吸収する緩衝材《クッション》の役割を果たしてきたのです[5]。

この使い捨て路線に合意を与えたもうひとつのアクターがあります。労働組合です。それも日本最大のナショナル・センターである日本労働組合総連合会（略称・連合）です。連合は正規雇用を確保した男性正社員、男性片稼ぎ型の世帯を維持してきた労働者の利益集団です。

日経連の報告書のタイトルが「日本的経営」であることには、ここにも理由がありました。「日本的経営」の三点セットには企業内組合が含まれています。「日本的経営」とは、労働組合との共存共栄によって維持されるものだからです。経営者団体は、労組の合意をあらかじめ前提していたにちがいありません。

九〇年代の後半に、あるシンポジウムで連合の某大物とすれちがったときのことをわたしは覚えています。わたしが労働組合に批判的なことを知っていたのか、彼はわたしを認めると一瞬バツの悪そうな顔をして、こう言ったのです。

「ウエノさん、あんたも知ってるだろうが、労働組合って保守的なもんだから……」

はい、言われなくても知っています。連合は、男性正規雇用者の既得権を守るという選択をしました。不況期に女と若者を切り捨てるという犠牲のもとに、です。これを労使協調路線と呼びます。

ですが、労働組合が労使協調路線になったのは高度成長期以降であることは覚えておいてください。それまでは「闘う労働組合」だったこともあるんですから。一九八九年に総評こと日本労働組合総評議会が連合に合流するために解散したとき、わたしは思ったものです、これで日本の労働組合運動の歴史は終わった、と。その連合が今の民主党の主要な支持母体ですから民主党の保守性は推して知るべし、でしょう。

こうして「新時代の『日本的経営』」は、政財官に加えて労働界の合意を得て政策シナリオとなりました。それから「労働のビッグバン」が起きたのはご承知のとおりです。

マルクスのまちがい

労働界が経済界との協調を選んだことには、歴史的な理由があります。

それを説明するためには、マルクスの予測がまちがっていたことを言わなければなりません。え？　マルクスですって？　マルクス理論のなかには今だって役に立つものもあれば、古くさくて説明力をうしなったものもあります。盲信する代わりに、うまく使えばよいだけです。

マルクスは近代化とは産業化であり、産業化とは農民が離農して、賃労働者になっていく過程である、と考えました。土地に縛られることがなく、自らの労働力以外に売るものがないひとびとのことを「自由な労働者」と呼びました。このなかで、家長ひとりの賃金収入で世帯を維持できる程度の給与（家族給 family wage と呼びます）を確保できる特権的な雇用者が生まれます。それが大黒柱労働者とか、「パンの稼ぎ手 breadwinner」と言われるひとびとです。そういう自分と家族の生活を維持できるだけの給与をもらえる雇用を、正規雇用と呼んできました。その水準がどれくらいか、そのために週何時間働かなければならないかは、その社会の「健康で文化的な」生活水準と、労使の交渉によって、歴史的に決まります。

マルクスは産業化がどんどんすすめば、世の中のあらゆる人は賃労働者になる、と予見しました。自分の時間を売って賃金を受けとる労働者です。ですから農民の人口比率や商工自営業者の人口の多い社会は、産業化の遅れた社会だと判断しました。

これに異を唱えたのは、マルクスの後継者を自任するイマニュエル・ウォーラーステインという社会学者です。彼は『近代世界システム』（名古屋大学出版会、一九九七年）の著者ですが、そのなかで、世界には国際分業というものがあって、大きく中心、半周縁、周縁とに分けられる。シングルインカムで世帯を維持できるような給与を確保できる労働者（世帯主労働者）は中心部の特権的な存在であり、その雇用のパイは、社会的な稀少財化しており、これから先も増えることはないだろう、と予測しました。代わって半周縁、周縁地域には、現物経済と貨幣経済との両方に依存する労働者や市場外労働に従事する労働者（主婦もそのひとりです）が残りつづけるであろうと。

そのとおりになりました。

産業化のすすんだ中心部、いわゆる先進国では雇用のパイはこれ以上大きくならないか、さもなければ縮小に転じました。湯浅誠さんのわかりやすい表現で言えば、「椅子取りゲーム」の椅子の数が減ったのです。先進国で労働組合の強い社会には一般に労働者に「先任者特権 seniority privileges」があります。早い者勝ち、つまりすでに雇用の分け前をもらっている年長の労働者の首を切ることはできないので、代わって新規採用を控えることになります。その結果、若年失業率が高まります。

産業構造のリストラ以降、長きにわたってヨーロッパの先進工業諸国が経験してきた慢性的

図表3-2　EU諸国の若者（25歳以下）の失業率（%）

	2011年2月	2011年12月	2012年1月	2012年2月
EU加盟27カ国の平均	21.0	22.1	22.3	22.4
ドイツ	8.9	8.3	8.2	8.2
ギリシャ	39.5	50.4	−	−
スペイン	44.4	49.3	49.9	50.5
フランス	23.5	22.6	22.1	21.7
イタリア	27.8	30.7	31.0	31.9
ポルトガル	26.9	35.0	35.1	35.4
イギリス	20.1	22.2	−	−

（EU統計局による）

な若者高失業率社会の始まりです。それがネオリベ改革の効果であることは言うまでもありません。ヨーロッパでは若者の失業率は二桁台を超し、一部では三割に達しています。最近のデータではスペインで五〇・五％に達しています【図表3-2】。

国際的に見て、正規雇用のパイは、どの社会でも減少傾向にあります。そのもとで労働の柔軟化、いいかえれば非正規雇用がふえつづけました。日本もその例外でないというにすぎません。ただし、非正規雇用を増やしたときに、それに対応する社会的なセキュリティ social security——直訳すれば社会保障、となります——のシステムを、政治が準備したかどうかの違いが生まれているのです。

格差の問題化

こうして日本でもネオリベ改革期をつうじて、非正規雇用者の数が増えていきました。

図表 3-3　非正規労働者比率

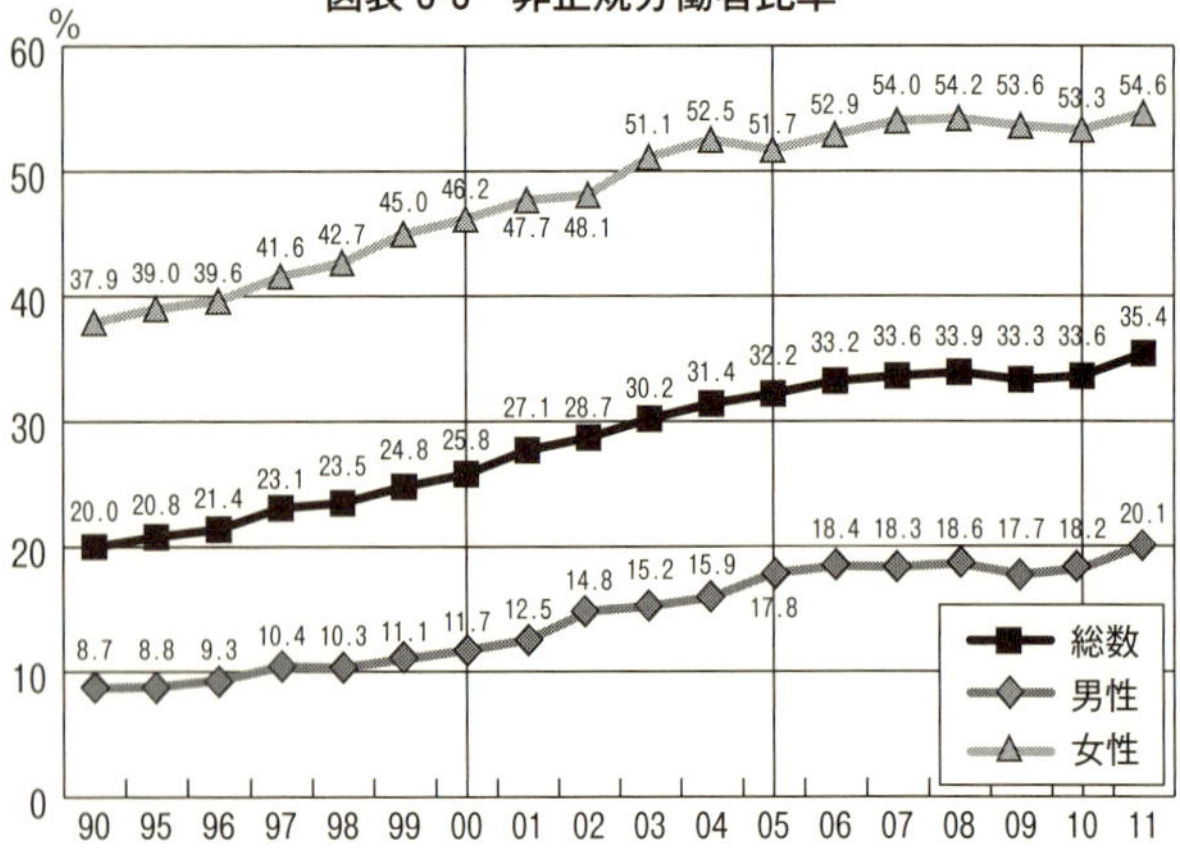

資料出所：総務省「労働力調査」より作成
注：非正規労働者とは役員を除く雇用者から正規の職員・従業員を除いた者

非正規労働者比率のデータを見てみましょう【図表3－3】。

労働者全体に占める非正規労働者比率は、二〇一一年で三五・四％（震災の影響を受けた岩手・宮城・福島県を除く）、九〇年代からほぼ一貫して増えつづけています。なかでも男性二〇・一％に対して女性はおよその二・七倍、五四・六％と高い比率を示しています。女性だけをとりあげてみると不況が始まった九〇年代の初めには、女性労働者のうち非正規労働者の比率はおよそ三人に一人。それが十年経って二〇〇〇年代になるとおよそ二人に一人と増えています。このあいだに女性の労働者数は増えつづけていますが、その多くは非正規労働者だったことがわかります。

不況の十年間の間に、非正規労働者は数

だけでなく質が変わりました。九〇年代の初め頃の非正規労働者は、ほとんどが既婚の中高年女性だったのが、それ以降、非正規労働者が増加した分は、ほとんど未婚の若い女性でした。つまり不況になってから、若い女性は学卒後の新卒採用市場において最初から非正規労働に就いていったことになります。それが派遣、契約、臨時といった働き方でした。

日本では正規と非正規の労働条件に大きな格差があることが知られています。非正規の賃金は正規の賃金の半分から三分の一とも言われています。これまでフリーターやアルバイトなど若者の非正規雇用は、正規雇用をゲットするまでの移行期間の働き方、と思われていたのですが、それが固定化するようになってきました。若い時には顕在化しなかった労働条件の格差が、年齢とともに拡大してきます。三十五歳を過ぎると、もはや「若者」とも呼ばれなくなります。厚労省のニートやフリーターの定義は三十四歳まで。それを過ぎるとタダの失業者か貧乏人です。

ネオリベ改革の進展とともに「格差」問題が俎上に載るようになりました。「格差、格差」と叫びだしたのは、メディアと政治です。小泉改革があたかも諸悪の根源のように言われましたが、ネオリベ改革そのものは、お話ししたように、小泉政権よりずっと以前から始まっています。また格差批判をするひとたちが、結局はネオリベ改革と大差のない政策を支持しているのも奇妙なものです。

格差が言い立てられるようになってから、わたしは憮然とした思いでした。

いったい誰のあいだの格差なのか？　男性のあいだの格差、それも高学歴者のあいだに格差が生まれたからこそ、格差は問題にされるようになったのではないか？　キャッチコピー風にいえば、「東大卒でもホームレスになりかねない時代」が来たからこそ、メディアと政治――オヤジ社会の別名です――は格差を問題にしはじめたのではないか？

なぜならそれ以前に、第一に男性のあいだに学歴格差があったときも、第二に男女格差があったときも、メディアも政治も「格差が問題だ」とは言わなかったからです。六〇年代まで日本は学歴格差の大きい社会でした。一九六八年に連続ピストル射殺事件を起こして世間を騒がせて死刑判決を受けた、永山則夫（一九九七年死刑執行）は、六〇年代の中卒集団就職者のひとりでした。地方の中卒者は集団就職列車に乗って都市の最底辺の労働市場に参入し、短期間で離職したあと、その後の追跡もできなくなるというケースが少なくありませんでした。貧困と学歴、家庭崩壊は問題になりましたが、格差が悪い、とは誰も言いませんでした。学歴のあいだに格差があることは当然視されていたからです。

もうひとつ、男女格差があります。格差が問題化されたとき、女性学の研究者は思ったものです――そんなことなら、わたしたちは二十年も前から言ってきた。でも誰も耳を傾けてこなかった、と。なぜか。男女のあいだに格差があるのは当然、とメディアも政治も思っていて、だれもそれを問題だと感じなかったからです。

日本における男女賃金格差は二〇〇八年で男性一〇〇に対して女性六九・三。ＯＥＣＤ諸国の男女賃金格差がスウェーデンで八四・六、フランスで八八と接近しているのに対して、大きな格差があります。しかも国連女性差別撤廃条約を批准したあとも、この格差が長期にわたって改善していないという、他の国に比べて困ったことが起きています。

男女賃金格差は性差別のもっともわかりやすい指標のひとつです。それが改善していないことは、この三十年にわたって女性の置かれた社会的状況が改善していないことを示します。その大きな理由は、女性の大半が非正規雇用に就いているからです。

正規雇用サラリーマンの夫と非正規雇用パート就労の妻とのカップルを、わたしは「身分違いのカップル」と呼んできました。年収八百万円の夫と、年収百万円余の妻とでは、「身分が違う」からです。二〇〇〇年代に入ってからある経済学者が夫婦間の経済格差を問題にしているのを読んで、今頃わかったのか、と思ったものです。

社会学の階層研究では、妻の階層帰属を夫と同じと見なします。どうやら妻自身もそう思っているようですが、世帯単位ではなく個人ベースで見れば、妻はあきらかに貧困層に属します。

そもそも経済階層を世帯単位で判定してよいのか、個人を単位に測定すべきなのかは論争の的になっています。階層帰属と階層帰属意識とはちがいます。妻自身がどう思っていようとも、それが「虚偽意識」であることは、離婚と同時にあきらかになります。離婚したとたん、多くの妻は貧困ライン以下に落ちこむからです。離婚すると夫の生活水準は上昇し、妻の生活水準は下降する、というアメリカのわかりやすいデータもあります。夫との関係がうまく行っているあいだだけ、それもDVやネグレクトに耐えながら維持される経済階層、ってなんでしょうか。

実際、離別したシングルマザーの平均年収は二百万円台。それもダブル・ジョブ、トリプル・ジョブをこなしながら、扶養家族付きの年収です。格差が社会問題になってはじめて、それに便乗するようにシングルマザーの貧困問題が浮上するようになりました。「格差」キャンペーンの意図せざる効果のひとつでした。

女女格差

ネオリベ改革は、男性間の格差、男女間の格差を拡大し固定化しましたが、それに加えて女性間の格差、いわゆる「女女格差」をもたらしました。

「女女格差」ということばを日本で最初に使ったのは奥谷禮子さんです[6]。九〇年代の初めという早い時期でした。その後、橘木俊詔さんが『女女格差』（東洋経済新報社、二〇〇八年）という本を書きましたが、ずっと後になってからでした

奥谷さんは「女女格差」OK、のネオリベ派です。自らも規制緩和に乗じて、派遣会社を起業した女性経営者です。格差批判の大合唱が起きても、持説を曲げない確信犯でもあります。男性経営者のなかには彼女のファンが多く、経済同友会の初めての女性会員の一人に推薦されました。

規制緩和が起きてはじめて、女性にも格差が生まれるようなチャンスが与えられました。それまで女は集団としてまとめて差別されていたのが、ネオリベのおかげで「機会均等」の競争に参入することができるようになりました。そのなかで女のあいだにも勝ち組と負け組とが生まれました。女もいろいろ、一枚岩ではなくなりました。

その結果、結婚して主婦になることも選択のひとつ、と見なされるようになりました。それまでは結婚したら家庭の人、が女の定食コースだったのですが、女性にも機会が増えたせいで、結婚するひとしないひと、結婚しても仕事を続けるひと続けないひと、仕事もフルタイムで働くひと、パートや派遣で働くひと……と選択肢が多様化しました。

社会学には「相対的剝奪 relative deprivation」という概念があります。み～んな同じ境遇なら不幸でも耐えられるのに、そのなかに格差が生まれてほかのひとと自分の境遇を比べるようになると、比較対象として選んだ相手（準拠集団と呼びます）との落差が、剝奪感として強く感じられるようになる、という説です。

均等法以後、八〇年代の後半だったでしょうか、ある若手の官僚がわたしに言ったせりふが忘れられません。

「ウエノさんの話を聞いて、女房のつらさが今日はじめてよくわかりました」

たぶん高学歴専業主婦であろう三十代の彼の妻は、同世代の女たちのその後と自分を引き比べて、「外資でばりばり働いているケイコさん」「官庁で〇〇室長になったなつみさん」に対して「相対的剝奪感」を抱いているにちがいありません。そしてそういう「相対的剝奪感」は、「機会均等」を与えられなかった世代の女たちには、味わえなかった／味わう必要のないものでした。

雇用機会均等法のアイロニー

もういちどここで、雇用機会均等法の歴史的評価に戻りましょう。均等法の最大のアイロニーは、非正規雇用の増加、すなわち法律はできたもののその適用対象にならない女性労働者がもっぱら増えた、ということにあります。

法律はできたけれど……わたしには関係ないわ、という女性たちです。

同じことは育児休業法についても言えます。

育休法に効果はあったか？

成立してから二十年。歴史的判定を下してもよい頃ですが、データは「ノー」と語っています。女性労働者の妊娠・出産離職率は長期にわたって七割から六割台（最近になって五割台に低下しましたが、これは不況の影響でしょう）。この数字は八〇年代からほとんど変わりません。もし法律の成立前と成立後の出産離職率に変化がないなら、出産しても子育てを理由に職場を離れなくてもよい、という政策理念をもとにつくられたこの法律に、効果はなかった、と判定するほかありません。

育休法ができたのになぜ?

育休法以前の女性は出産退職を余儀なくされたのに、育休法ができた今も、働くことよりも子育てを優先する女性の姿勢は変わっていないのね、とお考えでしょうか?　それにも一面の真理はありますが、それだけではありません。

子産みどきの年齢層の女性たちに非正規雇用が増えてしまったため、というのが出産離職の大きな理由のひとつです。育休法はできたけれど……パートや派遣など、非正規雇用の女性には適用されません。妊娠がわかったとたん辞めざるをえない、のが非正規雇用の職場の現実です。産休や、まして育休など夢のまた夢。そのうえ、非正規の雇用区分は応募時に自分で選んだものだから、「差別だ」と言うことさえできません。戦後日本の女性労働者が闘って獲得してきた「妊娠・出産による解雇の禁止」は、実際にはとっくに有名無実化しているのです。

もともと非正規雇用は、自己決定の選択でしょう?　それならその結果にも自己責任が伴うのはあたりまえじゃなくて?　とお感じでしょうか。

女性の非正規雇用、いえ、男女を問わずこの時期の非正規雇用が「自己決定」の結果であったかどうか……それについてはおいおいお話ししましょう。

1　派遣受入れ期間の延長、派遣対象業務の拡大、許可・届出手続きなどの簡素化。

2　湯浅誠『どんとこい、貧困!』(理論社「よりみちパン!セ」シリーズ、2009年)。

3　私企業による採用人事は、それが性差別や人種差別のような人権侵害に当たらない場合には違法行為とはならない。例えば慶應大学卒の経営者のいる企業が慶應閥で社員を採用することを法的にとがめることはできないし、最近では岩波書店が応募者を「著者、社員による紹介のある者」と限定して話題になったが、これも違法とはいえない。

4　一九八〇年代の都立高校の入学試験で「男子枠」があることが判明し、問題になったことがある。試験の成績だけで合否の判定をすると女子割合が増えることから、高校側の裁量で男子にゲタをはかせて一定数確保してきた内部事情が、当時都議だった三井マリ子の都議会における質問によって明らかにされた。これでは同じ偏差値の子どもを持つ都民のうち、娘の親よりも息子の親の方が優遇される(都民の税金を使って運営される都立校の恩恵を受ける)という性差別があるとして、是正されたという。

5　上野千鶴子『家父長制と資本制』(岩波現代文庫、2009年)参照。

6　上野千鶴子編『リスキー・ビジネス　女と資本主義の危い関係』(学陽書房、1994年)。

第四章　ネオリベと少子化

ネオリベの効果としての少子化

ネオリベ改革が女性と若者を「使い捨て」労働力とすることにゴーサインを出したことは第三章で述べました。ところがその効果に大きな番狂わせが起きました。非婚化と少子化が予想以上にすすんだことです。

「1・57ショック」で政財官界があわてて少子化対策にのりだしたことは第一章で論じました。ですが、その対策はいっこうに効果がなく、それどころか出生率低下には歯止めがかからず、二〇〇五年には1・26と世界でも最低ランクの水準に落ちてしまいました。同程度に低いのは、スペインとイタリア、それに韓国ぐらいでした。それ以降ずっと1・39と低迷をつづけ、最近では二〇一二年に1・41という数字が出ていますが、一時的なもので上昇傾向に転ずるとは思えません。

あたりまえです。不況の効果が子産み時の年齢層の男女を直撃したからです。

女性と若者を使い捨てにするのは、グローバリゼーションのもとで高くなりすぎた日本の人件費を抑制するための短期効果をねらったものでした。合理化努力に伴い、使用者側はついに賃金に手をつけたのです。硬直性の高いさまざまな経費にくらべれば、賃金は比較的容易に手をつけやすいコストでした。それでも労働組合の抵抗が予想されましたから、使用者側は既得権を持った労働者の賃金には手をつけず、まだ労働市場に参入していない若者たちの賃金と労働条件を、次々に切り下げていったのです。

使用者が労働力を購入するには、労働力の再生産費用というものを負担しなければなりません。かんたんにいうと、食べて寝て、「さあ、また明日も働くぞ」というにじゅうぶんなだけの賃金を支払わなければならない、ということです。それが「持続可能な」労働力の再生産費用です。その前提に、その社会が「まっとうな暮らし」と想定する生活水準があります。大企業の雇用者なら、妻子を養い、子どもを上級学校へ進学させ、定年と同時にローンを払い終わった一戸建てが残る、という程度の生活水準です。

これに対して「使い捨て」というのは、労働力の再生産に使用者側が責任を持たなくてもよい労働力、という意味です。そのターゲットに女性と若者が含まれたのには理由がありました。女性には夫というインフラがあり、若者には親というインフラがあるために（もっと正確にいうと、あると想定されたために）賃金が再生産費用を下回ってもかまわない、そしていつ解雇しても生活に困らないと考えられたのです。だからネオリベ改革は、実のところ日本型家族の存在に依存していました。

労働市場は個々の労働者の再生産をしなければなりませんが、それだけでなく労働人口そのものの再生産、つまり次世代の労働者をも調達しなければなりません。賃金の抑制で企業は短期利益を得たかもしれませんが、気がつけば少子化で子ども数が激減しています。その効果は二十年ほどでただちにあらわれます。長期的には労働市場の逼迫が起きることは、容易に予想がつきます。政府や財界が少子化対策に取り組み始めたのはそのためでした。

晩婚化から非婚化へ

出生率の低下をひきおこす要因には次の三つがあると言われています。その一は婚姻率低下、二は婚姻内出生率低下、三は婚姻外出生率低下です[1]。

日本の出生率低下は第一の婚姻率低下によるものだと言われており、これが少子化を経験している他のすべての先進工業諸国と大きく違うところです。というのは、他の国々では、婚姻率低下による出生率の減少を、婚姻外出生率の上昇が補完したのに、日本ではそれが起きなかったからです。

もうすこし詳しく説明しましょう。

日本では婚姻率低下はまず晩婚化として現象しました。平均初婚年齢は二〇一一年現在で男性およそ三十歳、女性二十九歳。かつて団塊世代にとって結婚適齢期は「女の子はクリスマスケーキ」——そのココロは、二十四までは売れるが、二十五を過ぎると値崩れする——と言われた時代から、大きくさまがわりしました。晩婚化がすすんでいても政府と財界はまだまだ安心していました。日本の若い男女はいつかは結婚になだれこんでいくだろう、そうしたら必ず子どもをふたりまでは産んでくれるだろう、と予測できたからです。事実、婚姻内出生率は長期にわたって2・0近い値を維持しつづけていましたから、「結婚すれば二児の母」——「ニジの母」をもじって「レインボウ・ママ」などと呼ばれていましたっけ——になることが見込まれました。

やがて晩婚化が非婚化に転じていきます。「負け犬」世代、酒井順子さんが非婚化のヘラルド（先駆け）でした。「負け犬」とは酒井さんの命名。ベストセラーになった『負け犬の遠吠え』（講談社、二〇〇三年）から来ています。定義は「夫なし、子なし、三十代以上」の女性たち。酒井さんはその前に『少子』（講談社、二〇〇〇年）を書いていますが、そのなかで、女が子どもを産まないのは「痛いから」、とミもフタもないことを言っています。陣痛の痛みなど、子どもを産んだらけろりと忘れる……という「母性神話」がまかりとおっていたところへ、こういう女の「ホンネ・トーク」を割りこませたのが酒井さんでした。

酒井さんには、四十歳を目前にして書いた『駆け込み、セーフ?』（講談社、二〇〇七年）という本もあります。「駆け込み」とはもちろん、結婚への駆け込みのことです。「結婚適齢期」は長期化し、女の「賞味期限」は延長しました。この「賞味期限」のなかには、もちろん出産の可能性が含まれています。

酒井さんは一九六六年生まれ。彼女の世代の生涯非婚率は女性一〇%、男性一五%を超えると予想されています。ちなみに生涯非婚率とは五十歳時の未婚率を言います。この年齢以上になると結婚の確率が限りなく低くなるから、と説明されています。少し前までは四十歳時の未婚率を呼んだものですが、この定義の変更にも、いくつになっても結婚してもらいたい、という人口統計の制作者たちの隠れた意図を感じます。ということは四十代はまだ結婚の可能性があると――それどころか出産の可能性さえあると――思われているということでしょう。

「女の子はクリスマスケーキ」に代わって登場したのが、「大晦日」神話でした。三十歳までは周囲が縁談を持ってきてくれるけれども、三十一歳を過ぎるとぱったり来なくなる、という意味です。晩婚化にあわせて「適齢期」も延長していましたが、残念ながら女性にはバイオロジカル・クロック（生物時計）というものがあります。出産適齢期です。厚生省（当時）は、三十歳以上の妊娠は出産リスクが高まるとして、母子健康手帳に㊇のハンコを捺すなどして注意を呼びかけていました。ご存じでしょうが、女性の卵子は胎児期にいったん体内で作られたあと一生涯増えません。その順番待ちをしている卵子が排卵期に卵巣から子宮に送りこまれて受精を待ちます。だから高齢で妊娠すると、卵子そのものが老化していることになります。高齢初産には流産や難産のリスクがあるだけでなく、生まれてくる子どもにもダウン症などの障害をもつ確率が高くなると言われています。それがいつのまにか、(高)の対象は三十歳以上から三十五歳以上へと上昇し、最近ではそれすら言われなくなりました。それどころか生殖技術のおかげで、いくつになっても月経さえあれば出産が可能となり[2](もちろん理論上はそのとおりですが)、それに伴うリスクのほうは、あまり強調されなくなりました。晩婚化が婚姻内出生率に影響することはわかっていましたから、どんなに遅く結婚してもきっと子どもを産んでよね、という期待がこのなかには込められていたのでしょう。このところ、再び卵子老化説や出産適齢期が言われ、後で引っこめましたが政府が「女性手帳」を提案するなど、女性に正しい妊娠・出産の知識を与えるといったキャンペーンが行われています。しかし、効果があるとはとうてい思えません。それどころか高齢出産リスクを強調すれば、産みそびれたひとたちが二の足を踏む傾向が増えるだけでしょう。

できちゃった結婚の増加

二つめの婚姻内出生率(有配偶出生率とも呼ばれます)は、一九五〇年代に平均五人台から二人台へと急激に低下したあと、久しく2・0近い数字を維持してきました。人口が増えも減りもしない人口置換水準と言われるのは、合計出生率2・07。ほとんどすべての男女が結婚する全員結婚社会なら、夫婦が子どもをふたりまで産んでくれ、たまに三人以上を産んでくれるカップルがいれば、人口は維持できることになります。日本ではDINKS(Double Income

No Kids）と言われる子なしカップルは増える気配を見せず、ほとんどの夫婦は子どもを産んでいました。というよりも、子どもを産むことが結婚のひきがねになっていました。だからこそ晩婚化にともなって、「できちゃった結婚」の比率もまた上昇したのです。

国立社会保障・人口問題研究所が婚姻時に新婦が妊娠している確率を公表し始めたのは九〇年代からだったでしょうか。新婚夫婦の九組に一組が「できちゃった結婚」、というデータを初めてみたとき、そんなプライバシーに関わることを、いったいどうやって測定したのだろうか、とふしぎに思ったことを思い出します。たぶん結婚の届け出日と第一子出生の届け出日との差から推測したものでしょうが、それにしてもそういう個人情報をどうやって入手したのかは謎です。この「できちゃった結婚」はますます上昇し、最近では（二〇〇九年）四組に一組になったと言われています。新婦が妊娠していれば、当然ヴァージンではありません。ヴァージンでもないのに、ヴァージンロードを歩くな、白無垢なんて着るな、とつっこみを入れたいところですが、それ以前にとっくに結婚前の性交渉はふつうになっていました。

日本では結婚は、愛し合ったカップルが共に過ごしたいという動機づけよりは、子どもを産んで家族をつくりたいという動機からおこなわれることが多いようです。そしてこの結婚と出産とが強く結びついている（強く結びつきすぎている）ことが、日本における少子化を引き起こしたと言ったら、驚かれるでしょうか？

晩婚化が非婚化に代わり、婚姻率が低下すると、婚姻件数が減少します。それでなくても若年人口が少なくなっているのに婚姻件数が減ると、いくら婚姻内出生率が横ばいで維持されていても、出生数は、婚姻件数×婚姻内出生率ですから人口が減るのはかんたんに予測できます。

だから各地の自治体や政府は少子化対策として婚姻率を上げることにやっきになりました。独身の男女の「合コン」や、果ては海外への「お見合いツアー」まで、自治体が介入して企画したりしました。「婚活」に地方自治体の税金が使われたのです。結婚してくれさえしたら……きっと子どもを産んでくれる、彼らはそう期待したのです。

婚姻外出生率の謎

ですが、軒並み出生率低下を経験していた諸外国では事情が違いました。成熟社会に突入したOECD諸国は、出生率はどこも人口置換水準2・07を下回る少子社会ばかり。そのなかでも出生率が1・8以上の上位国（スウェーデンやフランス）、1・5前後の中位国（スイスやドイツ）、1・3前後で低迷する下位国（イタリアやスペイン）と分類され、日本は下位国と同じ水準でした。

出生率上位国と下位国とを分かつ特徴は、上位国では婚姻外出生率が高いことでした。ちなみに二〇一〇年のデータで、スウェーデンでは新生児の二人にひとりが、ドイツでは新生児の三人にひとりが婚外子です。フランスは一九九〇年までは三人にひとりでしたが、急速に増加して二〇〇六年には五割を越す勢いとなりました。つまりこれらの国では、婚姻率低下と、婚姻内出生率低下による出生数の落ちこみを、婚姻外出生率が補っていることになります。

晩婚化、非婚化は、日本だけの現象ではありません。婚姻率低下はすべての国で起きています。ただし法律婚に限れば、の話です。ヨーロッパ諸国の若者たちは、法律婚以前に同居を開始します。同棲とか事実婚、フランス語で「自由な結合 union libre」と呼ばれる暮らし方です。同居の開始と法律上の届け出とのあいだには、時差があります。法律婚にかぎれば晩婚化現象がおきていても、同居の開始を婚姻の開始と見なせば、初婚年齢の上昇は起きていない、というデータも一部にはあるくらいです。

法律婚への移行は、たいがい妊娠や出産がきっかけになりますが、それも結婚の理由にならないケースが増えてきました。というのも非婚のままでシングルマザーになることにデメリットがなくなってきたからです。それどころかスウェーデンのような社会では、公営住宅への優先入居とか、保育所入所の優先枠とか、シングルマザー優遇策さえありましたから、結婚への誘因が少なくなったと言ってよいかもしれません。もちろんその背後には、女性の経済力の上昇がありました。

日本で事実婚が増えない理由

結婚の大きな動機のひとつに、恒常的なセックス・パートナーの確保という理由があります。だからセックスしたいカップルが、一緒に暮らしたいと思うのは自然です。

同居を開始してセックスすれば、妊娠の可能性があります。避妊を実行したとしても妊娠の確率は増えます。というよりも妊娠してもかまわない、と思えるカップルが同居を開始する、と考えてもよいでしょう。そういう事実婚の同居生活から、子どもが産まれます。それが婚外子です。

日本における婚姻率がいっこうに上昇しないことから、法律婚の割合ではなく事実婚の割合を国際比較したほうがよい、と考えるひとたちがあらわれました。その結果、同棲率の国際比較というデータがあります。それによると北欧諸国を中心としたヨーロッパでは同棲率がいちじるしく高く、五割以上の既婚カップルが同棲を経験してから法律婚に移行しているのに対し、日本ではそれが二、三％に低迷しているということがわかります。団塊世代の若い頃には、上村一夫の名作マンガ『同棲時代』や、フォークグループかぐや姫の『神田川』などに代表される同棲ブームがありました。それ以降、日本の若者のあいだで同棲が増えていくと予想されたのに、予想ははずれました。むしろ若者の結婚観は、保守的になっていきました。

日本における結婚の謎は、事実婚がちっとも増えず、法律婚における届け出がそのまま同居の開始と一致していること。だから晩婚化、非婚化は掛け値なしの現象なのです。日本人は結婚をそんなに神聖なものと考え、法律を遵守しているのでしょうか？

諸外国の人口学者からの次のような質問に、わたしはどれだけ悩まされたかわかりません。

「なら、日本の若者たちはセックスをどう処理しているのか？」

晩婚化が進む二十代は、性的活動がもっとも活発な時期。出産適齢期でもあります。日本では未婚男女の多くが親と同居していることも知られていました。セックスは住宅問題。親の家にボーイフレンド、ガールフレンドを連れこめないとなれば、いったいどこでセックスしているんだろう？　それとも彼らはセックスしていないんだろうか？　と外国人がふしぎに思うのも、むりはありませんでした。

この時期の若い男女が、「結婚までは童貞・処女で」とか、結婚式の当日に「初夜」を迎えるとかの性規範を守っていたわけではありません。彼らは少しも禁欲的ではなく、「できちゃった結婚」に見るごとく、「処女神話」は崩壊していました。「つきあっているひとがいる」というのは、まんま「性関係がある」ことを意味しました。

なら、彼らはどこでセックスしているのか？

わたしの答はこうでした。

「ご心配なく。日本にはラブホテルという世界に冠たる都市インフラがありますから」

ラブホテルは、セックス目的に特化した空間で、日本独自の発展をとげたものです。その外観も内装も、文化史的な関心をそそり、研究の対象になっているくらいです。社会学者、金益見さんには『性愛空間の文化史――「連れ込み宿」から「ラブホ」まで』（ミネルヴァ書房、二〇一二年）という研究書もあります。またハイテクを駆使した「顔のささない」コミュニケーションの様式など、テクノロジー的にも興味深く、性産業や犯罪の温床にもなってきました。

「都市インフラ」と書きましたが、どんな地方都市にも、郊外にクルマ社会を前提としたラブホテルがあります。日本の男女はすでにじゅうぶんにこのセックスの装置の恩恵を受けていましたから、今さら積極的に同居する必要がなかったのでしょう。それよりも未婚のまま親の家にパラサイトしつづけるほうが、経済的メリットが大きかったのでしょう。こういう男女が結婚に踏みきる動機は、妊娠・出産ぐらいしかありません。それがわたしの推論ですが、当たっているでしょうか。その背後にあるのは、男が一家の稼ぎ主にならなければ結婚の資格がない、という保守的な結婚観でした。

近代家族の成立

日本では婚姻外出生率、いいかえれば婚外子出生率がほとんど増えていません。あらゆる先進諸国で少子化がすすみ、それと同時に婚外子出生率が急上昇しているあいだに、日本の数字だけは一％を下回って横ばいのまま。一九九〇年にようやく一％を超え、二〇〇八年に二・一％になりましたが、この数値は、統計学的には「無視してよいほど小さい」値です。

同じ時期に、日本と同じく出生率低位国イタリアでは、婚外子出生率が徐々に上昇して同じ二〇〇八年に一七・七％に達します。一七％といえばけっして「無視してよいほど小さい」数字とは言えません。つい最近まで処女性が重視され、中絶が禁止され、離婚が禁止されていたイタリアでさえ婚外子出生率がこれだけ増えたのに、日本だけが数値の変化を示さないのはこれも諸外国の研究者にとって謎でした。日本人はよほど規範意識が強く、家族と結婚を大事にする国民なのでしょうか？

婚外子出生数の年次変化を歴史的に見ると、明治半ばまでは婚外子がたいへん多いことがわかります。というのは「内縁」関係と言われる法律婚以外の関係、「内妻」とか「権妻」とか呼ばれる重婚状況のもとにある女性たちが少なくなかったからです。この子どもたちは「妾腹」とか「私生児」とか呼ばれて、差別の対象となってきました。それが民法の成立を機に急減します。戦後はとくに激減して、婚外子は例外的になってきました。これがちょうど男も女も全員結婚する社会、近代家族の成立期にあたります。

明治民法は重婚を禁止して単婚（一夫一婦制）にもとづく家族制度を法制化しました。重婚というのは多くは一夫多妻、読んで字のとおり、ひとりの男性が複数の女性を所有することを言います。人口性比がほぼ一対一の社会では、一部の男性が多くの女性を独占すれば、一部に女性にあぶれる非婚の男性たちが登場します。身分制の社会とはそういう社会でした。権力者の男性が正妻だの側室だのを集めて後宮（ハーレム）を形成するいっぽうで、その反対に女性に縁の無い非婚の男性たちが生まれました。前近代社会では、男性の生涯非婚率はおよそ二割にのぼったと言われています。庶民でも結婚できるのは家督相続者の長男のみ。次男坊以下は、一生「部屋住み」の独身者として、長兄のもとで家内奴隷のような生活を強いられていたのです。それが深沢七郎の描いた『東北の神武《ずんむ》たち』（一九五七年）の世界でした。

近代化とともに婚姻率が上昇します。一九六〇年代半ばには四十歳時の累積婚姻率が男性で九七%、女性で九八%という「全員結婚社会」が生まれました。だれもがパートナーと巡りあって添いとげるという一夫一婦制の社会、単婚にもとづく近代家族の完成です。

一夫一婦婚は人類社会の到達点であると人類学者たちは考えました。これを「女性の世界史的勝利」と呼んだのはエンゲルスです。別の言い方をすると「女性の嫉妬心の世界史的勝利」、つまり他の妻の存在に心が安まらなかった女性たちが、重婚状況を男に止めさせた、と。ほんとうでしょうか?

同じことを男のあいだでの女の平等分配、「再生産平等主義」と呼んだのは家族社会学者の落合恵美子さんです(『21世紀家族へ——家族の戦後体制の見かた・超えかた』有斐閣選書、一九九四年)。つまりどんな男でもひとりは妻を得て所帯を持つことができるようになった、男のあいだでの女の分配の平等が成りたったということです。この過程を支えたのが工業化でした。つまりもはや家産や家業に依存しなくても一家をかまえることができるほどの収入を、次三男たちが持てるようになったのです。

その結果、空前の結婚ブームが起きました。猫も杓子も結婚するようになりました。近代における人口増加は、たんに出生率の上昇だけでは説明できません。婚姻率の上昇を伴ったからこそ、婚姻件数と婚姻内出生率とのかけ算で、人口は急上昇したのです。

考えてみれば前近代には生涯非婚者が人口の一定数いたのですから、近代を通過したあと、ふたたび生涯非婚者が人口の一定割合を占めてもおどろくにあたりません。エコノミストの森永卓郎さんは結婚市場が自由化して弱肉強食になった、と言いますが、もともとそうだったものが歴史上のある時期だけ「再生産平等主義」を実現した、だがそれも長く続かなかった、と考えればよいのかもしれません。結婚市場の「弱肉強食」が、かつては権力と富というわかりやすい序列による分配だったのが、今では魅力やコミュニケーション力による「自由競争」にとってかわったとすれば、歓迎すべきでしょう。そこでは女性がたんに分配される資源だったことに代わって、能動的な選択権を行使するようになったからです。

こういう結婚市場の「自由化」や「規制緩和」を憂える人たちがいます。以前なら結婚していない男女を見ると「結婚しないの？」とあいさつ代わりに問いかけ、おせっかいに口利きしてくれるオバサンたちがいたものなのに……「婚活」は昔はもっとラクだった、「昔はよかった」という人たちです。そのひとたちがいう「昔」は、せいぜい半世紀まえぐらいだということを覚えておいてください。そのひとたちが六十代以上なら、自分が若かったとき、六〇年代の「常識」でアタマの中がフリーズドライしていると思ったほうがよいでしょう。

性革命の経験

ここで少し回り道をして、晩婚化、非婚化、少子化といった人口現象がなぜ起きるかを、社会史的におさらいしておきましょう。

出生率の上昇や低下のような人口現象がなぜ起きるかは、実はよくわかっていません。結婚も出産も、生殖可能な年齢層の男女の個人的な選択です。個々人は自分の幸せのためや暮らしのために結婚したり出産したりするので、何も国家への貢献や労働市場の未来を考えて行動するわけではありません。人口現象とは、個々のミクロな行動が集積してマクロな結果を生み出すものですから、それにいかなる要因が関与しているかはわからないことが多いのです。逆にいうと、どんな要因を制度的・政策的に投入すれば、人口現象をいかに統制できるかについてもよくわかっていません。歴史が教えるところでは、人口政策は――よほどの強権的な強制力が働かない限り――増加の方向へも抑制の方向へも、どちらも成功したためしがない、と言われているくらいです。現に日本でも、戦時中に「産めよ殖やせよ」という出産奨励策が行われている最中に出生率は低下に転じていましたし、反対に戦後、復員者が国内にあふれて人口統制が必要になったときに、ベビーブームが起きました。

七〇年代までは日本を含む先進諸国の人口現象は似たようなものでした。婚姻率は高く、婚姻内出生率はほぼ定常状態を維持し、婚姻外出生率も低位に安定していました。いわゆる標準世帯、夫と妻が二人か三人の子どもを持ち、核家族で暮らすという暮らし方が「普遍的」だと考えられていました。「近代家族」の完成です。高度成長期を通じて日本もようやくその段階に達した、と思われていたのです。それ以降、この「標準世帯」が、ありとあらゆる社会制度設計の基礎単位となったのはご存じのとおりです。そしてそれが間尺に合わなくなってきたことも。

この「近代家族」に、「結婚は一生もの」「結婚までは処女で」「不倫は御法度」……のような価値観——これを性規範といいます——が伴っていました。七〇年代以降、この性規範が大きく変動します。これを「性革命」と呼びます。

事実、各種のデータを見ると、七〇年代までは日本においてもこの規範が維持されていたことが裏付けられる証拠があります。離婚率はたいへん低かったですし、ハネムーン・ベイビーも少なくありませんでしたし、（とくに女性の場合）初交の相手がそのまま結婚相手である割合も高かったことがわかっています。

「初夜」と「婚前交渉（結婚を前提にした性交渉）」ということばが生きている時代でした。オモテにあらわれにくいセックス行動の調査を見ても、既婚女性に限れば夫以外の異性との性経験率は、八〇年代の投稿誌『わいふ』によるボランタリーサンプルですら、四十代で累積経験率一五％と低く、生涯にわたる性交渉の相手が夫のみ、と答える高齢の女性は少なくありませんでした。

それが世界各地で急速に変わっていったのが七〇年代以降です。

「性革命」をフリーセックスや夫婦のスワッピングのような風俗的な現象だと考えないでください。性革命とは、近代家族を支える性規範が根底から揺らぐことを意味します。すなわち愛と性と生殖とが結婚のもとで一致する近代家族の「三位一体」神話が解体し、愛と性と生殖、

図表 4-1

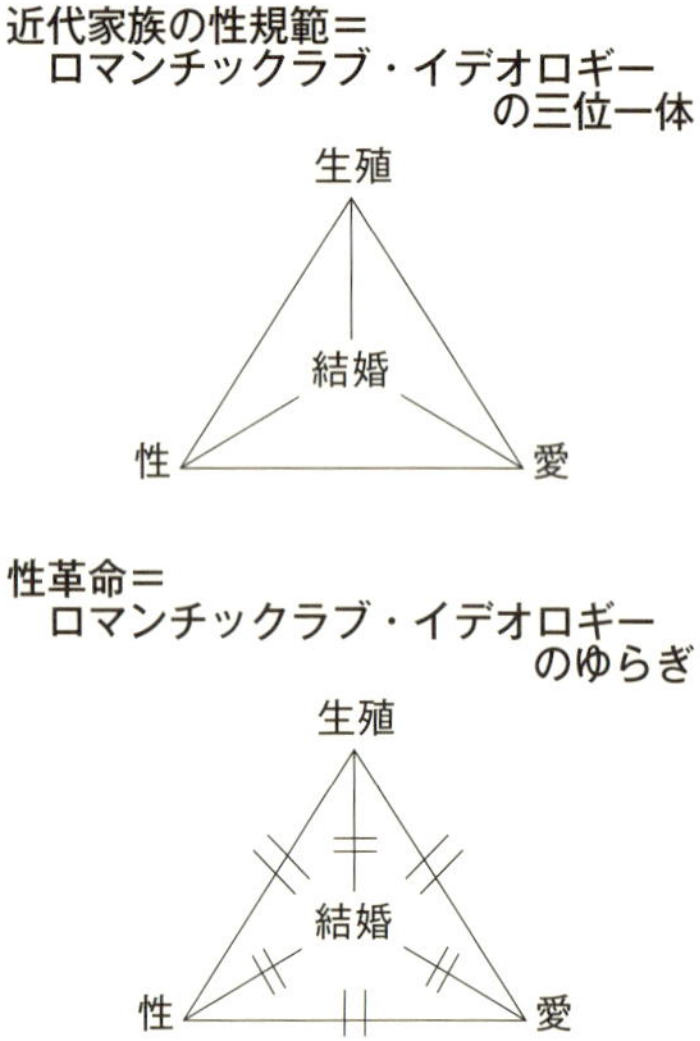

そして結婚との結びつきが分解していく過程でした【図表4－1】。

　ある社会が性革命を通過したかどうかを測る人口学的指標があります。ひとつは離婚率の上昇、もうひとつは婚外子出生率の上昇です。このふたつの指標は、愛と性と生殖が結婚を介して結びつく近代家族の「三位一体」の規範が解体したことの指標です。前者は結婚と愛との分離を、後者は結婚と性との分離を示します。ちなみに愛と性とはとっくに（とりわけ男性のあいだでは）分離していました。

　近代家族のこの性規範をタテマエ通り守ったのは、女の側だけでした。ある会合で年配の女性が、「私は生涯、夫以外の男性を知りません」と発言したのに対し、「それは自分から守ったのですか、それとも守らされたのですか？」と訊いた時、きっぱりと「守らされました」と答えが返ってきたことを覚えています。

　ヨーロッパとアメリカでは、七〇年代以降、このふたつの指標に大きな変化が起きました。

離婚率は急上昇し、二組に一組が離婚すると言われるようになりました。結婚は一生ものではなくなりました。婚外子も増えて、ヨーロッパの一部とアメリカでは新生児の二人に一人が婚外子となりました。同じ時期に日本の離婚率は、徐々に上昇したとはいうものの、欧米のような急激な変化を見せませんでした。婚外子出生率に至っては、これまで述べたとおり、最近まで一％以下の「無視してよいほど小さい」値を維持してきました。これなら、日本の保守系のオヤジたちが、「世界に冠たる安定的な日本の家族制度」を誇ってもふしぎでないだけの根拠があったのです。

とはいうものの、同じ時期にデータにあらわれない性規範の変化が現象していました。初交の相手が初婚の相手である割合は減少しましたし、「結婚までは処女」を見つけるのはむずかしいくらいです。性行動は自由化したように見えるのに、それが人口学的データにいっこうにあらわれないのが、日本社会の「不思議」でした。

日本は性革命を経験したか？　西欧諸国のようにドラスティックな人口学的指標にはあらわれないが、西欧諸国並みに性行動は変化した……これを「なしくずし性解放」と呼ぶひともいます。

少子化対策としてのシングルマザー支援

性革命の指標のもうひとつが婚外子出生率です。婚外子出生率とは、婚外の性行動の活発化の、間接的な指標でもあります。妊娠は性行動の帰結であり、婚外子の出生は「のぞまない妊娠」による「意図せざる結果」と考えられてきました。したがって歴史人口学では婚外子出生率の上昇が、社会変動の徴候と考えられてきたのです。婚姻を支える性規範がゆらぐ、すなわち社会的アノミーの指標として。

生殖をコントロールできない社会ではこの仮説はあてはまるかもしれません。ですが、避妊技術が進歩し、中絶へのアクセスが容易になった社会では、のぞまない妊娠を抑制し、婚外子の出生につながらないようにすることが可能です。

日本でも若年層の性経験率は増加し、十代の妊娠も増えています。同時に十代の中絶率も増えています。ここからわかることは、日本でも婚姻外の性行動の活発化は諸外国と同様に起きているのに、それが日本では婚外子出生率の上昇につながらない、という事実です。なぜなら、その多くが闇に葬られているからです。

もし彼女たちが産んでくれていたら……日本でも婚外子出生率は上昇し、出生率全体に寄与することでしょう。それが起きないのは……日本ではシングルマザーとりわけ非婚シングルマザーがさんたんたる生活を強いられることを、彼女たちが知っているからでしょう。

シングルマザーには死別・離別・非婚の順に序列があります。死別は同情され、手厚い保護の対象となります。離別は「がまんが足りない」と非難を受けますが、他方で十分とは言えないまでも援助があります。非婚は「無責任」「ふしだら」の烙印を捺され、子どもは差別されます。母子家庭への公的支援は制度上同じはずなのに、行政の指針で死別・離別・非婚の別で差別があることが発覚したことがあります。九州のある自治体が母子家庭優先の公営住宅入居の基準から、非婚シングルマザーを排除していたことがわかったのです。

少子化対策といいながら、政府は若い男女に結婚を奨励するばかりで、婚外子支援をしようとはしません。離別母子家庭にもすこぶる冷淡です。なぜだろうか、と考えてみると、たったひとつの答に思い当たります。彼らは婚姻制度のもとで（つまり夫の許可のもとで）子どもを産み育ててもらいたいが、婚姻制度の外で女が勝手をするのは許したくないからでしょう。日本における少子化対策には、こういう大きなオヤジ・バイアスがかかっています。わたしは日本社会が非婚シングルマザー支援に取り組まない限り、彼らの「少子化対策」が本気とは信じないことにしています。

だれが結婚しないのか？

日本の少子化には、婚姻率低下がそのまま出生率低下に直結する特徴があることを述べてきました。

ところでなぜ婚姻率は低下したのでしょうか？　婚姻率が低下したと言っても、すべての社会集団が同じように婚姻率低下を経験しているわけではありません。結婚しやすいひととしにくいひととのあいだには格差があります。

図表 4-2　男性の年収別の未婚率（%）

年収	全体	20-24歳	25-29歳	30-34歳	35-39歳	40-44歳	45-49歳
なし	88.2	98.1	95.0	58.3	33.3	52.9	33.3
100万円未満	83.9	97.1	88.1	61.1	43.8	44.4	21.1
100-200万円	68.0	90.9	78.9	51.2	30.0	34.3	28.2
200-300万円	61.2	90.6	76.5	54.0	36.0	26.0	13.7
300-400万円	45.0	84.4	68.2	33.2	24.7	17.6	11.8
400-500万円	30.5	80.0	68.2	33.0	15.2	13.2	6.6
500-600万円	17.3	83.3	40.0	30.7	13.1	8.3	5.3
600-700万円	12.4	-	42.9	26.9	12.4	9.0	6.4
700-1000万円	4.9	100.0	23.1	12.5	6.6	4.1	2.2
1000-1500万円	4.0	100.0	60.0	16.7	2.8	1.4	1.6
1500万円以上	1.4	-	100.0	-	-	-	-

出典：「第2回人口問題に関する意識調査」人口問題研究所〔当時〕、1995年

婚姻年齢層の男女のうち、どういうひとが結婚し、どういうひとが結婚していないかを調べると、ミもフタもない事実が浮かび上がります。

男性は年収と結婚確率とが正比例しています【図表4－2】。つまりカネがあれば結婚できる、ことがはっきりわかります。結婚確率と就労形態も相関しています。正規雇用者と非正規雇用者とを比べると、前者の方が結婚確率が高くなります。つまり定職・定収入があれば、男性の結婚確率は高まります。ということは今日でも男性稼ぎ主型の世帯モデルが生きており、女性にとっては結婚が生活保障財としての意味を持っているということでしょう。

他方、女性においてはどうでしょうか。

内閣府の外郭団体に家計経済研究所という研究機関があります。政府の事業仕分けであわや仕分け寸前となりましたが、なんとか首の皮がつながりました。その研究機関が、バブルがはじけてから不況下での女性の暮らしを追った独自の研究を、パネル調査という方法で実施しています。パネル調査とは同じ調査対象を長期にわたって追跡する調査です。調査対象の入れかえのないパネル調査は、多くの対象者が移動したり立場を変えたりしているため、追跡するのにテマヒマのかかる代わり、世代効果、時代効果、年齢効果のそれぞれを識別して分析するのに有効な方法です。民間ではむずかしい、こういう調査を実施してくれるなら、政府の外郭機関も仕分けせずに残しておく価値があるというものです。

そのデータにもとづいて出したのが『女性たちの平成不況』（樋口美雄・太田清／家計経済

図表 4-3　25歳時にフリーターだった人と正社員だった人のその後の配偶者割合（全出生コーホート）

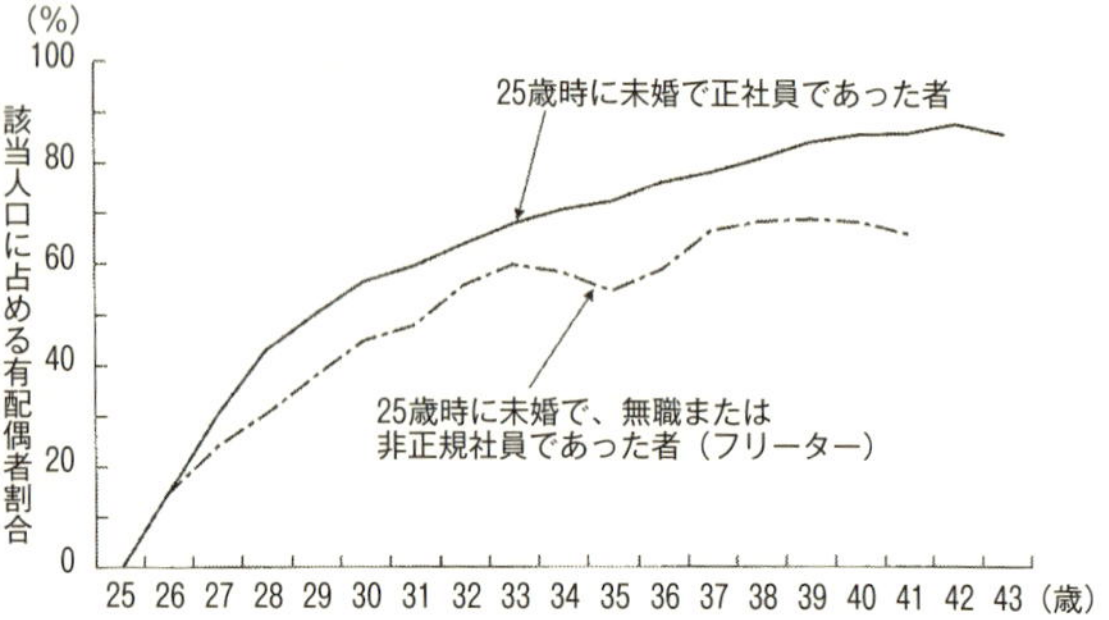

出典：樋口美雄・酒井正「均等法世代とバブル崩壊後世代の就業比較」『女性たちの平成不況』（第2章、日本経済新聞社）

研究所編、日本経済新聞社、二〇〇四年）という本です。同書によれば、家計研のパネル調査の対象と期間は、二〇〇二年に三十五—四十四歳だった女性の九三年からの十年間、それに加えて二十九—三十四歳だった女性の九七年からの六年間です。調査開始時にはそれぞれ前者が二十五—三十四歳、後者が二十三—二十八歳の集団です。

調査の結果はおどろくほど明快なものでした。年齢効果から言えば、年齢とともに結婚および出産というライフイベントの経験率は高まります。ですが、そのあいだに就労形態のちがいを持ちこむと次のようなデータが得られました。二十五歳時に未婚だった女性のうち、正社員だった女性のほうが、無職または非正規社員（同書では「フリーター」と呼んでいます）の女性よりも、結婚確率が高く、したがって出産確率も高いというはっきりした結果でした**【図表4－3】**。

時代効果を見てみましょう。どの時代をどういう年齢で迎えるかを、ひとは選ぶことはできません。女性の就労に影響を与えたふたつの要因を、同書では八五年の均等法の成立と九一年のバブルの崩壊に置いています。それにもとづいて、対象集団の女性たちを「均等法前世代」（八六年均等法施行前に卒業）、「均等法世代」（八六―九〇年に卒業）、「バブル崩壊後世代」（九一年以後に卒業）の三つに分けています。かんたんに「プレ均」世代、「ポス均」世代、「不況」世代と名づけておきましょう。「プレ均」世代と「ポス均」世代とを比べると、「後者の方が未婚女性（未婚時）の正規雇用就業率は高く、また、正社員が結婚や出産後も就業を継続した割合は高まっている」のに対して、「不況」世代は「未婚女性の正規雇用就業率は必ずしも高いとはいえず、非正規雇用就業率は高い」（同書16頁）。また「正社員の結婚、出産後の継続就業の割合は、これを支援する制度が拡充されたにもかかわらず上昇していない」。

著者たちはその背景を分析して「このような状況には、均等法やその後成立した育児休業法など、女性の就業に関する制度面の改善の効果よりも、バブル崩壊後のデフレ経済による女性就業抑制効果の方が強く働いたことが示されている」と指摘します。第三回で均等法の効果はなかった、と結論しましたが、それをうらづける分析を同書の著者たちも示しています。

世代効果を見ると、第一世代（五九―六三年生まれ）、第二世代（六四―六九年生まれ）、第三世代（七〇―七二年生まれ）――学歴にもよりますが、大卒者に限ればほぼ「プレ均」世代、「ポス均」世代、「不況」世代に対応します――の三十歳時点での婚姻率はそれぞれ八四・六％、七六・一％、六七・六％と低下しています（同書31頁）。同じ年齢に達していてもあとになるほど晩婚化・非婚化の傾向が強まっていることがわかります。この最後の世代の生涯非婚率がどれだけになるかは彼女たちが五十歳に達する二〇二〇年まで待たなければなりませんからまだ予断を許しませんが、世代毎の非婚率が高まる傾向は動かないでしょう。「あとの世代ほど就業率は高く、正社員比率は低い」（同書43頁）という指摘がありますから、ここでも「非正規社員より正社員の結婚確率が高い」というデータとも整合するでしょう。

結婚待機組の女性たち

九〇年代になってから「フリーター」「ニート」ということばが流行りました。「フリーター」は和製英語の「フリーアルバイター」の略語、「ニートNEET」はNot in Employment, Education or Trainingの略語で、若年失業率の高まっていたイギリスで社会問題となった現象でした。ちなみに「フリーター」も「ニート」も「学業にも定職にも就いていない十五歳から三十四歳までの若者」を指します。

この定義には、微妙に年齢差別と性差別とが組みこまれています。三十五歳を超すとフリーターにも入れてもらえず、ただの失業者か非正規労働者となります。さらにカジテツこと「家事手伝い」の未婚女性は、フリーターのなかに入りません。学卒後の未婚女性が、結婚までの期間を無職で在宅ですごすのは、「花嫁修業」の一環だと考えられていましたから、「家事手伝い」は失業者にもカウントされません。職業婦人の社会的地位がいちじるしく低かった時代には、カジテツは「良家の子女」のステイタスでした。働きに出なくてもすむ良家の娘の別称だったからです。晩婚化にともなって、結婚までの一時的な待機の時間であったはずの「カジテツ」の期間がいちじるしく延長した結果、この期間をどうやって過ごすかは、未婚の女性にとっても大きな課題になりました。八〇年代に某大会社の社長令嬢が誘拐されたとき、「会社員」と報道されて世間をおどろかせたことがあります。その頃までには、たとえ社長令嬢であっても、結婚までの期間に「社会勉強」という名前の会社員経験を持つことが、あたりまえになりつつあったことを、この事件は示しました。

常識から考えれば、無職または非正規雇用の女性の方が結婚待機組で結婚願望が強く、正社員の女性のほうが、結婚を先延ばしする経済資源を持っているように思えます。それがデータでは逆の結果が出ているのはどうしてでしょうか？

調査は「未婚継続者の方が結婚した人よりも、結婚相手の条件として『経済的に頼れる人』を挙げている人が多い」(同書17頁) という結果を示しています。裏返しに解釈すれば、結婚相手に経済力を求めない人が早々と結婚し、そうでない人たち——結婚を生活保障財と見なす人——のほうが、結婚を遅らせる傾向がある、となります。事実、同書は「理想の結婚相手」に求める条件として、未婚継続者では「経済的に頼れる人」「子育てや人生に立ち向かう同士」の回答が多く、結婚選択者では「心の支えになってくれる人」「家庭を第一に考えてくれる人」

の回答割合が多かった、と指摘しています（同書100頁）。

同書の著者はこれにコメントして次のように言います。

「（理想の結婚相手について＝引用者追加）現実主義的に答えた人が結婚から遠ざかっており、それほど現実主義的ではない答えをした人が結婚しているということは、現実を知らないからこそ結婚できたと解釈すべきなのだろうか。面白い傾向である」（同書100頁）

わたしの解釈はその正反対です。いまや夫に経済的に依存して家庭をつくりたいと願う保守的な女性の結婚願望のほうがはるかに非現実的であり、経済力を重視せずに相性や気持ちを上位に置く方が結婚へのハードルは低いのだ、と。わたしの解釈は、山田昌弘さんらの調査とも一致します。山田さんは結婚を先延ばしする「パラサイト・シングル」の女性たちの調査を通じて、結婚願望が強く、結婚相手に望む条件が高いほど、晩婚化の傾向が強い、という結論を導きました。

事実、近年の平均初婚年齢のデータから、初婚夫婦の年齢差を見ると、同い年カップルが増えていることが見てとれます。年齢差のある結婚とちがって、同い年だと男性の経済力に大きな期待はできません。相手の経済力を期待しないほうが――期待しないですむ自分自身の経済力を確保している正社員女性が――より高い結婚確率を示す、と解釈したほうがよいでしょう。

とはいえ、相手の男性が同じように正社員であり、安定した収入を持っていることは前提になっています。フリーターの男性が選ばれることが少ないのは、男性の結婚確率にはっきり表れています。

この調査はさらにミもフタもない結果を示しています。正社員と無職及び非正規社員の女性が選んだ夫の年収の比較をしているのです。結果は「バブル崩壊直後の一九九〇年代前半と景気が深刻さを増した九〇年代後半では、フリーター女性の夫の平均年収と正社員の夫の平均年収が逆転している」（同書79―80頁）ことです。わかりやすく言うと、まだバブル景気の余韻があったころには、未婚（二十五歳）時にフリーターだった女性のほうが正社員の女性よりリッチな夫をゲットしていたのに対し、不況が深刻になると正社員の女性のほうがフリーター女性よりリッチな夫をゲットする傾向があるということになります。つまり正社員（もしくは正社員だったことのある）女性は同じように正社員の男性と結婚する確率が高いのに対し、そうでない女性は、不景気になるにしたがって年収の高い正社員の男性たちと接触の機会さえ失っていったということでしょうか。あるいは正社員男性もまた、妻の収入をあてにする経済的な動機を持つようになったのでしょうか。かといってフリーター女性が同じようにフリーター男性を夫に選ぶ可能性は低く、フリーター男性の結婚確率はますます低くなる傾向があります。

優雅なパラサイトから追い詰められたパラサイトへ

「パラサイト・シングル」ということばを流行らせたのは山田昌弘さんですが、[3]彼らの調査は一九九〇年代半ばのデータにもとづいています。そこでは収入が少なくても親のインフラに依存することができるために、可処分所得の大きい「独身貴族」が描かれていました。ですが同書の著者たちはその「優雅なパラサイト・シングル像が変容」したと指摘します。パラサイトの未婚女性たちの正社員率は低下し、収入は減少したのに、反対に親の家計に繰り入れる金額は増加し、家事時間も延長していることがデータからわかります。今やパラサイトの女性たちは、親の家を出て行きたくても出て行けない、「やむなくパラサイト」の女性たちなのです。その娘たちに対して、親は置いておくなら相応の家計への貢献と家事への寄与を求めます。晩婚化・非婚化にともなってパラサイトの期間は延長し、そのあいだに親は高齢化し、年金生活者にもなります。家計研調査では親が七十歳を超すと、同居する未婚女性の消費行動が変わることが報告されています。被服費にかけるおカネが減るのです。

さらには親が要介護になるとパラサイトの娘たちは介護要員としてあてにされることになるでしょう。無職や非正規雇用のまま、自分の年金や保険も十分に持たない状態で親の介護に突入してしまえば、今度は親の年金パラサイトになるのは目に見えています。その親が亡くなれば自分の年金保障を持たない初老のシングル女性が、ひとり残されることになるでしょう。

首都圏ではパラサイト・シングルが親の家から世帯分離する年収の分岐点は、四百万円と言われています。居住コストの高い首都圏ではむりもありません。家計研調査では未婚女性のうち親との同居者の年収が二百八十万、別居者が三百三十万、後者の八割が正規雇用者として働いていることが報告されています。つまり定職・定収入がなければ「おひとりさま」にもなれないのです。

パラサイトできるための条件は、もちろん親にそれだけの余裕があることです。ですが、同書の著者たちはこんなおそろしい問いを立てています。

「戦前、戦中生まれの親と一九六〇年代生まれの子の間にあった関係が、戦後世代と六〇、七〇年生まれの子の関係に成りたつかどうか、成り立たないとすればなぜなのか」という問いです。年金の減額や超高齢化を控えて、親の世代も余裕を失っています。その子どもたちの世代の雇用が崩壊しているとすれば、もはや「優雅なパラサイト」は過去のものでしょう。親は親で介護要員として子どもを手放さず、子は子で親の家から出て行けない共依存関係が成り立つかもしれません。その果てが共倒れでないとは、誰にも予測できません。

ほんとうの少子化対策とは？

家計研パネル調査からはっきりわかる教訓は以下のとおりです。

もし日本社会がほんとうに少子化対策を求めているなら……子産み時の年齢の女性たちに、安定した正規雇用を与えることが最大の処方箋だと。そしてその働き方はワーク・ライフ・バランスがとれるようなゆとりのあるものでなければなりません。

現実はそのまったく反対の方向へと向かっています。今の社会には少子化を改善するいかなる徴候もみてとることができないとわたしが感じるのは、そのためです。

同書の著者たちは、三百頁におよぶ最終章を次の三行で締めくくっています。

「調査、分析の結果浮かび上がってきたのは、子供たちの暗い将来を確信する女性たち、慢性化した不安を生きる女性たち、そしてその不安に耐える女性たちの像である。将来を悲観しつつ、どうして子育てができるのだろう。どのように生きようとすればいいのだろう」（同書300頁）

この文章を最後に、読者はぽんと放り出されます。この率直すぎる結論を前に、暗然とするのはわたしだけではないでしょう。

1　婚姻内出生率は有配偶出生率と、婚姻外出生率は婚外子出生率とも呼ばれている。

2　閉経後に他人から卵子をもらい、受精させて子宮の中に戻して妊娠・出産した例もある。

3　山田昌弘『パラサイト・シングルの時代』（ちくま新書、1999年）。

第五章　ネオリベとジェンダー

ネオリベのふたつの効果

ネオリベことネオリベラリズムはたしかに改革ではあります。守旧派を「抵抗勢力」と呼んで、それを次々となぎたおしていく勢いは、キモチよいものでさえあります。

ネオリベ改革はふたつの方向に働く、と指摘しました。一方では既得権益を持った集団にくさびを入れ、これをふたつに分解する効果。もういっぽうではこれまで既得権益にあずかれなかった集団にも同じようにくさびを入れ、これをふたつに分解する効果です。

女性はもちろん後者の集団に属します。これまで「女だから」という理由だけで、まとめて差別されていたのが、女の中にも、機会を与えられる人々が登場したからです。男女雇用機会均等法のいう「機会均等」とはそういうものでした。「男並みの機会をあたえてやるから男並みにがんばってみろ」と言われた女たちのなかには、それにとびついて成果を上げる者たちもいました。女性の管理職が次々に増えてみると、これまで「女にはリーダーシップがない」といわれていたのが、たんに、リーダーシップを発揮する機会が与えられなかっただけだった、ことがわかってきます。ポストが能力を育てます。女には能力を育てるポストが与えられず、女の能力を育てようとは、使用者も上司も考えてもいなかった時代があったのです。

ただしこの「機会均等」が、「男並みの働きかた」を問わない、「男並みの機会均等」であったことは、女性の分断をもたらしました。いっぽうには男並みの働き方をして男並みの成果をあげるエリート女性。他方にはそんな働き方はできない、と「女並み」のポジションに甘んじるしかない大半の女性。ネオリベ改革のくさびは、女性労働者を、エリートとマスのふたつに二極化する効果を持ちました。そして後者の労働条件が、かつてよりも悪くなっていったことは、九〇年代以降の状況を見てのとおりです。

女性の高学歴化

このようなネオリベの時代に、個々の女性はどのように適応してきたのでしょうか?

本章では同じ時期の女性の変貌についてお話ししましょう。

九〇年代以降、女性の顕著な変化のひとつに、高学歴化があります。

九〇年代におしなべて大学進学率は高まりますが、男性とくらべても、女性の進学率は急上昇しています。二〇一一年の十八歳人口中の高等教育進学率は五七・六%、これから十八歳人口が減少していくことを考えると、高等教育の定員が今のままなら、遠からず「大学全入時代」が来るかもしれません。ちなみに韓国の進学率は九二・八％（二〇一〇年）、ほとんど「全入」状態です。アメリカは五四・五％（二〇〇八年）、イギリスは六六・一％（二〇〇八年）、フランス約四一％（二〇〇九年）、ドイツ二六・五％（二〇〇九年）[1]。高等教育の大衆化がすすんだアメリカとイギリスではおよそ半数以上、階層社会の強固なフランスとドイツでは三人にひとりか四人にひとり。ちなみに進学率と卒業率とは同じではありません。アメリカやイギリスでは進学しても卒業に至らない学生はたくさんいます。進学率は在籍率ともちがいます。授業料のかからないドイツでは、卒業しないで何年もいすわっている成人学生がたくさんいますが、それがドイツの高い若年失業率隠しの役に立っていると見る人もいます。

　ところで少子化時代を迎えて大学へのハードルがどんどん下がり、よりごのみさえしなければ、希望に応じて誰でも進学できる「大学全入時代」は、ほんとうに来るでしょうか？　欧米圏の大学進学率はほぼ横ばい状態を続けていますが、大学の定員は減っていません。少子化に伴う十八歳人口の減少はどの先進工業社会でも経験しているのに、定員を減らさずにすんでいるのは、減少した国内学生人口を、外国からの留学生で補っているからです。とくに英語圏にはその傾向があります。大学という高等教育産業は、グローバルなマーケットを対象にしています。学生の国際移動は活発ですから、世界中から優秀な学生をひきつけることができさえすれば、国内進学率が上がらなくても心配しなくてすみます。その点では、英語圏、とくにアメ

図表 5-1　大学、短期大学への進学率の推移

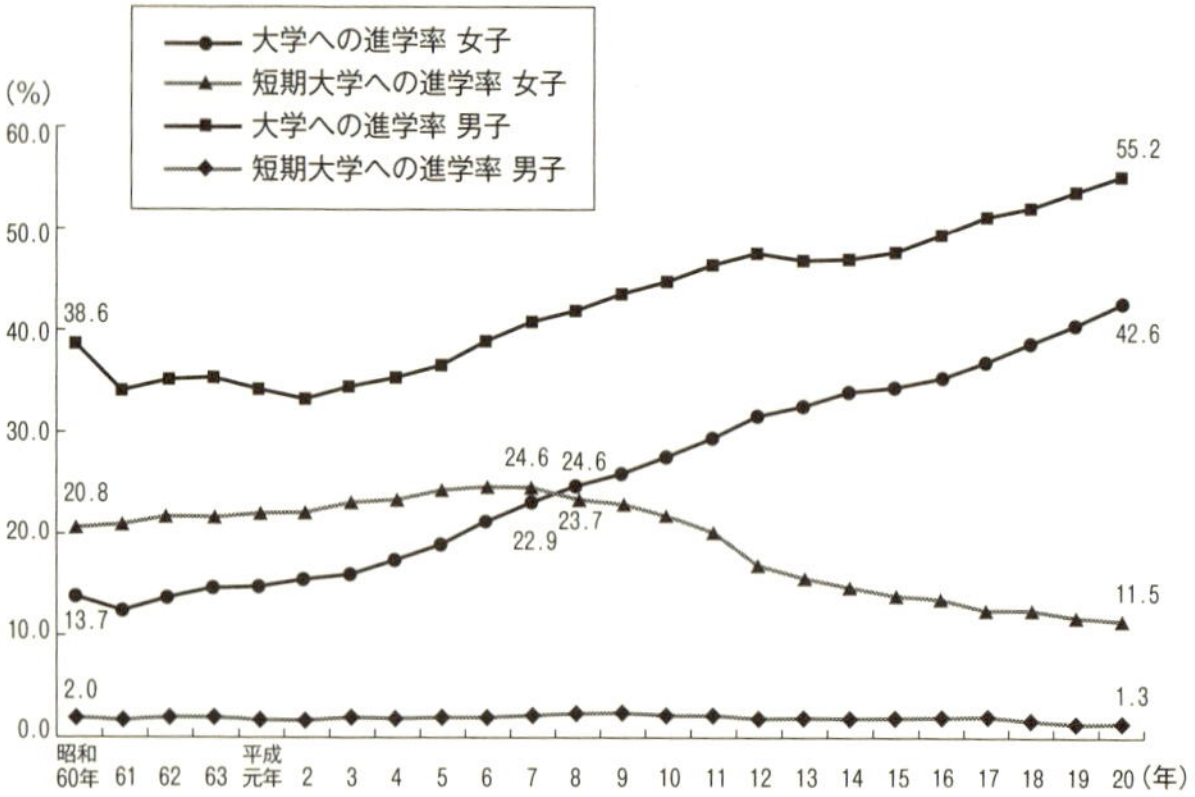

資料出所：文部科学省『学校基本調査』より作成

リカの名門大学は、国際競争に勝ったと言えるでしょう。むしろアメリカの問題は、初等・中等教育が崩壊したせいで、水準の高い高等教育とのあいだの落差が拡大したといえるくらいです。

日本の高等教育進学率の数字にはトリックがあります。それは短大・大学進学率を合計した数字だからです。短大と聞けばすぐに女子短大、と連想するほど、ほとんどの短大生が女子で占められている現実のもとでは、この事実はジェンダーによる違いを見えなくさせる効果があります。

それなら、男女の違い、大学と短大の区別をとりいれて、九〇年代以降の女子進学率の推移を検討してみると、次のようなことがわかります**【図表5-1】**。

第一に九〇年代に入ってから女子の短大・大学進学率はともに急速に上昇しています。

第二に、九〇年代半ばから短大進学率が低下し、

一九九六年には短大と大学の進学率が逆転します。

第三に、大学の大衆化の趨勢にもかかわらず、今日でも大学進学率に男子五五・二％、女子四二・六％（二〇〇八年）と一〇ポイント以上の開きがあることです。二〇〇〇年代初めには女子の短大・大学進学率の合計が男子の進学率を上まわったこともありますが、それでも大学に限れば、女子はまだ少数派です。とりわけＯＥＣＤ諸国の進学状況に男女差がなくなっているばかりか、女性の方が上回っている国が多いことを考えると、日本では親の高等教育への投資に、いまだに娘と息子とで差があることがわかります。それというのも、日本社会では、高等教育への公費負担が諸外国に比べていちじるしく小さく、その費用の多くが、親の私的な負担によっているからです。つまり日本の親は今日においても、娘よりは息子の教育により多くの費用をかけていることになります。

教育のコストとベネフィット

進学率は何で決まるのでしょうか？

十八歳人口の大きさと、大学側の定員とで決まります。

定員をどんどん増やしていけばよさそうなものですが、そうはなりません。進学意欲がそれにともなって拡大するとは限らないからです。日本の進学率は五割前後で横ばい、少子化に伴って定員割れをおこす大学が増えて、統廃合が起き、大学定員も十八歳人口に応じて減少するだろう、という予測もあります。

教育経済学という分野があります。大学教育にかけたコストと卒業後生涯にわたって得られるベネフィットを比較計量するものです。コストのなかには、四年間の授業料や生活費だけでなく、高卒でただちに働いていたとしたら手にしていたはずの賃金も計上されます。教育を投資と考えれば、投資とは回収を予期した費用です。そこから、投資効果があれば進学率は上昇し、それがなければ停滞する、という仮説が導かれます。

日本の大学進学率の動向は、この教育経済学の仮説を、ほぼ裏付けるようなかたちで推移してきました。日本は長らく学歴社会でした。賃金の学歴間格差が大きく、就職先の企業規模間格差も大きく、昇進上の格差も大きく、したがって生涯賃金格差も大きい、という一種の学歴身分社会でした。それが高度成長期を通じて、まず中等教育の大衆化が起こり、「高校全入」状態が生まれてから、高卒と大卒の賃金格差がミニマムになった時期があります。大卒初任給の額が、高卒社員の四年後の給与と同じ。つまり資格給ではなく年齢給で賃金が決まったのです。採用後の昇進には、学歴でいささかの格差がありますが、四年間の逸失利益を考慮すると、生涯賃金でほぼ格差がない、という時代がありました。それよりも生涯賃金では従業員数による企業規模の格差の方が大きく、大企業に入れば高卒社員でも中小企業の大卒社員に遜色のない給与をもらえるという一億総中流社会が生まれました。こういう時期には、大学進学率がほぼ横ばいになります。高等教育投資の投資効果を親や本人が実感できなかったからでしょう。

学歴社会は別名メリトクラシー（資格社会）とも言われます。が、正確にいうと、日本はメリトクラシーの社会ではありません。学位を取得しても、賃金に反映されないからです。九〇年代の大学院重点化以降、修士課程や博士課程の教育目的に「高度な専門的職業人の養成」が加わりましたが、修士号や博士号を持っているからという理由で、その付加価値に経済的評価を与えてくれる日本の企業はほとんどありません。

修士課程を修了して就職した院生に聞くと、給与は大卒二年経過後の同年齢社員の給与水準と同じ。大卒二年後に転職した場合と同じです。博士課程修了者はもっと就職が困難になります。そうなれば大学院課程の数年間は授業料や生活費だけでなく、そのあいだに稼げたはずの機会費用（逸失利益）まで含めれば、経済的にはマイナス。学位は生産財にはならない、のが日本の社会なのです。

これが経営学修士号や、法学修士号でも事情は同じです。アメリカでは名門大学のMBA（経営学修士号）を持っていれば、初任給から他の新入社員と四倍近い差がつくのに、日本の企業は大学で取得した資格を賃金で評価してきませんでした。もしかしたらそれは日本の企業が、大学教育の内容を少しも評価していないからかもしれませんが。

この一億総中流社会は、短期間しか続きませんでした。八〇年代以降、格差の徴候が登場し、進学率はふたたび上昇していきます。進学率が五割近くなると高等教育の大衆化が起きます。こんどは学歴間格差だけでなく学校間格差が問題になってきました。学歴競争は公平な能力主義のはずだったのに、偏差値格差と出身家庭の階層格差とが連動していることが、さまざまなデータからあきらかになってきました。学歴がその後の職歴に影響していることもわかっていましたから、親の経済階層が子の経済階層に受け継がれる傾向、つまり階層の世代間再生産の傾向が強まってきたのです。

それなら大学バナレが起きるでしょうか？　そうはなりませんでした。同年齢人口のふたりにひとりが大学へ行く時代には、大卒者にふさわしい職業を獲得するチャンスが減ります。労働市場はホワイトカラー職ばかりを用意するわけにはいきません。したがって大卒でもブルーカラーや現業職に就く例が増えてきます。よく例にあげられるのは、大卒タクシー・ドライバーの誕生です。もちろんタクシー・ドライバーに教養があることは歓迎ですが、親も本人もタクシー・ドライバーになるために大学への教育投資をしたわけではありますまい。

この傾向を、学歴インフレーションと名づけたのは、イギリスの社会学者、ロナルド・ドーアでした。ドーアは、高等教育の大衆化が遅れて始まった社会ほど、学歴インフレになりやすい、と指摘しました。その典型的な例が韓国です。韓国の進学率は九〇％以上。これでは大学教育についていけない学力の学生がいてもふしぎではありません。それでも韓国の高等教育熱がやまないのは、ここまできてしまうと後に引き返せない、つまり大卒であることが「人並み」の初期値になってしまうからです。日本社会も韓国に似ています。教育資源のむだ遣い、というほかありません。そのもとで進学競争へと追い立てられる韓国や日本の子どもたちは、いちばんの犠牲者でしょう。

娘への教育投資

高等教育への進学は、本人の意思と能力だけでは決まりません。親の同意なしには不可能、もっと露骨にいうと、親の経済力に左右されます。親が高等教育の費用負担を投資と考えるなら、投資効果のある投資対象と、その効果のない対象とがあります。日本では長いあいだ、息子は投資対象でしたが、娘はそうではありませんでした。なぜなら娘は「嫁げば他家の嫁《ひと》」、いずれよその家に仕える他人になると思われていたからです。そんな娘に教育投資をする意味はありません。

事実、何人もの子どものいる家庭で、きょうだいのうちの誰に、限られた教育資源を分配するかをめぐる家族戦略のもとでは、娘は出生順位にかかわらず、優先順位の低い立場にいました。姉や妹が中卒や高卒で働いて、兄や弟の学費を工面するという「美談」はどこにでもありましたし、たとえ家計に貢献しなくても、働きに出るだけで「口べらし」の効果をもたらしました。各種の意識調査では、高度成長期まで長らく、「息子は大学まで、娘は高校・短大まで」の教育を望む、と答える親が大半でした。

日本には学歴上昇婚という慣行があります。女にとっては自分より学歴の高い夫をえらぶ上昇婚、男にとっては自分より学歴の低い妻を選ぶ下降婚の傾向をいいます。ですが、教育資源がジェンダーによって大きく配分格差をもっているところでは、結婚年齢の男女が互いを選ぶとき、男が選んだ女の学歴が男より低い蓋然性が高く、その反対に女が選んだ男の学歴が女より高い蓋然性が高いのは統計上、あまりにもあたりまえのことです。大卒男が高卒女を選んだからと言って、学歴をかさに着て「おまえのような頭の悪いヤツは……」と言われる道理はありません。つまり、娘の学歴は親の意向で決まり、「頭のよさ」つまり成績や偏差値では決まらなかったのです。

それなら娘の学歴を決定する親の側の変数は何でしょうか？　親の経済力です。親が、投資を回収するつもりのないおカネをどれだけ持っているか、で決まります。短大なら二年間、大学なら四年間、「娘を遊ばせる」おカネです。わたしは女子短大の教員を十年間勤めましたが、卒業しても就職したくない、進学したいという娘に対して、親のいうせりふがこうでした。「ウチにはこれ以上、おまえを遊ばせておくカネはないからね」……なるほど、短大や大学とは、子どもが「遊びに行っているところ」と親たちが思っていることがよくわかりました。

昔から親の経済力をあてにしないで高等教育を受けたいと思う娘には、女子師範学校に進学する、という選択肢がありました。国立の女子師範の後身には、お茶の水女子大と奈良女子大があります。授業料が安いだけでなく、給費生という制度がありましたから、貧しい家庭の娘でも高等教育を受けられました。ほかにも看護専門学校に進学するなど、学歴や資格を必要とする専門職に就きたいとおもう娘たちには、それ相応の選択肢がありましたが、「職業婦人」

図表 5-2　性、大学在学生の関係学科別構成比
―1985年、2009年―

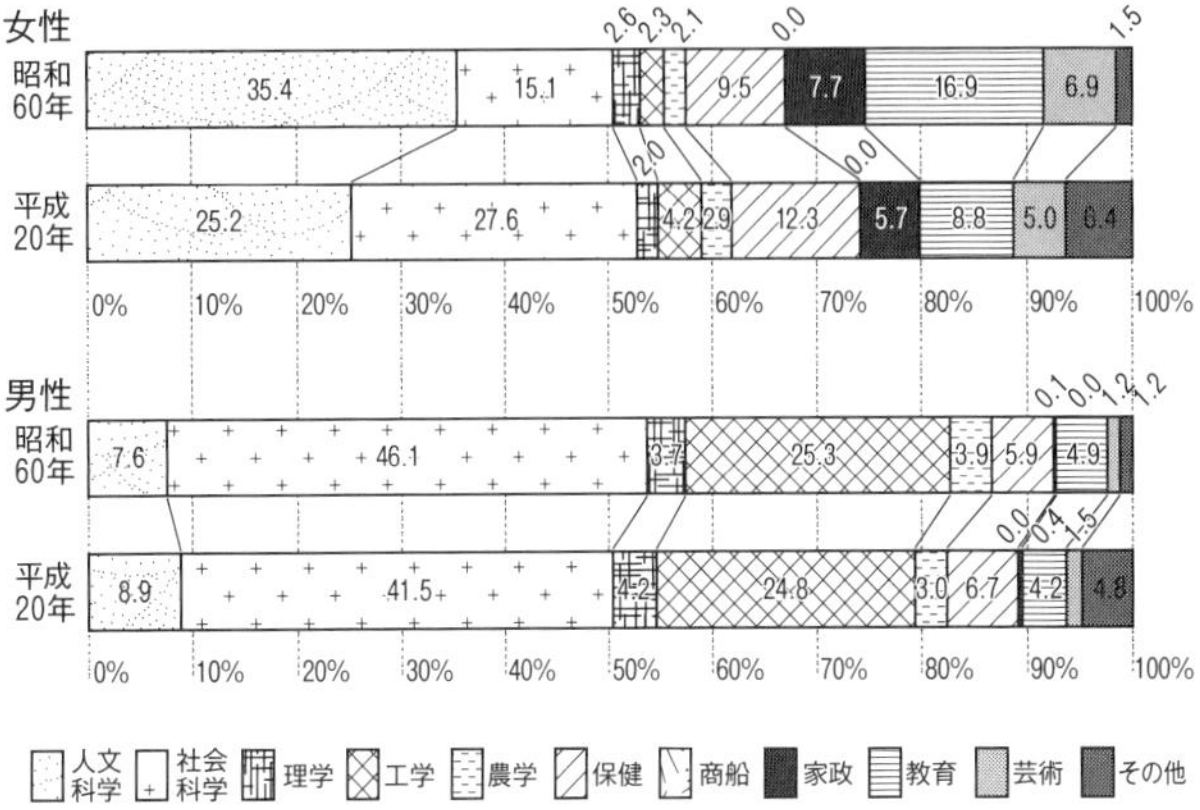

資料出所：文部科学省『学校基本調査』（昭和60年、平成20年）より作成

が蔑視されていた時代には、師範学校へ進学した娘たちは、結婚に縁のない「師範顔」など揶揄されていたといいます。

専攻のジェンダー分離

女子の高等教育の実状を知るには、進学率だけではじゅうぶんではありません。どんな分野に進学したか、を見なければなりません。

女性の高等教育には「専攻分野のジェンダー分離 gender segregation」という謎があります。つまりせっかくがんばって高等教育を受けられるようになったのに、教育投資の回収が見込めない分野に集中するという「謎」です。

女子の短大・大学進学率が上昇した当初に、女子学生が選んだ専攻分野は、実学ならぬ虚学、文学や芸術、教養系の、職業に直結しない領域に集中していました。つまり教育投資の回収が期待できない分野に進学することを、娘自身が選択し、そして親もまたそれに同意していたことになります。

データを見ると実際、八〇年代までは女子学生の専攻分野は文系、つまり文学、語学、芸術、教養の分野に集中しています。その結果、大学は男女共学になったものの、文学部は女子学生が占拠し、工学部の男子学生は卒業まで女子学生に出会わない、などという男女比のアンバランスが生まれました。また男子学生の専攻は、卒業後の進路と直結しているのに対し、女子学生は進路のことなど考えずに好きキライだけで専攻を選んでいる、と見えます。こんなことなら、卒業にあたって急にあわてふためいても遅すぎるし、そもそも働く覚悟もなく進学しているのだから、就職差別を受けるのは当然、という見方もできるでしょう。事実オイルショックの直撃を受けた団塊世代の就職期には、男女を問わず文学部在籍者には会社案内がほとんど届かなかったのに、理工系の学生には不況にもかかわらず積めば山をなすような会社案内が届いていましたから、就職差別には、性差別だけでなく、専攻差別もありました。卒業の年齢になって、理工系の学生たちが研究室で寝泊まりするようなハードな学業生活を送っていたことを知ると、アルバイトやサークル活動に明け暮れた文系の学生が、就職差別を受けても当然、という気分になったものです。

一九六一年、当時早稲田大学文学部の教授だった暉峻《てるおか》康隆さんが「女子学生亡国論」を唱えました。こんなに大学に女性が増えてもさっさと結婚してしまうから、教育投資を社会に還元しない女子学生を受けいれるのはムダ、という説でした。

娘の学校

なぜ女性はこんなに「非合理な選択」をするのか？

女はバカだから、先のことを考えないから、もともと非合理な生きものだから……さまざまな理由が考えられます。

この問いに、「合理的選択理論」で答えた研究者がいます。フランスの教育社会学者マリー・デュリュ゠ベラ、「文化資本」論で有名なピエール・ブルデューの女弟子です。

八〇年代のフランスには、日本と同じように大学教育の専攻別ジェンダー分離がありました。彼女はその名も『娘の学校 L'ecole des filles』（藤原書店、一九九三年）という著作のなかで、「大学の専攻別ジェンダー分離は、合理的選択の結果である」ということをデータにもとづいて証明しました。

男性への教育投資は、将来の労働市場における人的資本への投資です。ところが女性への教育投資は、そうではありません。男性と違って女性は、ふたつの市場、すなわち労働市場と結婚市場とに所属しています。男性もふたつの市場に所属しているといえますが、男性の場合には、労働市場の評価基準と結婚市場の評価基準とが一致する傾向があるのに対し、女性の場合にはこのふたつにずれがあります。したがって女性への教育投資は、このふたつの市場の動向をにらみあわせて決定しなければなりません。

　結婚とは女性にとって、出身階層を選択しなおす生涯最大の機会です。その結婚に際して、親も娘も、利益を最大化するような家族戦略を選びます。デュリュ＝ベラは、女性にとっては労働市場での人的資本への投資よりも、結婚市場での投資のほうが投資効果が高い、ということを発見しました。別の言い方をすれば、労働市場で娘が将来到達することのできる社会的階層よりも、結婚市場で選択した夫をつうじて到達することのできる社会的階層の方がより高い蓋然性がある、と。もっとわかりやすくいうと、女が自分でがんばって手に入れた職業を通じて得ることのできる地位や年収よりも、リッチな夫をゲットして手に入る地位や年収のほうがずっとワリがいい、というミもフタもない「真実」です。だから労働市場における人的資本への投資よりも、結婚市場における女性性資源への投資のほうが「合理的」な選択だ、というのがデュリュ＝ベラの結論でした。

　いやはや現金な合理性、いや功利性ですね。フランスだって、ひとはアムールだけで結婚相手を選ぶわけではないのです。

　もちろんこれは労働市場におけるジェンダー格差を前提としています。同じ学歴条件を持っていても、男性並みの地位には到達できないという女性差別に加えて、高経済階層の男性が、妻には経済力よりも文化資本を求める、という選好の効果にほかなりません。妻が薬剤師の資格を持っているよりも、語学ができるとかピアノが弾けるとかいう文化資本のほうが、実用の役に立たなくても、結婚市場では有利になるということです。

文化資本とは、ブルデューが作った概念で、趣味、嗜好、ふるまい、教養など、貨幣価値に換算されない階層の指標のこと。つまりわかりやすくいえば非経済的なステイタス・シンボルです。つまり結婚式の披露宴のお仲人のご挨拶で「新婦は名門女子大英文科を卒業された才媛で……」の一言が効く世界のことです。

文化資本を経済資本に転化する（＝趣味や教養をおカネに変える）ことはむずかしいのに対して、経済資本を文化資本に転化する（＝おカネをつぎこんで趣味や教養を身につける）ことは、その気になれば可能です。したがって文化資本は経済資本の指標ともなりますから、文化資本の高い娘を選好する男は、実は経済的に豊かな父の娘を選んでいるのだ、と言ってもかまいません。そして娘に資格を取得させる父親よりも、一見むだな教養を身につけさせる父親のほうに、経済的なゆとりがあることは言うまでもないでしょう。結婚とは、男性側にとっても自分の利益を最大化する家族戦略のひとつでした。

女子学生の実学志向

大学教育の専攻別ジェンダー分離は合理的でした。少なくとも八〇年代までは。デュリュ＝ベラを読めば、フランスでも日本と事情は同じだったことがわかります。

それが急速に変化していったのが九〇年代以降のことです。九〇年代に日本で女性の進学率が急速に上昇していったこと、なかでも短大進学率を大学進学率が上回るようになったことはすでに述べました。専攻分野の性別分離にも変化が起きました。女子学生がいわゆる実学分野に増えていったのです。

なかでも女子学生の増加傾向がいちじるしいのは文系では法学部、理系では医学部でした。保健医学系分野では、それ以前から薬学と看護学が女性向けの分野として確立していましたから、医学部への女子進学率の高まりは新しい傾向でした。その結果は、司法試験合格者と医師国家試験合格者の女性比率の上昇につながりました。今日では両者ともに、女性比率が三割前後となっています。女性法曹は、判事も検事も弁護士にもめずらしくなくなりましたし、こういう職種の女性たちを主人公にしたドラマが次々とつくられています。また女性医師もめずらしくなくなり、「女医」などと差別化して呼ぶことも少なくなりました。大学の医局などで「女はうちの医局に要らん」などと「暴言」を吐く教授がいれば、来てくれる医学生は激減することでしょう。

弁護士と医者、両者に共通する特徴は、ひとり開業が可能な高度の資格専門職、ということです。いわゆる「手に職」志向の究極のかたちといえます。

娘の高等教育は本人の意欲と能力だけでは決まらない、と述べました。娘が進学するには、親の同意が必要です。九〇年代の娘たちの親の世代は団塊世代より上。この世代の親のなかには、とりわけ男親のなかには、「女に教育は要らない」という親は少なくありません。女親の多くは高卒か短大卒。その男親にたちはだかって、あるいは陰にまわって、「お父さんはああいうけど、わたしがついているからね」と娘の応援団になるのが女親でした。

娘の高等教育は親の応援団、とりわけ女親の応援団なしには達成されません。九〇年代半ば以降、わたしは自分の勤務先の東京大学で教える女子学生のなかに、受験浪人経験者たちが増えてきたことに気づきました。受験浪人もまた、親の同意なしにはできません。「女の子なのに浪人なんてとんでもない、どこでもいいから身の丈に合った大学にもぐりこみなさい」と娘にいう親に代わって、「もうひとがんばり、浪人してランクが上の大学をめざしなさい」と娘の尻を叩く親たちが登場したのです。女の子の浪人経験は経歴の「キズ」とされ、就職にも結婚にも支障があると言われたものです。それをはねとばして、娘にも息子なみにがんばってもらいたい、と思う親たちです。

母親の世代の背後には、M字型を示す高い中高年女性就労率があります。四十代後半の女性の就労率は七割近く。まったく自分の収入のない女性のほうが少数派です。「お母さんが応援してあげるからね」のなかには、「大学の授業料くらい、お父さんをあてにしなくても、わたしが稼いで出してあげるからね」が含まれます。母の経済力のおかげで、これまでは息子たちに配分してきた教育資源を、娘も同じように受けとることができるようになったのです。こうして子どもが高等教育に在籍中は、母親はパートを辞めたくても辞められないという状況が生まれます。事実、この年齢層のパート就労の女性の収入の使い道は、家のローンと子どもの高等教育の費用、という結果が出ています。女性が自分の収入を自分のために自由に使えるようになるのは、子どもが教育機関を修了してからのことにすぎません。

娘の高等教育は母娘二代がかりの達成……高学歴の娘を見ると、わたしはその娘の後に母親の背後霊を見る思いがしてなりません。とりわけ母親の世代の女の怨念が、娘の選択の背後にゆらめいているような気がします。自分より学歴の高い夫と結婚して一生バカにされつづけ、それでも耐えてきたわたし。娘には学歴をつけたうえで結婚はさせてやりたいが、万一の場合、死別や離別に備えて、手に職はつけさせてやりたい。ひとりでも経済的に困らないようにしてやりたい、という母親の意向が、娘の法学部と医学部の進学にはあらわれています。

他方、女性の進出がいっこうにすすまないのが、文系では経済学部、理系では工学部です。このふたつの分野の共通点は組織に所属しなければ力を発揮できないこと。母親たちの世代の女性にはほとんど、結婚までの就労経験があります。恋愛結婚が見合い結婚の割合を上まわった世代。多くは高卒・短大卒で入った会社で、職場恋愛をして寿退社した女性たちです。その職場体験で、企業が女をどう扱うかを骨の髄まで味わった彼女たちが、日本の企業という組織社会にとことん絶望している……ことを、娘たちの選択からはうかがい知ることができます。

そうやってたどりついた女性弁護士、女性医師のその後、はどうでしょうか。女性弁護士については、日本弁護士連合会が調査した『弁護士白書』（二〇〇八年版）の「男女共同参画」

特集があります。それによると弁護士になっても男女格差からは逃れられない現実が、まざまざと示されています。弁護士開業二十年目の女性弁護士と男性弁護士との年収格差はほぼ二倍。その理由は、男性弁護士に弁護士事務所をかまえる経営者が多いことと、個人ではなく法人をクライアントとするケースが多いことによります。他方、女性弁護士の依頼者は、離婚、相続、親子関係などの家族事案をめぐる個人が圧倒的。経済的に豊かでないクライアントが多いと弁護士もリッチになれない、のだそうです。

女性医師はといえば、医師になったあとも、結婚・出産による離職率がすこぶる高いのが特徴です。「3K職場」と言われる医療の現場は、たとえ報酬は高くても夜勤を含む過酷な現場です。そのせいで女性医師の専門は、皮膚科や眼科など、救急や夜間を含まない分野に集中する傾向があります。それでも職業的使命のためには私生活を犠牲にしなければならないのが医療職です。もともと男性にとっても家庭生活との両立がすこぶるむずかしかった医師という職場の労働条件が、女性の参入が増えたからといって、変化したとは思えません。それどころか病院経営の悪化にともなって勤務医の労働条件はきびしくなるいっぽうです。結果は出産離職。それを誰も責められません。辞める彼女たちが悪いのではなく、家庭責任ととうてい両立しない現在の医師の働き方に問題があるのです。経済的にゆとりがあれば、医師資格を持っていても復職しない女性もいます。復職しても保健所や外来専門クリニックなどの夜勤のないパート雇用。時間単価の高い、いわゆる専門職パートです。これが母親たちのねらった教育投資の成果でしょうか。あるいは本人たちののぞんだ働き方でしょうか。今や医師の三分の一を占めようとする女性医師という医療資源が、こういう使われ方をすることは、人的資本のムダ遣い、という気がしてなりません。

女児選好の謎

女性の高学歴化の背後にある要因のもうひとつは、少子化です。学歴の男女格差が縮小した理由は、実は少子化が最大の要因ではないか、とわたしは見ています。

現在子どものいる家庭で、子どもがふたりまでが四二%。ひとりっ子が四五%で、三人以上が一三%です。そうなると子どもがいても、ひとり娘か姉妹だけ、という家庭が、子どものいる世帯の四割を占めます。昔流に言えば、「跡取り」のいない家です。皇太子一家もそうですね。だから雅子さんは娘を産んだ後も、跡取りの男児を産めと責められました。秋篠宮家も、末っ子の男児が生まれるまではそうでした。女、女……と続いてようやく息子が産まれ、そこで出産をうちどめにすることを「末っ子長男」といいます。悠仁くんもそのひとりです。昔の日本にはそういう「末っ子長男」がたくさんいました。が、それができなくなったのは、子どもを三人目、四人目と産みつづけるだけの体力・気力・経済力が日本の家庭からなくなっていったからです。

日本にはおもしろいデータがあります。もし生涯にひとりしか子どもを産めないとしたら、

図表 5-3　理想の子ども数1人の場合の理想の性別、夫婦割合

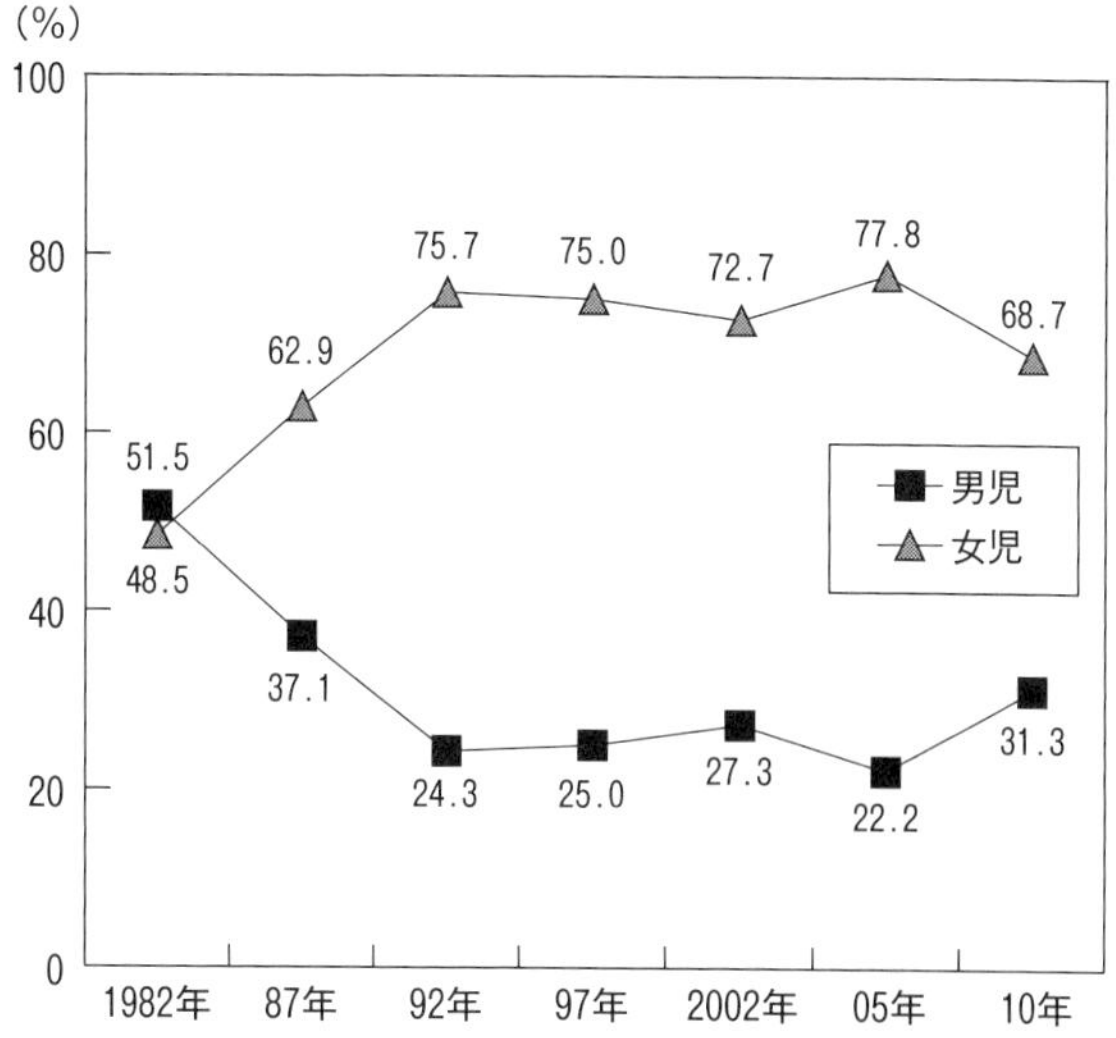

注：対象は理想子ども数が1人以上の初婚どうしの夫婦のうち、男女児組み合わせに理想があると回答した夫婦
資料出所：「第14回出生動向基本調査」国立社会保障・人口問題研究所

男児と女児、どちらがよいか？という問いに答えるものです。長年にわたって同じ質問を繰り返していますので、経年変化を追える点でも貴重なデータです。この問いに対する答で、女児が男児をうわまわったのが一九八〇年代半ばのことでした**【図表5-3】**。

ふしぎなことに東アジア儒教圏の各国のなかでは、女児選好は日本だけ。韓国も中国も男児大好きです。中国に至っては「ひとりっ子政策」のおかげで、性別産み分けが行われているのではないか、と疑われるような数字があります。というのは、先進国における自然出生性比（妊娠・出産の過程に人為的に介入しないで産まれる新生児の男女比）は男児：女児＝105：100という数字が知られているのに対し、中国では近年121：100といういちじるしく不釣り合いな数字が報告されているからです。この数字は、なんらかの人工的な操作があるとしか思えない数字です。おそらく受胎時の男女産み分け、性別による人工妊娠中絶、場合によっては産まれた女児の嬰児殺まで行われているのではないかと疑われます。これでは、女の子にとっては産まれる前からの受難です。

このふつりあいな性比は、近い将来ただちに男性の結婚難となってはねかえってきます。自然出生性比の105：100のままだって、お年頃になって全員がカップルで結ばれるとすれば、およそ二十人にひとりの男性があぶれる数字。決して小さいとはいえません。これが115：100では、およそ八人にひとりの男性が結婚できない「嫁不足」の時代が来ることは容易に予想できます。事実、中国の結婚事情は深刻な「嫁不足」を迎え、それを地方から女の子を「買って」きたり（購買婚）、外国人の花嫁を輸入したりで補っていると聞きます。

男児選好は、東アジア圏では共通の傾向です。韓国、中国だけでなく、台湾でもシンガポールでも変わりません。なぜ日本だけが女児選好なのでしょうか？

この謎を解く鍵は、高齢化にあります。

年金制度の確立にともなって、親が子どもに経済的に依存することは少なくなりました。そのせいで、老後の保障としての息子の価値が下落しました。代わって上昇したのが娘の価値です。

長期化する介護についての不安も高まりました。寝たきりや認知症の高齢者についての報道が、人々の不安を煽りたてます。カネより介護の人手、それも女手に対する期待と要求が高まっていきます。その女手のなかでも、嫁より娘に対する選好が強まります。嫁姑の関係は昔から波乱含みであるだけでなく、下の世話を含むような介護を他人である嫁にはやってもらいたくない。それだけでなく、ますます夫との対等意識を強めてきた息子の妻が、昔のように舅姑に仕える「嫁」意識を持っているとは思えない。そういう立場になってもおいそれとは引き受けてくれないだろうし、そもそも自分も嫁がせた娘をそんなふうには育ててこなかった。老後世話になるのは、息子（の妻）よりやっぱり気心の知れた娘。そのためなら子育て中の娘をサポートして恩を売っておこう。息子を産んでも結婚すれば、しょせん相手の家にとられたようなもの。娘を産んでおいてよかった。たったひとりしか産めないなら、やっぱり息子より娘……と言いたそうな親世代の顔が浮かびます。

母と娘とのあいだの結婚後にまでわたる強い結びつきは、このあたりから始まりました。事実八〇年代には、世代間相互援助関係を示すデータは、夫方親族にくらべて妻方親族へのつよい傾斜を示していました。新婚の夫婦が新居の居住地を選択する条件には、妻方の実家からの時間距離の近さ（夫方はあまり考慮されません）がありましたし、年末年始を過ごすのも、夫方実家よりも妻方実家が増えました。夫方実家には年始の訪問をしても、かたちだけおせちに箸をつけてそそくさとお客さま気分で立ち去るのがオチ。夫の実家ではくつろげない、という妻たち主導のお正月に、夫も従うようになっていきました。「結婚したら、息子はあちらさまのお家にとられたようなもの」と息子の親たちが嘆くのも、ムリはない状況が生まれていたのです。反対に「嫁にやった」はずの娘は、何かというと実家を頼りにし、ひんぱんに往き来します。たとえ別居し姓が変わろうとも娘は娘、という気分を、娘の親たちは長期にわたって味わうようになってきました。嘆くにはあたりません。この世代の親たち自身がとっくに妻方親族優位のネットワークをつくってきていたからです。

この母と娘のあいだの相互依存関係には、親の思惑と子の利害とが共にからみあいます。親の思惑には、(1)高齢化にともなう老後不安の高まりと娘への介護期待があります。(2)また高等教育費を含めた子育てコストが、息子だけでなく娘についても高くつくようになったせいで、親は娘からも投資を回収しようとします。とりわけ大学教育をつけさせた娘には、親自身が就労継続を強く望み、そのためにはみずから孫育てを買って出たりもします。娘の価値はたしかに上昇していたのです。

失敗の許されない子育て

八〇年代における女児選好と男児選好の逆転は、女性の地位が上昇した証でしょうか？

わたしにはそうは思えません。何より介護の女手として期待されている娘は、なんといっても「家事・育児・介護は女」というジェンダー規範のもとにあり、そこから逃れられません。その介護者の優先順位が嫁から娘に変わった、しかも結婚した娘も実家の親の介護負担から逃れられなくなった、という現実を反映しています。これまでは最後まで家に残った家付き娘、たいがいは未婚の末娘などが親の介護に当たったものですが、家を出たからといって、お役ご免というわけにいかなくなったのです。

他方、娘の側にも思惑があります。せっかくがんばって学歴を手に入れ、職も手に入れたのに、結婚や出産で職を手放したくない。さいわい母親が、孫が産まれたらわたしの出番、と手ぐすね引いて待っている。ここは実家の母を利用しちゃおう。同じ祖母でも、夫の母より、自分の母のほうがずっとものを頼みやすいし。どうせいつかはお母さんの老後のお世話をしなきゃいけないのだから、ここでお世話になっておいてもいいだろう、と。かくして妻方近接異居や妻方二世帯居住の傾向が強まります。婿養子でなく姓も妻方に変えているわけでもないのに、「マスオさん現象」が増えてきました。夫はもともと子育てに口も手も出す気はありませんから、妻方実家の勢力が伸張することは、夫には多少煙たくても、子育て支援にはわたりに船でした。

それだけではありません。少子化は、ジェンダーに逆説的にも作用します。子どもが少ないことはたしかに娘の相対的な地位を上げました――これまでなら「息子は大学まで、娘は高校・短大まで」と言っていた親たちも、娘しかいないとなれば、そんな性差別的な進路選択はできなくなります。それに娘の出来がよいと、がんばって上の学校を目指しなさい、と息子なみにお尻を叩くようになったのでしょう。

ひとりかふたりの子育ては、子だくさんの子育てに比べてもっとたいへんだということをご存じでしょうか。子育てがたいへんなのは少ししか子どもを産まないから。三人目からラクになる……と言われたのは、子育ての経験が積み重なるからだけではなく、三人目からは上の子が下の子の育児資源になるからです。七歳にもなればりっぱな戦力。明治時代は七歳の子どもは、後に産まれた赤ん坊をおぶって遊びに出たものでした。七歳の子どもは、自分の家でも母親の育児支援の戦力になり、他人の家でも子守り奉公に出て、りっぱな労働力になりました。七歳といえば学齢期です。明治五年の学制発布のあとも、義務教育就学率はなかなか上がりませんでした。わけても女児の就学率は上がりませんでした。その理由は、女に学問は要らないという性差別だけでなく、赤ん坊を育てる育児戦力を奪われては困る、という親の思惑でもありました。そのため、女児の就学率をあげる対策として、赤ん坊を背に負ぶったまま学校へ来てもよろしいという指導までありました。まるで「明治のアグネス・チャン」ですね。とはいえ、赤ん坊に泣かれるとまわりの生徒たちに迷惑がかかります。だから子守ばっかりを集めて「子守学級」が開設されたくらいです。

ひとりやふたりの子育てにネをあげている若い母親たちを見て、昔の日本の女は「肝っ玉かあさん」だった、五人も六人も抱えてどっしりしていた、と昔の母を賞賛するひとたちがいます。ですが、子どもをたくさん産めば産むほど、子どもたちが自分たちのコミュニティをつくってくれるので子育てがラクになるだけではありません。子どもの数が少ないことで今どきの母親が感じているかつてない重圧の大きさを、昔の母親をほめたたえるひとたちは理解できないことでしょう。

中国はひとりっ子政策の国です。そこで日本の少子化について講演したときのこと。「少子化のもとの日本の若い親たちは、かつての親たちが決して味わったことのない子育ての重圧にあえいでいます。それは絶対に失敗できない子育て、という重圧です」と話したときの、中国の聴衆たちの身を乗り出すような真剣なまなざしを覚えています。

そう。子どもが五人も六人もいれば、そのなかにはアタリもハズレもあるかもしれません。気の合う子もいれば合わない子もいるでしょう。出来のよい子もよくない子も、親孝行な子も極道もいることでしょう。そのなかから一人や二人おクニに差し出しても、あきらめがつくかもしれません。ですが、子どもがたったひとりなら……ふつうに育ててあたりまえ。絶対に失敗は許されません。あとがないからです。[2]

成功した子育て、って何でしょうか。出来のよい子を育てる、つまりこれまでならよい学校、よい会社へ入れる、ということでしょうか。これが息子なら失敗は許されません。ですが娘なら……かりに出来がよくなくても、言い訳ができます。「いいわ、女の子だから。少々出来が悪くても、かわいければ」……女には女向けのライフコースがある、と親たちは思っているようです。

それだけではありません。子どもがひとりやふたりでは、老後を託すには負担が重すぎます。もはや子どもの経済力に依存しようと思わなくなった親たちにとって、子どもは投資を回収する生産財から、人生の一時を共にしてくれる豊かな消費財へと変化しています。それならとりわけ女親にとって、同性として共感してくれ、グチも聞いてくれ、着せ替え人形のようにかわいいかっこうをさせ、自分の力で生きていかなくても結婚相手をみつければすむ（と彼女たちが考えている）女の子は、無責任に子育てが楽しめる理想の消費財だということになります。

日本の知性と思われているふたりの男性知識人、宮台真司さんと東浩紀さんの対談『父として考える』（NHK出版、二〇一〇年）を読んで、目が点になったことがあります。このおふたりはそろって娘の父親になりました。そのふたりが娘の育て方について口をそろえて、「女の子にはバックドアがある」と言います。「バックドア」とは競争的な労働市場からの「裏口」のこと。わかりやすくいうと、「女は結婚に逃げられるからなあ」と言っているのと同じです。いまどきこんな発言をするなんて、セクハラでイエローカード、なのですが、このふたりの父親たちは、娘には娘向きの育て方がある、とおどろくほど保守的な女性観を持っていることがわかります。しかも「そのバックドアは年齢と共に閉まることを、教えておかなきゃいけない」と。これもかんたんに言いかえると、「婚活には年齢制限があるよ」という意味でしょう。これを教えておかないとうかうか適齢期をやりすごして、気がついたら「おひとりさま」になるよ、ああはならないでね、という「父心」なのでしょうか。実は彼らの本は、わたしの『おひとりさまの老後』（法研、二〇〇七年）に対する批判を含んでいます。彼らの娘たちが成人する十数年後にも、女性のライフコースが変化していないと予想するこのふたりの父親のペシミズムと保守性には、暗澹とした気分になります。

したがって日本の女児選好に対するわたしの解釈はこうです。これこそ日本にある女性差別の効果だと。少子高齢社会のなかで「ケアする性」としての女性の地位が変わらないからこそ、女児選好が強まったのだ、と。

娘受難の時代

同時にこれは日本における高齢者福祉制度のハンパさ——いっぽうではその充実、他方ではその限界——の産物でもあります。社会保障制度は親子間の世代間関係をおおきく変えました。年金制度の充実は親の子に対する経済的依存を弱め、息子の価値を低下させました。考えてみれば年金とは公的な世代間仕送り制度です。原資はもともと働きざかりの息子や娘のふところから出ています。これを政府が徴収して年金財政にプールし、匿名化して高齢者に再分配したものが年金です。これを、毎月子どもが実の親に現金書留封筒で仕送りをしていると仮定しましょう。子どもの負担は現在の年金保険料の負担どころではないでしょうし、親の側でも子どもにアタマがあがらないだけでなく、仕送りのなかから孫、つまり子どもの子どもにわずかでも小遣いをやるのが楽しみ、なんて言っていられなくなるでしょう。しかも戦後高度成長期に雇用者率が自営業者比率をうわまわることで、多くの高齢者が国民年金のほかに二階建ての厚生年金を受給できるようになりました。年金という公的再分配制度を確立したことは、親の世代の子ども世代からの自立を可能にし、そのことで世代間関係を変えました。もし社会保障制度が家族を壊す、と主張するならば、まず年金制度から廃止しなければならないでしょう。子に頼るほかに選択肢がなかったからこそ、頼るべき子ども（この場合は息子）のいない、あるいは息子に先立たれた高齢者ほど、みじめなものはなかったのです。

年金制度が老後の息子に対する期待を下げたとしたら、代わって上昇した娘に対する期待は、カネはあっても人手のない老後の介護不安の反映でした。八〇年代はようやく家族介護の実態が浮上し、その深刻な現実が世に知られるようになった頃。措置時代のもとの公的支援は貧困層に限定されており、中産階級には望むべくもありませんでした。この時代の女児選好は、年金保障はできたが介護保障のない日本の福祉制度のハンパさの産物、といいかえてもよいかもしれません。

そこにようやく登場したのが介護保険です。女児選好がいまでもなくなっていない事実は、介護保険に対しても多くの高齢者がそれだけではじゅうぶんでない、と不安を感じていることを示しています。もし介護保険がさらに充実して、経済的のみならずケアの面でも親世代が子世代から自立を果たすとしたら、子どもの性別選好はなくなるでしょうか。それでもなお、ひとの生き死にに男より女のほうが深く関わっていると思われている限り、高齢社会になればなるほど、娘を産んでおいてよかった、と親たちが思うのは避けられないでしょう。

こうして娘はいっぽうで親の教育投資の対象となり、他方で「ケアする性」としての期待を背負わされます。わたしはこれを娘の「二重負担」と呼んでいます。思えば教育投資を受けなかった時代の娘たちは、後者の期待にだけ応えていればすみました。今日では息子並みに投資の回収の期待にも応えなければなりません。

ごくろうさまね……これが今どきの娘たちに対するわたしの感慨です。「娘受難の時代」の始まりです。

1　文部科学省生涯学習政策局調査企画課「教育指標の国際比較」平成二十四年三月。

2　事実、八〇年代にソ連が行ったアフガニスタン侵攻に対して、国内でそれまでになかった激しい反戦運動が起きたのは、少子化のせいだと言われている。若いソ連軍兵士の犠牲の多かったアフガニスタンの戦場に、母親たちが前線をたずねて「息子を返してくれ」と要求したと伝えられる。アフガニスタンはゲリラの多い戦場として、近代戦で重装備した軍隊にとっても戦いにくい、犠牲の多い戦場として知られていた。後にアメリカがアフガニスタン戦争に参戦したとき、とりわけ地上戦の困難さと犠牲の大きさは、ソ連の経験からじゅうぶんに予想できるものだった。

第六章　ネオリベが女にもたらした効果——カツマーとカヤマーのあいだ

母と娘

前章で、「『娘受難の時代』の始まり」と書きました。そしてその娘たちの背後に、母親がいることも。

このところなぜだか「母‐娘」関係を主題とした本が次々と出ていることにお気づきでしょうか。信田さよ子さんの『母が重くてたまらない─墓守娘の嘆き』（春秋社、二〇〇八年）はベストセラーになりましたし、同じ信田さんには『ザ・ママの研究』（理論社、二〇一〇年）もあります。男性の精神科医、斎藤環さんの『母は娘の人生を支配する──なぜ「母殺し」は難しいのか』（NHKブックス、二〇〇八年）もありますし、それ以前から母は娘に嫉妬する、といった通俗心理学説を流布している人たちもいました。エッセイや小説では、佐野洋子さんの『シズコさん』（新潮社、二〇〇八年）、中山千夏さんの『幸子さんと私──ある母娘の症例』（創出版、二〇〇九年）、村山由佳さんの『放蕩記』（集英社、二〇一一年）など、このところ「母‐娘葛藤もの」ラッシュの感があります。最近では、水村美苗さんの長編『母の遺産　新聞小説』（中央公論新社、二〇一二年）が評判になりましたが本の帯には「ママ、いったいいつになったら死んでくれるの？」というこわいセリフが書かれていました。少女マンガには、萩尾望都さんの名作『イグアナの娘』（小学館、一九九四年）があり、これはドラマ化もされました。それだけではありません。わたしも回答を担当している朝日新聞土曜版の身の上相談「悩みのるつぼ」では、定番といってよいほど、娘から「母を愛せない」という相談が寄せられます。

これまで心理学では「父と息子」は主題化されてきましたし、息子の「父殺し」は男性にとって発達の課題であると、多くの論者は述べてきました。その反対に、マザコンを宿命とする男にとっては「母殺し」は果たしえない課題だとも言われてきました。息子を娘に入れ替えれば、その逆が成り立つとはかぎりません。エディプス・コンプレックスを持たない娘は母子分離の必要がありませんから、息子の「父殺し」にあたる娘の「母殺し」を発達の課題とする必要がありませんし、「ファザコン」の娘は、せいぜい父のような男を夫に選んで、庇護者を乗り換えればよい、と思われてきました。ですから娘の「母殺し」は、歴史的にいって新しい主題なのです。

女性学が登場した一九七〇年代にも、「母‐娘」関係のブームがありました。それまでの心理学は臆面もない男性中心主義でしたから、「男の子はいかにしてオトナの男になるか?」についての問いと答はありましたが、女性心理はあくまでそえものでした。当時、男性なみの業績をあげて社会的に成功した女性を調査した研究によると、女が成功するための条件は「父ー娘関係がよいこと」すなわち、父親が娘のロールモデルになっているか、うらがえしに父親が娘を息子扱いして娘の応援団になるか——つねひごろ、「おまえが息子だったらなあ」と言いつづけるとか、娘でも長子やひとりっ子だったので大事にするとか——であることがわかっています。もちろん父が娘のロールモデルになるための条件は、そのための社会的選択肢が娘にも開かれているか、そして父が娘の自分との同一化を「冷却 cool down」しないでいるかどうかにかかっています。「どうせおまえなんか」「しょせん女の子だから」と娘の将来の選択肢を閉ざすところでは、社会的に成功する女性は生まれません。それどころかフロイト理論では、女だてらに「男向き」の生き方を選ぶ女たちは、「ペニス羨望」という名の心の病気だとさえ思われてきました。「お母さんのおなかのなかに忘れてきた」ペニスをほしがって、できもしないのに男の真似をしたがるイタイ女。こういう女は病気だからと治療の対象になったくらいです。トムボーイの女の子たちは、いずれ、角を矯め足を削がれて「分相応」の女の鋳型にはいっていくしかなかったのです。

こういう娘にとって、母親は、そうはなりたくない「反面教師」として登場します。にもかかわらず、娘が尊敬しお手本にしている父に愛される妻の座にいるのは母ですから、女としての幸せを手に入れるには、「母のように」ふるまわなければならないとも感じます。ところが「母のように」ふるまえば、「父のような」成功は望むべくもありません。こうやって息子ならぬ娘は、父をロールモデルとしたとたん、矛盾に引き裂かれることになります。その悲鳴を、こんなふうに表現したアメリカ女性がいました。

「父は公的な場面でどうふるまえばよいかを教えてくれたけど、ベッドでどうふるまえばよいかまでは、教えてくれなかったのよ!」

女性学にとっても、「母と娘」の関係は難問でした。息子と父との葛藤はあたりまえだったのに、しかもオトナの男になるためには「父殺し」をして父を乗り越えなければならないとされたのに、母を「反面教師」とした娘にとってさえ、母を憎むことはタブーだったからです。それどころか、不如意な暮らしに甘んじる母には、同性として同情と理解を捧げ、共感とサポートを生涯にわたって供給しつづけるのが娘の役割でした。母の方も娘にその役割を期待し、早くから相談相手にしたり愚痴の聞き役にしたりして、老後になったら「よかったわ、娘を産んでおいて」と言うのが幸せ、と思われてきました。

墓守娘の負担

信田さんの本に「墓守娘」というコトバを見つけたとき、あれあれ、こんな時代錯誤なコトバが今頃……と思ったものです。が、ただちに、そうではなく、今だからこそ、「墓守娘」というコトバがリアリティを持つようになったのだ、と思い直しました。というのも、娘に「墓守」を期待すること自体が、新しい社会現象だったからです。その背後にはもちろん少子化がありました。

「墓守娘」は、嫁がずに家に残った娘だけを指すコトバではありません。晩婚化・非婚化が進んでいましたから、家付き娘——パラサイト・シングルとも呼ばれました——はたしかに増えていました。が、親は彼女たちを「跡取り」娘として婿養子をとろうと手元に置いておいたわけではありません。長男長女時代、「婿にやってもよい」次三男坊は払底していました。嫁がせてもよい、姓を変えてもよい、それでも墓は守ってほしい……樋口恵子さんのいう「お墓の統廃合」が必要になる少子化時代に、嫁いだからといって、娘に対する親の期待はそこで終わりになるわけではありません。超高齢化時代、嫁いだ娘も実家の親の介護責任から逃れられない時代が来ていたのです。

その背景には前章で述べたように、娘が息子並みに人的資本形成の投資対象となった時代の変化があります。つまり、教育投資をしても回収が予期できるような選択肢が生まれたことです。男女雇用機会均等法がその条件をつくりました。「よい学校・よい会社」のライフコースは、これまで男子限定だったのに、女子にも選択肢として開かれるようになったからです。

「がんばれば報われる」——男並みの競争社会へ男並みの条件で参入していけば、男並みの報酬が得られる——娘たちも、その親も、そう思った時代がきました。ただしそれは男並みの

「機会均等」だったことはすでに論じました。「よぉーし、女を捨ててかかってこい、対等に扱ってやるからな」――ただし、そのためには「女の甘え」を捨てろ、と。労働基準法の「女子保護規定」を手放し、長時間労働や深夜勤にも耐え、出張や転勤にも応じる男並みの「社畜」になれ、というのが、均等法にいう「機会均等」の内実でした。もちろんこんな条件に応じた女性が少数だったことは言うまでもありません。それだけでなく、この条件を真に受けて企業に参入していった多くの（総合職の）女性たちが、その後ただちに気がついたのは、「男並みの業績をあげても、男並みの報酬が返ってくるとはかぎらない」という、冷徹な企業組織の性差別の現実なのですけれど、これについては後で述べましょう。

均等法施行後、一九九〇年に某都市銀行の女性総合職が過労死しました。たしか「女性初の過労死」としてメディアで報道されました。その報道に接して、わたしは感慨を持ったものです、「男もすなる過労死というものを女もしてみんとてするなり」という時代がついに来たか、と。ちっともありがたい「平等」ではありません。その翌年、くだんの都市銀行に就職した女子学生が、わたしに報告に来ました。「よくそんなところに就職したわね」と驚いたわたしに、彼女はこう言ったものです。「あの事件のあとだから、上司が女子行員にはとても気を使っているので居心地がいいんです」と。

機会均等と優勝劣敗の原則

何度でもいいますが、男女雇用機会均等法とは、機会の均等であって結果の平等をめざしたものではありません。同じような競争のゲームに、これまで参入を許されなかった女も、参加を認めてやろう、というものです。ゲームのルールはもともと男向きにできており、女が参加したからといって、それに変更はありません。

競争というゲームは一見フェアに見えますが、よーい、ドンのかけ声と同時に走り出したら、ゴールには必ず勝者と敗者ができます。いや、競争とは、勝者と敗者とを選別するためのゲームだと言いかえてもかまいません。

このゲームは、圧倒的に男に有利にできていますので、女は負けるべくして負ける確率が高い、つまり家庭責任のハンディなしで、そのうえ帰れば主婦である妻にかしずかれて、自分の全生活を仕事にコミットできる男のほうがゲームの勝者になる確率が高い、そういうゲームです。しかしタテマエ上、ゲームのルールはジェンダー中立的にできていることになっていますから、勝てば本人の努力と能力とを賞賛され、応分の報酬を受けとり、敗者は自分の能力と努力が及ばなかったことの責めをわが身に負い、勝者の配当を承認する、ことになっています。これを「優勝劣敗」の原則といいます。

勝者はひとり、敗者はその他大勢です。リベラリズムの競争原理とは、実は敗者の合意によって支えられています。敗者が自分の敗北に納得していないと、競争への信頼は維持されません。ずるい、あいつは抜け駆けしたじゃないか、とか、あいつは勝利をカネで買ったじゃないか、とか敗者が感じるようでは、勝者の優位は保証されません。こういう敗者が自分の敗北に納得しないうらみつらみ――ルサンチマンと呼びます――をいかに飼い慣らすかが、タテマエ平等社会における永遠の課題であると喝破したのが、アレクシス・ド・トックヴィルでした。

学校はタテマエ平等社会の最たるものです。タテマエ上、学校には性差別はありません。男女別に試験を実施する学校はありませんし、男女別に試験の結果を公表する学校もありません。体育の授業は男女別でも、知育に関しては、偏差値分布に男女差がないことは知られています。「がんばれば報われる」……この原理を学校と教師は、徹底的に生徒に教えこもうとします。

女性学の「教育とジェンダー」の研究分野では、タテマエ上の平等社会のウラで、「女の子だからがんばらなくてもいいよ」「がんばってもしょせん報われないよ」という努力の「冷却装置」が、言わず語らずのうちに教育現場にはたらいていることがわかってきました。これを目に見えない「隠れたカリキュラム」と呼びます。それを通じて女の子を女向きのライフコースへと誘導する「ジェンダー・トラッキング」が作用していることが明らかにされました。[2] 親の教育投資の多寡だけでなく、進学指導の教師の一言、クラスメートの同調圧力など、多様な要因がジェンダー・トラッキングにはたらいています。だから教科書や時間割などタテマエ上の目に見えるカリキュラムを見ているだけでは、学校における性差別はじゅうぶんに見えてこないのです。

メンヘラーの増加

九〇年代後半、女子の大学進学率が急速に上昇しつつあった頃、わたしは学生の変化に気がつきました。メンタルヘルス系に問題のある学生、彼らの隠語では「メンヘラー」が増えてきたことです。しかもそのなかに、自傷系が少なからずいることに。男子学生ならば、引きこもりや対人恐怖、女子学生にはリストカットや食べ吐きの常習者がいました。精神的なトラブルを抱えた学生が多いことがわかってきました。

もともと国立大学では東大、京大は学生の自殺率が高く、精神的なトラブルを抱えた学生が多いことが知られています。ですが、それまでだってそういう学生に出会わなかったわけではありません。ですが、例外と言えない程度に自傷系の徴候を示す学生が増えたことは新しい傾向でした。

東大生は受験競争の勝ち組です。「がんばれば報われる」ことを信じて、教師と親の期待に応えてがんばってきた優等生です。合格まではたしかに努力は報われました。受験戦争の勝者は、合格したのは自分の能力と努力のせい、落ちた奴らは能力と努力が足りなかったせい、と思ったでしょう。敗者は敗者で、競争の公平さを信じて、努力が足りなかった自分を責め、よおし、もう一年がんばってみよう、と再受験に挑戦したものです。

ですが、世の中には能力と努力だけではどうにもならないことがいくらもあります。がんばっても努力が空回りするばかりの恋愛や友人関係、思うようにすすまない学業、迷いの多い進路選択。彼らが最大のトラブルに直面するのは就活期が始まってから。ペーパーテストでは楽にハードルを越えた彼らも、ようやくこぎつけた面接で、落とされて帰ってきます。しかもなぜ落とされたかの理由も基準もはっきりしません。そうなればあたかも自分の全人格が否定されたような気になるのも無理はありません。それが二回、三回と積み重なると、まっくらな表情でうなだれてわたしの研究室に入ってきます。就活に失敗しただけで、「ボクに存在価値はない」、「死にたい」と短絡する学生もいます。男子学生のなかには不登校になった者もいました。聞くと、「授業に出ようと家を出たが、電車のなかで乗客がみんなボクを注視しているような気がして、こわくなって家に帰った」という答でした。東大のわたしの研究室は、別名「保健室」と呼ばれていました。

男子学生だって就活では試練に遭います。女子学生のなかには、生まれて初めて女性差別に直面する者も少なくありません。「生まれてこのかた、性差別なんていちども経験したことがありません、それどころか女の子でトクすることばかりで～す」と明るく言うような女の子が、就活では女性であることを思い知らされて意気消沈して帰ってきます。どう見ても同じように応募した男子学生と、あきらかに処遇が違う企業側の態度。女性差別のイエローカードなのに、堂々と自宅通勤かどうかを聞いたり、結婚・出産の可能性に探りを入れてくる面接者。自分より成績の悪そうな男子学生が次々内定をゲットしているのに、何社まわっても手ごたえのないあせり。

時は就職氷河期でした。九一年にバブルがはじけてから不況が始まり、新卒採用市場を直撃しました。大卒新採市場も冷えこみ、内定率が低下していきましたが、そのなかでもジェンダー格差は拡大していきました。男女雇用機会均等法はできたけれど……不況期に女性の雇用を守ってくれなかったというのは、この時の経験から来ています。募集・採用における性差別の禁止規定（九七年の改正までは努力義務にとどまりましたが）があるにもかかわらず、半ば公然と企業に女子採用差別があることが内定率の統計データからは疫学的に証明できます。また早稲田大学の女子学生たちがつくった『私たちの就職手帖』では、企業の採用過程での女性差別の事例が企業の実名つきで紹介されています。罰則規定を欠いた均等法では、違反企業の実名公表を労働省（当時）がすることになっていましたが、一度も実施されたことはありません。

にもかかわらず、彼ら彼女らのなかには、「がんばれば報われる」という「公平な競争」に対する信仰、その結果の「優勝劣敗」の原則がとことん内面化していると思わないわけにいきません。これこそ均等法の最大の効果、それもマイナスの効果ではないでしょうか。現実には少しも差別のなくなっていない社会に出る前に、タテマエ平等を信じこまされて、自分の成功も失敗もその原因を自分に求め、勝者になれば他人を見下し、敗者になれば責めを自分に負うしかない社会……これが均等法がもたらしたものなのか、とわたしは暗澹としたものです。

ネオリベの効果？

データをお示ししましょう。ここに二〇一〇年版の東京大学『第60回学生生活実態調査の結果報告書』（二〇一一年十二月十二日、東京大学学生委員会学生生活調査室発行）があります。毎年学部学生、大学院学生を対象に実施して六十回、六十年間にわたる経年変化をたどることができる貴重なデータですが、この年に初めて、調査項目にメンタルヘルス系の質問が加わりました。それによると、心理的な悩みで回答の多かった上位項目は、上から「強い不安に襲われた」四九・二％、「気分が落ち込んだり、何にも興味が持てなくなった」三七・四％、「やる気がなくなり、無気力状態（アパシー）になった」三七・二％、ほぼすべての項目で女子のほうが男子より高い傾向があります。注意項目でジェンダー差が大きいものに、女子の過食傾向が四二・七％（男子は二二・六％）、拒食傾向が一五・二％（男子は一〇・三％）、男子の対人恐怖が一五・〇％（女子は一一・三％）。せっかく調査項目を増やしたのに、入っていないのが、「不眠」「リストカット」「自殺念慮」などの項目です。聞いてほしいのに聞かれていないのがセクシュアリティ関連の項目。女子の場合はメンタルヘルス系のトラブルは、性関係と密接に結びついていますから、性交経験、避妊、中絶、性病経験、ＬＧＢＴ（レズビアン、ゲイ、バイセクシュアル、トランスジェンダーの略語）などの性自認についても聞いてほしいものですが、大学当局の実施する調査では、そこまで踏みこんだことは聞かないし、聞けないものと思えます。それに性自認については、六十年前には想像できなかった調査項目でしょう。

わたしの体感的な変化では、精神科受診者が増え、向精神薬の投薬を受けて服薬を続け、薬物依存が高まったと感じます。学生がわたしの研究室のテーブルの上に処方された薬の山を拡げて見せ、「やめろ」「減らせ」という者もいました。「薬をもらいたいから、症状をわざと重篤に話す」という者もいました。「やめたらどうなるか、あとがこわくてやめられない」という者も。わたしは薬の山を挟んで、学生の背後にいる精神科医と対抗している気分になったものです。そうやって研究室にやってくる学生には、「クスリをやめたいのに、やめられない」という葛藤を抱えている者もいました。でなければ彼らは、深夜の研究室を訪れたりはしなかったことでしょうから。

彼（女）らはうまくいかない人生や人間関係の原因を自分に帰して、われとわが身を責めていました。そうなれば、誰に責任を転嫁することもできず、攻撃性は自分へと向かいます。自傷は自罰の一種です。リストカットはもとより、食べ吐きも自分の身体に対する虐待の一種にはちがいありません。

自己決定・自己責任、優勝劣敗の原則がここまで彼らの内面に身体化されたのか、もしかしたらこれがネオリベのもっともおそろしい効果ではないか、とわたしは思わないわけにはいきませんでした。

カツマーvsカヤマー

『勝間さん、努力で幸せになれますか』（朝日新聞出版、二〇一〇年）……これは勝間和代さんと香山リカさんが『ＡＥＲＡ』誌上で激突した対談を収めた本の書名です。

タイトルになった質問にはアイロニーが込められています。この質問に「イエス」と答えればカツマー（勝間さんを支持する女性たちの総称）、「ノー」と答えればカヤマー（香山さんを支持する女性たちの総称）と分類されるような、踏み絵の役割を果たす問いでした。

勝間さんは、ネオリベ女のアイコンとしてマスコミにはなばなしく登場しました。「努力すれば報われる」……あなたが報われないのは、努力が足りないからだ、もしくは努力の仕方がまちがっているからだ、という教則本として、勝間ブックスは売れまくりました。

勝間さんは「インディーズ」（自立した女）と「ウェンディーズ」（男に依存する女）[3]とを区別し、インディーズの条件として、(1)年収六百万円以上稼いでいること、(2)他人に自慢できるボーイフレンドがいること、(3)よい年の取り方をしていること、という三つの項目を挙げました。とても高いハードルと言わなければなりません。日本の働く女性のうち、年収四百万を超えるのは全体の一割、六百万となると専門職に就いて勤続何年も経っていなければならないでしょう。「他人に自慢できるボーイフレンド」の条件とは？　とご本人に聞いたところ、「年収一千万円以上」という答が返ってきました。このハードルも高そうです。なぜ？　という問いには、そのくらいないと、日本人男性のやわな自尊心が保たれないから、だそうです。年収六百万の女に釣り合うには、それを凌駕する自信がなくては、まともなパートナーシップが築けないんだとか。「よい年の取り方」は、若さと美貌だけがインディーズの勝負アイテムではない、ということを意味していますが、逆に成功の階段をのぼりつづける人生、そこからおりることを許されない人生を想像して疲れを覚えます。

他方、カヤマーは、「努力で幸せになれる」とはとうてい思えない人たちです。この人たちは単純な負け組ではありません。「機会均等」の神話は、負け組が支えることを説明しました。負け組が負け組であることに合意しているあいだだけ、勝ち組の地位は正統性を獲得します。だからカツマーのなかには、「努力で幸せになれる」と信じて、幸せになった人も、幸せにならなかった人も、両方が含まれます。むしろぼうだいなカツマーとは、現在幸せでないからこそ、勝間さんのように「努力して幸せに」なろうとする人々の別名だと言ってよいかもしれません。

カヤマーは「努力しすぎて」カラダとココロを壊したひと、「努力した」けれど報われなかったひと、「努力しよう」としても努力できないひと……たちです。この人たちのなかには不安と不満、自責と怒りが鬱積しています。この人たちはさまざまなトラブルをかかえて、香山さんの診察室を訪ねます。

カツマーとは勝ち組および勝ち組志願者、カヤマーとは負け組および負け組予備軍と言ってよいかもしれません。そのカツマーとカヤマーとの分岐が、必ずしも学歴や職業に一致していないこともおもしろい傾向かもしれません。高学歴者のあいだにもカヤマーはたくさんいますし、逆に低階層のひとのなかにもカツマーはいます。というよりも、多くの女性たちはカツマーとカヤマーのあいだを揺れ動いている、と言ったほうがよいかもしれません。というのは、カヤマーもまた一度は努力と競争の価値を信じたからこそ、それにしたたかに裏切られたひとたちだからです。最初から競争に参入していなければ、自らを責めることも少なかったことでしょう。

娘の二重負担

彼（女）らの自傷と自罰の背後には、親の期待があります。もし期待という名の重荷を背負っていなかったら、彼女たちは自分を責める必要もなかったでしょう。その年齢になるまでは、けなげに親の期待に応えてきた子どもたちです。女の人生の選択肢が拡がり、娘たちにもチャンスが与えられたからこその期待です。過去にはなかった重荷です。この期待は均等法がもたらしたと言ってもよいかもしれません。

ですが、女の子への期待にはねじれがあります。マリー・デュリュ゠ベラが指摘するように、女の子が労働市場と結婚市場の両方に属していることは、前章で述べました。男の子であれば労働市場における達成だけでじゅうぶんなのに、女の子はそうはいきません。職業の上で成功しても、結婚と出産という「女としての幸せ」を手に入れなければ、いつまでもハンパ者扱いされます。他方、「女としての幸せ」を優先して労働市場から退出すればしたで、「せっかく教育をつけてやったのに」と親から繰り言を聞かされます。つまり女の子としての「成功」――親から見れば娘の子育ての「成功」――とは、「男並み」の達成に加えて、「女並み」の幸福、この両方が達成されないかぎり、じゅうぶんとは言えないのです。

　わたしはこれを娘の「二重負担」と呼んでいます。今どきの娘たちに「ごくろうさまね」と感じるのは、わたしたちの世代であればそのどちらかであればじゅうぶんだったのが——そのふたつが「両立不可能」であることが社会的に合意されていたからです——もはやその言い訳が通用しなくなったからです。

　母と娘の関係が複雑でややこしくなったのは、こういう時代背景をもとにしています。昔ならなかったような母と娘のあいだの過重な期待と裏切りの関係……それが娘にとって「重荷」にならないわけがありません。

　母親が娘に「投資」するようになって以来、娘は母の「作品」となりました。これまでは「息子」だけが母の誇るべき作品だったのですが、それに娘も含まれるようになったのです。母親の「業績」が子どもの「達成」で測られる……という慣行は今でもなくなっていません。ノーベル賞受賞者が出るとマスコミがただちにその母親に取材に行くのはその名残です。「どうやって息子さんを育てられたんですか」という質問に、娘のバージョンも生まれました。ですからこういう娘のことを、わたしは「女の顔をした息子」と呼んでいます。

　母と娘の二人三脚で達成した業績を、母は誇りに思っています。その背後に、「欲求の代理満足」という心理的機制があることは、よく知られています。そして息子よりは娘のほうが、母にとって「代理人」としてはるかに同一化しやすく、またコントロールしやすいことも事実でしょう。また娘の社会的達成を支えるために、「ケアする性」として、家事・育児に貢献できることも母の強みでしょう。

その母からの二重の期待、「二重負担」の重圧にあえぐ娘たちが、それに苦しんで香山さんの診察室や信田さんのカウンセリングルームを訪れる――なかには「上野保健室」を訪れる者も――のはふしぎではありません。母の犠牲と献身を身を以て知っている彼女たちは、母に対する憎しみや怒りの感情を封印していますが、その背後に母の支配と所有欲とをかぎとって、母の檻から逃れようと必死でもがいています。この「母と娘」の葛藤は、娘が母の投資の対象になったからこその歴史的な産物でした。

それなら、とわたしは思ったものです。娘が母の作品になったとしたら、作品には「成功作」と「失敗作」があるにちがいない。母は「成功作」のほうを決して手放そうとしないだろうが、「失敗作」になってしまえば、母からさっさと逃げられるのではないだろうか、と。その疑問を信田さんにぶつけてみました。信田さんから返ってきたのは、予想した以上にこわい答でした。

「母は『失敗作』のほうにたいしては本当に貶めつづけますね。そうすることで娘を自分の奴隷のようにし、手放さないというかたちで支配していく」[4]と。

つまり「成功作」でも「失敗作」でも、母は娘を一生手放さない、と。

そしてそのどちらもが心のトラブルを抱えて信田さんのカウンセリングルームを訪れます。

となるとわたしが日常接している「ふつうの女の子たち」は、そのどちらでもない「ハンパな作品」なのでしょう。そのハンパさゆえに、彼女たちはカツマーとカヤマーのあいだを揺れ動くのでしょう。

世代の連鎖

母親たちの支配とコントロールの背後には、母親たちが自分の人生を生き切れなかった怨念がみえかくれします。戦後男女共学のもとで、タテマエ平等を学びながら、性差別まるだしの男社会に直面した世代です。そのタテマエとホンネのギャップは前よりも小さくなり、別の言い方をすれば、もっと巧妙になりました。「がんばれば報われる」のはある種の女たちにとっては真実になり、「がんばっても報われない」のもまた別の種類の女たちにとっては真実です。そして「がんばっても報われない」と承知しているからこそ保たれている女性の「正気」——会社に命を預けない、会社と心中しない、会社とは半身でコミットする——も、いつまで続くでしょうか。

ちなみに、勝間さんもまた「会社と心中しない」というアドバイスをしています。勝間さんに一度上野ゼミに来てもらったことがあります。その時の彼女の発言は、開口一番「女は二流の労働者です」でした。そのスーパーリアリズムな現状認識に、わたしは驚嘆しました。これは「女は二流の労働者である」という事実命題ではなく、「二流の労働者としてしか扱われないからその覚悟でサバイバルせよ」というアドバイスです。「がんばっても努力に見合う報酬は与えられない」と骨身に沁みて知っているからこそ、彼女は会社バナレをし、自ら起業を選んだのでしょう。ネオリベのアイコンと見える勝間さんにも、こういう苦い現実認識がひそんでいるのでした。

歴史というものは、それを生きている当事者にとってはいつでも中途ハンパなものです。女性の選択肢が拡大したからこそもたらされた母と娘の葛藤……この過程で苦しみぬいた娘たちは、その後、どんな母親になるのでしょうか。自分自身の娘たちと、将来どんな関係を結ぶのでしょうか。また超高齢化した母親、かつては自分をとことん支配しコントロールしようとしたが老いて弱者となった母親の介護を、どんな思いで引き受けるのでしょうか。

佐野さんの『シズコさん』では、娘は母と、母が認知症になって初めて「和解」します。中山さんの『幸子さんと私』では、娘は母の死後、初めて母との関係をふりかえることができるようになります。母と娘の関係は、一世代では終わりません。二世代、三世代とつづく世代の連鎖のなかで、次の世代の母親たちは、どんな母 - 娘関係をつくるのでしょうか。

1　フロイト理論によるとエディプス・コンプレックスとは、息子の母に対する性的欲望を指す。父を殺し、母を妻にしたギリシャ神話のエディプス王の逸話から名づけられた。息子の欲望に去勢恐怖をもって介入するのが父親だが、ペニスを持たない娘には、去勢恐怖は有効でないばかりか、娘の母への愛着は性的欲望とは見なされないため父親からの介入がなく、また息子のようには娘にとっての「母子分離」は要求されない。その結果、娘は母との同一化を維持したまま、じゅうぶんな成熟を遂げることができない、とされる。

2　「隠れたカリキュラム」と「ジェンダー・トラッキング」については、木村涼子「何がいかに女性内分化／格差を生むか　ジェンダーと学校文化」を参照。井上輝子他編『新編　日本のフェミニズム』、八巻『ジェンダーと教育』所収（岩波書店、2009年）。

3　「ピーター・パン」の脇役、ウェンディから来ている。冒険好きのピーター・パンに追随し、窮地から助けてもらう役回りの少女のこと。

4　上野千鶴子×信田さよ子対談「スライム母と墓守娘」、信田さよ子『それでも、家族は続く』（NTT出版、2012年）所収、210頁。

第七章　オス負け犬はどこへ行ったのか？

「メス負け犬」「オス負け犬」

「負け犬」といえば、メスと相場が決まっています。だからわざわざ「メス負け犬」とは言いません。ですが、人口学的にいえば、同世代のなかに、メス負け犬と同じくらい、いえ、それ以上の数のオス負け犬がいるはずなのですが、彼らについてはあまり語られません。なぜでしょう？

先進国の自然出生性比が男：女で105：100であることは述べました。すべての男女がマッチングしたとしても、二十人にひとりの男性はあぶれます。それどころか二十一世紀になってから中国の出生性比は男：女で121：100、インドでは122：100を記録し、「人口の男性化」が進んでいることに、マーラ・ヴィステンドールは警告を発しています（『女性のいない世界　性比不均衡がもたらす恐怖のシナリオ』大田直子訳、講談社、二〇一二年）。

経済発展と手に入りやすくなった産み分け技術のおかげで、近未来のオス負け犬が世界的に増えていることを、深刻な問題として認識する人はまだ多くありません。

それだけでなく、累積婚姻率はどこでも女性のほうが男性よりわずかに上回っていることがわかっています。というのも、女性には、男性とちがって、妻と死別・離別した男性の二番目以降の配偶者になるという選択肢があるからです。再婚率は男女ともに徐々に上昇していますが、男性再婚・女性初婚の組み合わせは、その逆よりも多く、いいかえれば、いったん結婚したことのある男性はふたたび結婚する確率が高く、いちども結婚したことのない男性はそれ以降の生涯でも結婚する確率が低い、といえます。

男性の未婚率はずっと上昇しつづけています。二〇一〇年のデータでは平均初婚年齢三〇・五歳、三十代前半で未婚率は四七・三%、後半で三五・二八%、四十代前半でも二七・九%とあまり低下しません。女性の未婚率が三十代から四十代にかけて急降下するのと好対照です。

政府の統計は現在でも「未婚率」という用語を使っていますが、これが五十歳に達したときに「生涯非婚率」と呼ばれるようになります。それ以降の婚姻の確率がいちじるしく低いためです。「未婚」は結婚を前提にした過渡期を含意しますから、全員結婚社会でなくなった現代にはふさわしくありません。本章ではこれ以降、「非婚」の用語を採用します。

二〇一〇年の男性の有配偶率のデータでは、ピークが七十代前半。このひとたちが二十代で結婚しているとすると、さかのぼって六〇年代、日本で累積婚姻率がもっとも高かった時代に結婚していることになります。累積婚姻率がピークに達するのは六〇年代半ばですから、死別率も加えれば、結婚したことのあるひとの割合がもっとも高いのは現在七十代のひとびと。この世代のひとたちにとっては、「結婚」がデフォールトでした。猫も杓子も結婚した、ふしぎな時代でした。が、この時代は長くは続きませんでした。それ以前にもそれ以後にも、ほぼ一〇〇%に近い男女が結婚するという「全員結婚社会」が成立したことはなかったからです。

男性有配偶率の七十代前半のピークは、これ以降、上昇することはもはやないでしょう。それに引き続く六十代、五十代のコーホートでは、徐々に離別率が上昇しています。その下に控える四十代、三十代のコーホート（同一年齢集団）では、非婚率が上昇しています。人口学的な予測によれば、現在四十代男性の四人に一人、三十代男性の三人に一人が生涯非婚者になるであろう、と予測されています。現在非婚の男性が、これから先の生涯で結婚する確率はかぎりなく低い、と思ってまちがいないようです。

同世代の女性の非婚率はこれよりわずかに低くなります。そもそも同年齢の女性の人口が男性の人口より少ないことと、再婚市場に参入するチャンスがあるからです。酒井順子さんによる「負け犬」の定義は、「夫なし、子なし、三十代以上」というものでしたから、メス負け犬の背後には、それ以上の数のオス負け犬がいることはたしかです。

ところで『負け犬の遠吠え』（酒井順子、講談社、二〇〇三年）が少しも「負け感」をただよわせていないことは、読めばすぐにわかります。女は男に選ばれてなんぼ、の世界では、結婚からはずれた女たちは、「オールドミス」「嫁《ゆ》かず後家」、そして「負け犬」と、蔑称や自嘲の対象となってきたはずなのですけれど、語感に反して酒井さんの「負け犬」には「負け感」がありません。それどころか、あらかじめ先手を打って「おなかを見せる」戦略を採用することで、羨望を封じるという高度な言説戦略を採用しているといってもよいでしょう。このアイロニカルな戦略を理解せずに、ベタに「勝ち犬vs負け犬」論争をメディア・イベントとして仕掛けたり、親に向かって「子どもを負け犬にしない方法」を説いたりしたのは、おろかなオヤジメディアでした。

結婚が女性にとって「マスト」のアイテムではなく、選択肢のひとつになったのは、結婚から離れて生活できるだけの可能性が開かれたからです。それ以前の社会では、女がひとりで食べていくだけの職業機会はきわめてかぎられており、まして子持ちになれば、労働市場から閉め出されることは必定でした。今日でもシングルマザーの現状は、男の経済力に依存せずに子育てすることの困難を語っています。つまり結婚とは、女にとってなくてはならない生活保障財、それがなければ食べていけない「永久就職」先だったのです。こう書くそばから、結婚が一生ものであったあののどかな時代、と思わないわけにいきません。だからこそ、女は一生ものの安定に必死になってすがったのでした。

非婚と離婚が増える時代は、一般にそうでない時代よりも女にとってよい時代だといえます。というのは結婚が選択できるようになったから、です。のぞましい結婚なら選ぶが、そうでない結婚なら避けることもキャンセルすることもできる――その逆は、どんな不幸な結婚でもそれから降りる自由のない社会です。離婚を禁止した社会、離別者が食い詰める社会、非婚では肩身の狭い社会、非婚のままでは食べていけない社会――は、女にとって不自由な社会です。

裏返しにいえば、男社会はあの手この手で女を追い詰めて、結婚へと強制していったといえるかもしれません。結婚はだれにとってトク？　女にとってよりも男にとってトクな制度であることを、かれらはじゅうぶんに自覚していたにちがいないのです。

そう思えば「一生もの」の結婚すら、女にとってはありがたくないかもしれません。夫からDVを受け続けても、一生それから逃れる途がないのですから。夫を家に残して自分だけ高齢者施設に入居した要介護の老女が、「これでようやく夜もぐっすり眠れる」と安心した、という話を聞いたことがあります。家にいればいつ何時、夫から叱責や暴力がとんでくるかわからない、かたときも気の休まることのない結婚生活を長きにわたって続けてきたこの老女にとっては、初めて夫から離れることを可能にしたのが、高齢者施設への入居でした。

親のインフラが可能にする「おひとりさま」

「負け犬」女には「おひとりさま資源」があります。結婚しなくても生きていける経済力や資格、住宅や生活力です。酒井さんのように自分でその資源を稼ぎ出す能力のある女性は少数でしょうが、もうひとつ女には強い味方がありました。親というインフラです。男女経済格差はあいかわらずですし、それればかりか女性の雇用状況がかえって悪化している今日、「ひとりで生きていける」女性がそんなに増えているわけではありません。ですが、どんなに収入が低くても、親の家にパラサイトしていれば可処分所得は増えます。住宅インフラにともなって「メシ、フロ、洗濯」がついてくる「主婦つき」オヤジ暮らし——これを娘に可能にしたのが、少子化でした。

そのための条件は、親の世代の豊かさです。

酒井さんは「負け犬」のパイオニア世代。その親たちはいま七十代から八十代。戦後の高度成長期を支えてきた世代です。「社畜」となって一生を抵当にローンを組み、持ち家を手に入れた夫に、専業主婦の妻。子どもをふたりまでしか産まなかったために長いポスト育児期を過ごさなければならなくなった日本で最初の世代。子どもたちにはそれぞれ個室の「子ども部屋」を与えてきましたから、その子どもが子ども部屋からいつまでたっても出ていかなければ、夫婦だけがとりのこされる「空の巣」期に向き合わなくてもすみます。

同じことはオス負け犬にも言えます。親のインフラのおかげで「上げ底」になった可処分所得は、思うさま趣味のフィギュアやゲームに費やせます。そのうえ子どもの世話が生きがいになった親から、それを奪うにしのびません。帰ったらメシができており、フロは沸いており、洗濯ものを出せば畳まれて戻ってくる——セックスは外でいくらでもまかなえるし、個室でAVを見て自在に「抜く」こともできる。なんの不自由もない生活が送れます。子ども部屋で育ち、大きくなったあとも子ども部屋から出て行こうとしない子どもたちが登場したのです。しかも彼らは、自立をうながす親の言い分が口先だけで、ホンネは子どもたちに子ども部屋から出て行ってほしくないと願っていることを狡猾に察し、親につけこんでもいます。

そういうパラサイトのなかに「ひきこもり」の男性たちがいます。ひきこもりのイデオローグ、勝山実さんの『ひきこもりカレンダー』（文春ネスコ、二〇〇一年）によると、彼がひきこもりを続けるのは、専業主婦の母親を「失業させないため」だと言います。盗人たけだけしい、とお思いでしょうか、それとも盗人にも三分の理、というべきでしょうか。勝山さんの言い分には一理あります。「世話する性」としての母親は、世話の対象がいなければ「失業」するからです。彼は「子どもの自立」という母親業の定年を、「ひきのばしてやっている」ことになります。すなわち、「ひきこもり」とは、ひきこもることのできるだけの「子ども部屋」という住宅インフラ、夫に経済的に依存して家事育児専業となった妻、という「近代家族」の装置抜きには、成り立たない現象なのです。そしてここに登場しないもうひとりのキャラクターをつけ加えるとすれば、息子のその状態と妻の苦境を見て見ぬふりをする無関心・不干渉の、父にして夫の存在でしょうか。

『社会的ひきこもり　終わらない思春期』（PHP新書、一九九八年）の著者で、ひきこもりの専門家である精神科医の斎藤環さんは、一時「ひきこもり百万人時代」を予測して物議をかもしました。ひきこもりの原因や年齢はさまざま。いじめや学業不振からの不登校、就活の失敗や失業、リストラなど、学齢期にはじまることもあれば、就職してからのこともあり、いずれも長期化することが知られています。そして第三者からのねばりづよい介入がなければ、ひきこもりからの「回復」がないことも知られています。「ひきこもり」を可能にするインフラについて斎藤さんにたずねたところ、子ども部屋のある住宅と主婦の存在があげられました。収入がなくても、外へ出なくても、顔を合わせることがなくても、毎日食事をつくって子ども部屋へ運んでくれる母親の存在。とりあえず自分の主婦役割はなくならず、母業を失業せずにすむ毎日がつづくでしょうが、気がつけば息子は四十歳を超えているでしょう。

日本では「ニート」も「フリーター」も厚労省による定義は三十四歳まで。若者の労働問題としてニート、フリーターが注目された時には、ニート、フリーターはいずれ正規雇用へと接続する過渡期だと思われていましたが、実際にはそうはなりませんでした。若者のニート、フリーター状態は長期化し、非正規雇用や失業者として固定化する傾向があります。そしてこれらのひとびとがやがて高齢化していけば、労働市場の最底辺に位置し、年金も保険も持たない人々が登場するのは目に見えています。

ここにもジェンダーの非対称性があります。卒業後三十四歳までのフリーターに、無職で家にいる未婚女性、いわゆるカジテツこと家事手伝いは含まれません。カジテツの女性はこれまで結婚までの待機中と思われてきました。ですから親も本人も、非正規就労者でいることや無職でいることを深刻に考えないできました。いつの日か「出会い」があれば人生のリセットができる、と期待したからです。カジテツ状態が維持できるための条件は、もちろん親にインフラがあることです。それが長期化し、「賞味期限」をすぎて結婚がライフプランの選択肢から消えたときにはじめて、親も本人も愕然とするのです。実際の結婚確率は非正規より正規雇用の女性のほうが高いことは、すでに論じたとおりです。

男性の場合にも、フリーターがいずれ正社員になるための過渡期と考えられているあいだは、「夢追い人」として許容されていたふしがあります。「三十歳までは好きな音楽をやるんだ。それで芽が出なかったらネクタイ締めて会社に入る」とのたまう息子を、「子どもには可能性を追求してもらいたい」と願う親たちは、許容してきました。その頃にはまだ、息子をパラサイトさせるだけの太いスネが親にあったのでしょう。ですが、「パラサイト・シングル」のことばを流行らせた山田昌弘さん（『パラサイト・シングルの時代』ちくま新書、一九九九年）は、「夢を追っている」と自己申告する「パラサイト・シングル」の多くが、実際にはその夢を実現するための具体的なアクションを起こしていないことをあきらかにします。「夢を追う」というのは、現状を追認し逃避するための口実に過ぎず、親もまたそのコトバにすがって現実に直面することを避けているのだと。彼らは「夢を追」ったまま、四十代に突入します。

「ひきこもり」の場合にもジェンダー非対称性があります。ひきこもりは男性に偏った病理だと考えられてきましたが、女性のひきこもりは、カジテツの名に隠れて顕在化しない可能性があるからです。未婚のひきこもりだけでなく、既婚のひきこもりもいることでしょう。主婦がひきこもりをしていても、それを社会問題だと思うひとはいないでしょうし、それどころか、出歩く主婦が非難されるような状況では、家にじっといる奥さん、は、おとなしいよい妻だと思われるでしょう。

ひきこもりが全国で何人いるか、男女比はどうかというデータは存在しません。そのうえ、これらの人々は失業者にもカウントされません。というのも日本の失業率のデータでは、求職活動をした者のみが失業者と見なされるからです。

とはいえ、ひきこもりが主として「男性問題」であるという見解には根拠があります。Withdrawal の訳語であるひきこもりは、何からの撤退なのか？　それはつねに他者に値踏みされる競争社会からの撤退です。そしてその競覇型のパワーゲームの場には、女性よりも男性のほうがより強くさらされています。ひきこもりの青年は、実は強い業績主義を内面化していること、そのためによりきびしい自己譴責の念を抱いていること、つまり総じてまじめで上昇志向のある中産階級の子弟であることがわかっています。親や第三者から責められるよりも、それ以前に自分で自分を責めつづけている――のが、ひきこもりの青年のつらい現実です。彼らは安閑とひきこもっているのではなく、苦悶しながらひきこもっているのです。「必死に」ひきこもっている、といっていいかもしれません。そしてかつて「ひきこもり青年」であった者たちも、たちまち「ひきこもり中年」や「ひきこもり老年」になります。

このひきこもりの男性たちが、穏やかで平和的な存在であればそれでもいいでしょう。わたしの脳裏に浮かぶのは、新潟県柏崎市で当時小学四年生だった少女を誘拐し、九年間にわたって監禁した青年のことです。ひとりのにんげんをペットのように扱い、ペットのように虐待した未成熟な男性。そこには監禁した少女の存在が気取られないほどの大きな住宅、父を失った後にのこされた裕福な資産、暴力をふるう息子にもはや介入できなくなった無力な母、だれからの干渉も受けない地域社会における孤立——という舞台装置がそろっていました。「未熟」と呼ぶにはあまりに過酷な犯罪でした。あの少女の「その後」を思うと、わたしは身震いしないではいられません。

『負け犬の遠吠え』男性版が書かれない理由

『負け犬の遠吠え』の男性版が書かれないのはなぜでしょうか？ それは「男に選ばれる」ことが女性のアイデンティティの核をなしているから、そしてその逆は男性には成り立たないから、という説があります。ほんとうでしょうか。

『負け犬の遠吠え』には、アイロニーと諧謔があります。それを読み落とすひとは、読者としてのリテラシーを欠いているにすぎません。ですが、同じようなアイロニーと諧謔が「オス負け犬」には成り立たないから、というのがわたしの見立てです。つまりオス負け犬は、徹底的に「負けて」いるために、もはや笑いの対象ともならないという厳しい現実があるからです。

それに加えて、「負け」を認めたくない男性にとっては、自虐的な肖像をこれでもかと見せつけられる本など読みたくもない、したがって本を書いても売れないだろうという見通しもあるでしょう。本といえどもマーケットにさしだされた商品。売れる見通しがなければ書かれることはありません。

ところで前に述べたとおり、男性の収入と既婚率とのあいだにははっきりした相関があります。ホリエモンが豪語したとおり、「女はカネについてくる」というのは、一面の真理でもあります。また収入の格差は雇用形態の格差と結びついていますから、正規雇用と非正規雇用とのあいだでも、男性の結婚確率にははっきりした差があります。「婚活」にはげむ女性のあいだでも、非正規雇用の男性は対象に入りません。「婚活」とは、「就活」（一流企業の正規雇用をゲットすること）に成功した一部の男性をターゲットに、その配偶者の座をゲットしようとする女性の戦略ですから、「就活」と「婚活」とはわかりやすいセットになっています。

こういう「社畜」と「昭和妻」のカップルは旧態依然と見えるかもしれませんが、違うのは、「指定席」の数が親の世代より激減したことです。湯浅誠さんのいう「椅子取りゲーム」は、椅子の数が減ったぶんだけ、激烈になったのです。だれでも「社畜」になれた親の世代は、その変化がよくわかっていないようです。今では「社畜」になるにさえ努力が必要であり、なれない人にとっては「社畜」すら羨望の対象だ、といってよいかもしれません。

雇用崩壊のツケ

正規雇用と非正規雇用との雇用格差の拡大は、九〇年代における「労働のビッグバン」こと雇用の規制緩和によってもたらされたことを前に述べました。それにゴーサインを与えたのは日経連（当時）が一九九五年に出したレポート、「新時代の『日本的経営』」であったことも。おそらく経営者団体の思惑ちがいは、雇用崩壊が女性のみならず男性をも直撃したことでしょう。バブル崩壊以後の不況期のもとで、就職氷河期に就職活動の時期が一致した世代――たまたま団塊ジュニアといわれる世代でした――である息子たちが、そのしわ寄せを食らいました。それまでずっと上げ潮に乗ってきた団塊世代の親たちにとっては、子どもの世代の生活水準が自分たちよりも劣るようになる可能性など、信じられないにちがいありません。

日本型人事管理――新卒一括採用、終身雇用、年功序列給の三点セットからなる――のもとでは、いったん新卒市場に入りそこねると、「再チャレンジ」がいちじるしく難しくなり、スタートでついた格差が生涯にわたって固定される傾向があります。政府は「新卒」扱いの期間を卒業後三年間にわたって延長するように企業に要請しましたが、これとて「新卒一括採用」のもとに「長期蓄積能力活用型」の人材を採用するという従来の日本型人事管理をくつがえすものではありません。それどころか「二年新卒」「三年新卒」は、初年次に「就活」に失敗したスティグマを背負っているようなものです。抜本的な解決は「新卒一括採用」を禁止することなのですけれど、それ以外の人事管理システムを開発してこなかった企業にそれができるわけもなく、政府の要請はまったくムダというほかありません。

雇用崩壊は女性のみならず男性をも直撃しました。しかも労働市場に参入したばかりの若年層にその破壊的な効果は集中しました。二〇一一年における非正規労働者比率（一～三月平均。岩手・宮城・福島県を除く）は全労働者の三五・四％、うち女性が五四・六％、男性が二〇・一％に達します。その意味では雇用崩壊はジェンダー問題でしたが、若年層に限ってみれば十五～二十四歳の年齢層で女性五一・三％、男性四九・一％にのぼります。

二〇〇〇年代に入ってからメディアは「格差」を問題にしはじめました。格差はそれ以前からジェンダー問題だったのですけれど、男女のあいだの格差は「あって当然」と「自然化」されてきました。若い女性の非正規化も、「結婚までの待機期間」と、親にも本人にも正当化されてきたふしがあります。格差がジェンダー格差であるかぎり政治もメディアもそれを問題としてとりあげず、それが男性のあいだの問題になったときに初めて「政治問題化」したことは、日本の政治とメディアがどれほど男性中心的であるかの証でしょう。それに加えて、学歴が地位を保証しなくなったとき、言いかえれば高学歴でもワーキングプアになる可能性、たとえば東大卒でもホームレスになりかねない状況が生まれて、はじめて格差は政治的な主題となりました。

秋葉原通り魔事件の犯人、加藤智大は、バブル崩壊後に社会人になった世代に属します。かならずしも貧しいとは言えない中産階級の家庭に生まれた加藤は、大学進学でつまずき短大へ進学します。警備会社の社員になったのち、彼は登録型派遣の職種を転々とします。自動車会社で働いていた彼は製造業派遣切りの犠牲者でした。もちろん派遣切りが彼の犯罪を免責するわけではありませんが、あまりに絵に描いたような筋書きに、社会のほうが震撼せざるをえませんでした。

登録型派遣業はもともと「女性向け」に、すなわち夫や親のインフラがあるために「家計補助」収入を求めるだけでよいとみなされるひとびとを対象に設計されていました。賃金を抑制して、景気変動の安全弁にする、というのが、経済界のあからさまな思惑でした。それが「家計支持」型の労働に変わったことは、設計者の思惑違いでした。加藤は家を出ています。多くのシングル女性やシングルマザーも、不利な賃金で「家計支持」をしています。最低賃金も上がらず、標準労働時間めいっぱいに働いても生活保護世帯の水準に及ばないワーキングプアが生まれるようになりました。シングルマザーのなかには、ダブルジョブ、トリプルジョブを持つひともいますし、風俗業に参入するひともいます。そういう状況が男性にも生まれました。日本の経営者団体は、激化する国際競争を円高のもとで乗り切るには、彼らを使い捨ててもしかたがない、と合意したのです。そしてその合意に、正規雇用の既得権を握っていた労働団体が同意を与えたのでした。

男性の「婚活」圧力

日本で「結婚できない男たち」が問題になったのは八〇年代。結婚市場では女性の不均等分配が起きていました。当時の「結婚できない男」には、「長男・家業後継者・過疎地」の「三重苦」がある、といわれていました。そういえば、八〇年代の「非婚男性」のシンボルは当時の皇太子家の長男浩宮。「婚活」がことごとく失敗に終わっていた彼を見て、なるほど、「長男・家業後継者」に加えて、千代田区千代田一番地という「超過疎地」在住者であるという「三重苦」の持ち主だと笑い話になったものです。一九六〇年生まれの浩宮の結婚は一九九三年、彼が三十三歳の時。三十歳直前の雅子さんとでは、新郎も新婦も当時の平均初婚年齢にくらべて晩婚でした。

「輸入花嫁」が話題になったのもこの頃です。農家後継者の中高年の男性たちが、フィリピンやタイへ「婚活」に出かけました。一週間で妻をゲットして帰るスピード結婚です。自治体が率先して「婚活」にとりくんだり、結婚ブローカーたちが韓国や中国の女性の顔写真入りの花嫁候補カタログをつくったりしました。東日本大震災の被災地に、支援の手の届きにくいフィリピン妻たちがいたことはその後日譚のように思えます。

国際結婚もさまがわりしました。長いあいだ日本人女性と外国人男性との組み合わせという結婚市場における「出超」状況だったのが、外国人女性と日本人男性との組み合わせによる「入超」に逆転したのが一九七五年のこと。相手の国籍も、一九九七年からおおむね一位中国、二位フィリピン、三位韓国・朝鮮とアジア系がぐんと増えました。長距離トラックの運転手の男性が、フィリピンパブで知り合った女性と「恋愛結婚」するといった組み合わせです。他方で高学歴の男性でも、「コミュ（ニケーション）力」がなければ結婚できないという状況が揶揄的に語られ、花婿学校も登場しました。

九〇年代の雇用崩壊以後は、その結婚格差が、経済格差と連動するというミもフタもない状況が生まれました。雇用崩壊は女性のあいだでより深刻にすすんでいましたから、女性のほうにも余裕が失われていたといえるかもしれません。「婚活」には、生活がかかっていました。

ところで「負け犬」がデフォールトでメスを意味するように、「婚活」も、女性の行動だけをさすように見えるのはなぜでしょうか？　男の「婚活」は存在しないのでしょうか？　あってもそれがメディアで話題にならないのはなぜでしょう？

この背後にも、「オス負け犬」が主題として浮上することを抑制するのと同じ機制がはたらいているように思えます。つまりメディア・イベントとするには、男の「婚活」はしゃれにならない——あまりにベタすぎてイタイ——からでしょう。

上野ゼミの男子学生のひとりが、研究テーマに「男の婚活」を選びたいと言ってきました。理由は、「婚活」圧力は女にとってよりも男にとってのほうが強いように思えるから、というもの。よくよく聞いてみると、かれの仮説は実に興味深いものでした。

業績主義のパワー・ゲームのなかに生きている男性たちにとって、結婚が年収の指標であるとすれば、既婚者であることはわかりやすいステイタス・シンボルになります。世帯を持つことが男にとって一人前の証、であったことは昔からなのですけれど、すべての男が結婚する蓋然性の高かった時代とくらべて、結婚する男の数が相対的に縮小した今日、その少ない「指定席」をめぐって、かつて以上に激烈な争いがおきてもふしぎではありません。山田昌弘さんがいうように、結婚と家族とは、男にとってメンテナンス・コストの高くつく財になりました（『結婚の社会学　未婚化・晩婚化はつづくのか』丸善ライブラリー、一九九六年）。アメリカには「トロフィー・ワイフ」（カネのかかる美女）をゲットすることが成功の証、と見なされる傾向がありましたが、日本でも妻がいること、それも専業主婦の妻がいることが、それだけで男のステイタス・シンボルとなるという社会的な顕示の傾向があります。結婚が「がんばれば手に入る」業績主義の対象となったからには、「なぜ努力しないの？」という譴責の声を、非婚者はつねに背に聞くことになります。

代わってより差別の強化されたのが、独身者たちです。中高年の結婚市場では、バツイチの男性のほうが非婚の男性より選好される傾向があります。たとえ破綻に終わったとしても、離婚経験者はいったんは結婚する能力があり、おそらくは妻とセックスする能力もあることも証明ずみ。それに対して非婚者は「きもい」と女性から敬遠されるとか。四十歳になっても五十歳になっても結婚経験がないのは、何かよほどの事情があるだろうとかんぐられるのだそうです。かくして結婚経験のある男性はますます結婚の確率が高く、結婚経験のない男性はますます結婚から遠のく――傾向が生まれます。

結婚を「カオとカネの交換」と呼んだのは、小倉千加子さんでした（『結婚の条件』朝日新聞社、二〇〇三年）。データを見れば、男については「カネ」という条件があてはまっていることは否定できません。では、女にとっては「カオ」が結婚の条件なのでしょうか。たしかに女性誌の「婚活」特集には男に受ける「愛されヘア」や「ゆるかわ（ゆるくてかわいい）ファッション」などがあふれています。婚姻率が一〇〇％に近い「全員結婚社会」では、結婚しない女はよほど特殊な事情のある（そして男が誰も選ばない）女性だったかもしれませんが、大量の「負け犬」の登場によって、非婚女性にもカオ、カネ、セックスなどの面において既婚者に劣らぬ資源の持ち主がいることがわかってきました。ブスだからモテない、という命題も、木嶋佳苗の登場によって払拭されました。いまや「婚活」市場で有効な資源は、カオでもなくセックスでもなく、なんとケアであることを、彼女は証明したのです。

つまり女性についての評価基準はカオだけでなく、職業、収入、業績などと多元化してきたのに対し、男性についての評価基準はかえってカネに一元化する傾向があります。そしてそれは男にとっては「全員結婚社会」よりも「キツイ」状況だ、というのがその学生の言い分でした。なるほど、と納得したことを思い出します。

そう考えれば秋葉原事件の加藤が、ネットに「自分に彼女さえいれば」と書いていたことの意味がわかります。女がいることは「男の証明」となるからです。

その状況を受けて、結婚に見合いや仲人、世話焼きのオバサンなどの復活を唱える（主として男性の）論者がいます。「全員結婚社会」といえども昔はおせっかいなマッチメイカーがいた。否、そのようなマッチメイカーがいたからこそ、「全員結婚社会」は達成されていた。ましてや放っておいても結婚できるわけではない今日には、第三者の介入が必要だ、という説です。時代錯誤というべきでしょう。結婚の条件がすっかり変わってしまったことを考慮していないからです。

「全員結婚社会」とは、男にとってはだれにもひとりは女が配当される社会、女にとっては結婚しなければ生きていけない社会。つまりたいへん不自由な社会です。結婚はその当時は生活保障財でしたが、いまは暮らしをうるおすゆとり財になりました。過去へ戻りたいとは、女性はもちろん、男性も思わないことでしょう。

オス負け犬の老後

木嶋佳苗の「婚活」詐欺は多くのひとびとに衝撃を与えました。「婚活」市場で有効な資源は、カオでもなくセックスでもなくケアであることを、彼女は証明したと書きました。その背後には超高齢社会における男性の老後不安があります。

これまでの男性は、もっぱらケアを受ける側にいて、自らはケアする立場になることなく、一生を終えることができるはずでした。少なくとも妻がいさえすれば。そのシナリオが「負け犬」男性には成り立たないからです。

「おひとりさま」もまたデフォールトが女性です。「男おひとりさま」について書きにくいのは、「男おひとりさま」の現実が、「女おひとりさま」よりも救いがないからです。わたしは『おひとりさまの老後』(法研、二〇〇七年)を書いた時、吉田太一さんの『遺品整理屋は見た!』(扶桑社、二〇〇六年)をこわいもの見たさで読んで、心からほっとしたことを思い出します。というのも、孤独死の大半は、五十代から六十代の、それも男性だったからです。

孤独死に先だって孤立した生があります。社会学者の河合克義さんは長きにわたって単身高齢者の研究をしていますが、彼の調査によれば、高齢男性の社会的孤立度が高いことがわかっています(『大都市のひとり暮らし高齢者と社会的孤立』法律文化社、二〇〇九年)。

社会的孤立をどのように指標化すればよいでしょうか。彼は横浜市鶴見区の高齢者約四千人を対象に、こんな質問をしました。「あなたは正月三が日誰にも会いませんでしたか?」。これにイエスと答えたのが前期高齢者(六十五―七十四歳)の男性で六一・七%、女性では二六・五%と半分以下になります。後期高齢者(七十五歳以上)だと男性で四六・八%に減少します。正月は家族の時間。ひとりものがもてあます地獄の時間ですが、この時間を誰にも会わずに過ごす単身男性は十人に六人もいるのです。女性になるとその数字は激減しますから、男性の孤立はあきらかです。後期高齢者になると孤立度が低下するのは、たとえ単身世帯でも、この世代には別居した家族がいるからでしょう。婚姻率が高く、子どもをつくった世代、それに自身のきょうだいが多い世代は、単身世帯でも家族のあいだで往き来しています。それが前期高齢者になると孤立度が増すのは、この世代には離別者と非婚者とが増えていることを推測させます。この数字はこれからさらに増えることでしょう。というのも、これから先の単身高齢者の男性には、家族をつくらなかったひとたち、家族をいったんつくってもそれをこわしたひとたちが増えていくからです。「ケアされる性」としての男の老後のシナリオは、ここで崩れていきます。

事実、オス負け犬の老後にはあまたの困難が待ち受けています。

まず第一に経済力の問題です。オス負け犬が低所得層に集中していること、非正規や無職の男性が多いことはわかっていますから、このひとたちは、無年金、低年金の高齢者になることでしょう。これらのひとびとは、高齢社会の安心と安全をおびやかす「不良債権」と呼ばれていますが、それを生んだのはほかならぬ政財官界合同シナリオによる雇用崩壊でした。雇用崩壊のツケは長期にわたって重荷となることを、経済界は予想しなかったのでしょうか。

第二に家事能力の欠如です。ですが「男やもめにウジが湧く」と言われた時代は過去のものとなりました。文明は家事能力を高める方向にではなく、男女ともに家事能力がなくても生きていける方向へ進化してきました。いまやコンビニがオス負け犬にとって強力なインフラとなりました。コンビニさえあれば、多少栄養バランスは悪いでしょうが、そんなに生活のクオリティを落とさなくても生きていけるようになりました。コンビニさえあれば主婦はいらない、といってもよくなりました。それだけでなく長期にわたって親にパラサイトしていれば、母親が「主婦」役割を担いつづけてくれますから、家事能力がなくても痛痒を感じずにすみます。

第三の問題はケア能力の欠如です。ケアする性であったことのない男性も、いつかはケアに直面します。親と同居していたオス負け犬は、親の高齢化にともなって、やがて親と自分との力関係が逆転します。同居している親が要介護になった時——問題が発生します。ケア能力を欠いた男性は、それと意図しなくても介護放棄やネグレクトのような、いまでは「高齢者虐待」に分類される行動をとる傾向があります。実際にあったケースですが、親が寝こんだとき、自分の分だけコンビニで弁当を買ってきて食べた、という例もあるくらいです。このエピソードは、妻が寝こんだとき、「ボクは外で食べてくるから心配しないでいいよ」と「やさしく」言った、という夫のエピソードを連想させますが、ことほどさように、「ケアされる性」としての男は、自分がケアする立場に立つことを想定していないようです。

それだけでなく、介護疲れで追い詰められた男性が、殴る・蹴るなどの身体的暴力をふるう、文字通りの「虐待」をすることもあります。高齢者虐待の調査によれば、加害者の第一位に、同居の息子があがってきています。介護保険制度の「処遇困難事例」の多くに、高齢の母親と中高年の息子からなる世帯が増えてきていると、現場のケアマネージャーが実感していることを、社会学者の春日キスヨさんは報告しています（『変わる家族と介護』講談社現代新書、二〇一〇年）。「(息子と親の）世帯分離さえできれば、もっと介入できるのにねえ」というケアマネの思いを妨げているのは、息子が親の年金にパラサイトしているからです。これを「経済的虐待」と呼ぶのですけれど。

　とはいっても春日さんは息子たちに同情的です。リストラや不況で余儀なく親の家に同居し、年金にパラサイトせざるをえないオス負け犬の息子たち。彼らは社会的に追い詰められていて、自分のことだけでテンパってまったく余裕がない人生を送っています。自分の苦境にすら対処できない息子たちが、親の苦境に気も手もまわらないのはムリもない、と。だからといって、自分より弱者である高齢者を虐待してよい理由にはならないのですけれど。

　最後にコミュニケーション能力の欠如があります。孤独死を招くのは孤立した生です。撲滅しなければならないのは「孤独死」ではなく、「孤立した生」のほうなのですけれど、むしろ気になるのは、コミュニケーション能力よりコミュニケーション意欲の不在と言ったほうがよいかもしれません。NHKのクローズアップ現代取材班に『助けてと言えない』（文藝春秋、二〇一〇年）という本があります。副題は「いま30代に何が」というもの。この「助けてと言えない」三十代も、すぐに四十代、五十代になるでしょう。

　生活保護を打ち切られてそれに抵抗することもなく餓死した九州の男性は五十代でした。最後のノートに「おにぎり食べたい」と書いた彼は、生きるために人とつながろうとしなかったのでしょうか。中高年の男性の自殺率の高さもきわだっています。男性介護者の問題も、同じような困難を抱えても、女性とくらべてそれを口にできない、助けを求めることができないために、いっそう追い詰められること、そのために虐待が起きてしまうことを関係者は指摘しています。

こんなふうに次から次へと問題を挙げてみると、オス負け犬をめぐる状況がどんなに過酷かがわかってきます。

それなのに、オス負け犬を主題にした書物や研究が、メスの場合とくらべてほとんど見当たらないのはなぜ？——問いは冒頭に戻ります。

男の得意技？

男性が危機に瀕したとき——男性学の研究では、危機に直面した男の反応にいくつかのパターンがあると言われています。男の危機と言えばリストラや失業のみならず、自分の病気、離婚の危機や子どものトラブルなど、いくつも契機があるでしょう。以下の発見をわたしは同じく社会学者の要田洋江さんの研究から学びました（『障害者差別の社会学　ジェンダー・家族・国家』岩波書店、一九九九年）。要田さんは障がい児の研究者。その研究を通じて、障がいを負った子どもが生まれたとき、その子どもの受容過程に、父親と母親とで大きな違いがあることに気がついたといいます。

第一の反応は、否認です。まさか、そんなことが、オレの人生にあっていいわけがない。オレの家系にそんな子どもが生まれるはずがない——先天性の障がいを持って生まれた子どもを前にショックを受けている妻に対して、夫と姑が共同して「そんな子はうちの子ではない」と、すでに絶壁に追いつめられている妻を、さらに崖から突き落とすような言動をするケースもあるとか。

第二の反応は、逃避です。イヤな現実には直面したくない、だから見たくない、聞きたくない、考えたくない——という反応です。障がいのある子どものその後の生育過程での課題に対して、カウンセラーが両親との面談を要請しても、出てくるのは母親ばかり。父親は「忙しさ」を口実に、あるいは子育ては妻の役割とほおかむりを決めこんで、問題にとりくもうとしません。学習障害や不登校を経験した子どもたちの両親についても、同じような報告をスクール・カウンセラーがしています。両親の面談を求めても、やってくるのは母親ばかり。あたかも父親不在の母子家庭かと見まがうほど、と嘆く専門家もいます。

障がいを持った子どもの子育てがそうでない子どもの子育てよりも多くの課題と困難に直面するのは当然のこと。父親と母親は子育ての「戦友」にならなければならないのに、その戦線から降りてしまう夫に、妻が深い失望を抱くのもむりはありません。事実、障がい児を持った夫婦には、おもいのほか離婚が多いのも事実です。危機にあたって家族が結束する——のは、レアなケースだからこその美談。危機を抱えた家族はしばしば壊れるほうに傾きます。

第三の反応は、嗜癖です。男性の逃避の先には、それに溺れるための嗜癖のメニューがいろいろ用意してあります。しかもその嗜癖の対象には、社会的承認すら与えられています。酒、女、ギャンブル、クスリ——それらに「はまる」ことは男らしさの証明とすら思われてきました。これらの嗜癖が、つらい現実からの一時の逃避であること、そしてその閾値がどんどん上がる中毒性を持つことは知られています。

こういう例がありました。狭いマンションに郷里から要介護の老母を呼び寄せたサラリーマンの夫が、一日中夫の親と顔をつきあわせていなければならない妻の愚痴を帰宅のたびに聞かされるようになりました。それがイヤさに、しだいに家に帰るのが遅くなっていきました。最初は仕事が口実でしたが、やがて帰宅を延ばすためにいりびたった一杯飲み屋のおかみとできてしまい、しだいに家に帰らなくなってきました。自宅にはとりのこされた夫の母と妻とが、いがみあって暮らしているという地獄絵——この事態を招いたのは夫本人ですが、その現実と責任を否認し、逃避し、女に嗜癖するという絵に描いたようなプロセスを、この男性はたどったことになります。夫の母とともに家にとりのこされた妻こそ、いい面の皮でしょう。

つまり否認、逃避、嗜癖の三つが男の得意技なのですが、なんと「男らしい」ことでしょう。

そんな話を某所でしたときのことでした。聴衆の女性からこんな発言がありました。「もうひとつ、つけ加えることがあります」と言った彼女の観察に感心しました。それは「切れる」というもの。

たしかに。追い詰められた男性が逆ギレすることはよくあります。秋葉原事件の加藤もそのひとりです。追い詰められた女性の攻撃性は、自分自身に向かい、男性の攻撃性は他者に向かう傾向がある——これも男女の非対称性のひとつです。

こう書いていると「男という問題」の救いのなさに陰々滅々としてきます。これほど深刻な問題が注目されないのは、オヤジ・メディアあげての「否認」の効果ではないだろうか、と疑いたくなるくらいです。

いずれにせよ問題がそこにあることはわかっており、その徴候はもはや隠しようもないほどに顕在化しているのですから、男性自身が問題に直面してもらうほかないのですけれど、彼らはいつまで「見たくない、聞きたくない、考えたくない」という「男らしい」態度をつづけるのでしょうか。

第八章　ネオリベ・バックラッシュ・ナショナリズム

はじめに

二〇〇〇年代に、ネオリベ改革とそれが推進した「男女共同参画」政策[1]へのバックラッシュ（ゆりもどし）、そしてナショナリズムは同時進行します。

ネオリベは格差を拡大しました。その過程でワリを食った既得権益集団が保守的なナショナリズムにとびつき、「女叩き」を始めました。ナショナリストはホモソーシャルで女ぎらい。[2]それにネオリベ改革から女が利益を得たように見えたからでしょう。ネオリベとフェミニズムとは「同床異夢」だったのですけれど、国策を背景にネオリベはフェミニズムと連盟したかに見えるいっぽう、ナショナリズムとも奇怪な結託を結びました。「奇怪な」とよぶのは、ほんらい論理的にむすびつく理由のないふたつがむすびついたからです。というのは、ネオリベは競争と選別の原理。使える者は誰でも使うという点では、すくなくとも「機会の均等」「競争の公平」という原則を持っています。その点では、性別も国籍も問わないユニバーサリズム（普遍主義）の原理です。他方、ナショナリズムは「男らしさ」「女らしさ」が大好きで、国境と国籍が大事な排外主義。根拠もないのに、「ニッポンがいちばん」というローカルな特殊主義です。ほんらい相容れるわけがないのに、なぜだか結託し、その結託からネオリベが利益を得るからです。

九〇年代からの政権をおさらいしてみましょう【P16、図表1－1】。

九六年の橋本内閣から行政改革路線と男女共同参画行政とが積極的に推進されるようになります。九九年、小渕政権のもとで、「二十一世紀わが国社会の最重要課題のひとつ」とうたわれた「男女共同参画社会基本法」が国会で全会派満場一致で成立します。その同じ国会で、「国旗国歌法」が可決します。同じ議員がまさか、というような選択ですが、この法律ができたばかりに、これを根拠法として各地で君が代・日の丸をめぐる攻防戦が始まります。東京都の公立学校で入学式や卒業式のたびに君が代・日の丸をめぐって大量の処分者を出すようになったことはご存じでしょう。

もうひとつ例をあげましょう。ネオリベ改革の旗手としてその名を馳せた小泉政権は、後継内閣の首班に安倍晋三を指名しました。安倍さんは国家と家族の価値が大好きなネオコン（新保守主義 neo-conservatism）の政治家。政治信条も違うし、アメリカでいえばクリントンがブッシュを後継指名するようなものですから（対立政党の政敵同士ですからこんなことはありえませんが)、こんなふしぎなバトンタッチはありません。「自民党をぶっこわす」と叫んだ改革者、小泉純一郎さんはたしかに自民党をぶっこわす効果がありました。実際に入ってしまったひび割れを修復するには、ナショナリズムの錦の御旗が有効なことを、安倍さんはもちろん、小泉さんも知っていたにちがいありません。かくのごとくネオリベはネオコンとなぜだか仲良しなのです。

ネオリベと「男女共同参画」

ネオリベ改革はふたつの方向に働く、と指摘しました。一方では既得権益を持った集団にくさびを入れ、これをふたつに分解する効果。もういっぽうではこれまで既得権益にあずかれなかった集団にも同じようにくさびを入れ、これをふたつに分解する効果。ネオリベは前者にとっては脅威であり、後者にとってはチャンスです。前者にはオヤジおよびオヤジ予備軍の集団が、後者には女が属します。それまで「女だから」という理由でまとめて差別されていた女性にとっては、ネオリベは選択肢を増やすというチャンスをもたらしました。

ネオリベが「男女共同参画」政策と親和性があったことは述べました。できる女には男なみに働いてもらおう、そうでない女にも便利な使い捨て労働力として働いてもらおう、という意図を持ったネオリベ政権は、女性の職場参加を後押しする政策をすすめ、その変化を歓迎する一部の女性労働者はたしかにいたのです。

いっぽうで時代の追い風を受けてのしあがる成り上がりの新興勢力、他方で自分の足もとが掘り崩されていく不安におびえ、既得権をもはや手に入れることの保証がなくなりつつある旧勢力……後者から前者に対する怨嗟や羨望が産まれることは想像にかたくありません。改革で既得権益集団から転落する「下流男」と、改革から利益を得てのしあがる「成り上がり女」とのあいだの対立が焦点化されるようになります。

ネオリベの「男女共同参画」政策の進展にともなって、女叩きが始まりました。「自己主張する強い女」のアイコンとして、そのターゲットになったのがフェミニズムです。ネオリベ改革の勝ち組である総合職女たち、結婚も出産もせず、家族を養う責任も背負っていないのに男並みの給料を稼ぐエリート女たち、「婚活」はしても貧乏な男は視野に入らず、かんたんに離婚し、子どもを産まないことで少子化を促進し、日本のよき家族制度の伝統を破壊するとんでも女たち……がバッシングの対象となっていきます。

とりわけ、二〇〇〇年代になってネオリベ改革の効果が、男性間の格差の拡大としてあらわになってきた頃から、こうした女叩きはひどくなりました。そこでは「若い男を犠牲にしてネオリベ改革から利益を得た女たち」が攻撃の標的にされるようになりました。それは女性がたしかに社会のなかで一定の地歩を築いたことへの反動でもありましたから、これをバックラッシュ（ゆりもどし）ともいいます。

諸外国でもフェミニズムの浸透にしたがって、副産物としてのバックラッシュが登場しました。スーザン・ファルーディが『バックラッシュ——逆襲される女たち』（伊藤由紀子・加藤真樹子訳、新潮社、一九九四年）を出版したのは一九九一年。アメリカでも同じことが起きていたのです。日本では二十年遅れのネオリベ改革にともなって、二十年遅れのバックラッシュが始まった、と言ってよいかもしれません。とすればフェミニズムの影響力もまた二十年遅れでようやく認識されるようになるほど、日本では歩みが遅かったことになります。したがってバックラッシュ（女叩き）が始まったころ、ようやく日本のフェミニズムもここまで無視できないほどの力をつけたか、とわたしは思ったくらいです。なぜなら逆風は実力の証だからです。

女叩きは、相手の力はあなどれませんでした。

ですが、保守conservativeではなく反動reactionaryでした。戦後日本の最良の保守思想家のひとり、江藤淳さんは「保守とは言挙げしない思想」と言いました。なぜなら保守とは、現状維持の思想、現在が変化しないことをのぞましいとねがう態度のことだからです。現状維持のためにもっともよいことは「何もしないこと」です。ところが、世の中にはことごとしく言挙げする浅薄な保守言論人たちが満ちあふれていました。それを真正保守の江藤さんは、苦々しい思いで見ていました。というのも新興の保守思想家にとっては、現在は保守の危機であり、だからこそ旧来の価値を守れ、と言い立てなければならない瀬戸際に立たされていると感じられていたからです。

この危機感の有無が、保守と反動を分かつ分岐点です。反動とは文字どおり、すでに起きてしまった変化に反応して起こる動きです。かれらは自分たちが劣勢に立たされ、反撃に転じなければならないという危機感を持っています。かれらは「守旧」派ではなく「新保守」、保守主義者よりももっと過激な「反動」勢力でした。

その際に、攻撃しやすい標的としてねらわれたのが、「女」でした。というのも、新興の成り上がり勢力として強い女がのしてきたばかりでなく、今や国策となった「男女共同参画」の旗のもとで、彼女たちは「日の丸」さえ背負っているように見えたからです。

グローバリゼーションという巨大な力、そのなかでシステムを維持している政財官という権力複合に立ちむかっても、しょせん勝ちめはありません。だからその改革から恩恵を受けているように見える弱者、しかも時代の波にのってあたかも体制の「虎の威を借りる」がごとくのさばっている「強い女」を標的として、鉄槌を下す、というわけです。ほんとうの強い敵には向かわず、叩きやすい敵を見つけて叩く、というのがかれらのシナリオでした。

このシナリオがもっぱらかれらの妄想のなかで成り立っていることは、これまでの説明であきらかでしょう。第一にネオリベ改革からほんとうに女がトクをしたかどうかはあやしいものですし、第二にネオリベ改革をフェミニズムは支持したわけではありません。第三にかれらは「強い女」のなかにフェミニストもそうでない女も、みそもくそもいっしょくたにつっこんでいます。そこにあるのは「でしゃばって目障りな女」に対する素朴なオヤジ的反感、素朴なだけに問答無用で共感を呼びやすい負の感情です。

かれらはホンモノの敵を見誤っています。女にチャンスを与えたのはネオリベ改革であって、女自身ではありません。その背後にあるのは、どの国をも襲ったグローバリゼーションという大きな波です。ネオリベ改革とは、グローバリゼーションという大きな変動に対する各国の適応戦略のひとつでした。既得権益を脅かされる集団のうちの「負け組」が、新たにチャンスを与えられて成り上がる「勝ち組」に怨嗟を向けるのは理解できますが、かれらがほんとうに攻撃すべきなのは、そうした改革をすすめる政財官のエリートであるはずです。それなのに、向かうべき相手に攻撃が向かわないのは、丸山眞男のいう「抑圧委譲の原理」が働いているからです。

怨嗟というのはもともと勝ちめのない相手に向けられた、弱者の負の感情です（ちなみに対等もしくは下位の相手だと見なした場合に向けられる負の感情は「怒り」です）。絶対的な力の格差のせいでその負の感情の表出を抑圧され、それが出口を求めて、自分よりももっと弱者へとガス抜きに向かうことを「抑圧委譲」と言います。だから旧日本軍のなかでは将官にいためつけられた下士官は兵卒をいじめ、兵卒は軍属をいじめ、さらに慰安婦をはけ口にし……という下方へのしわよせが起きます。

丸山眞男といえばネット言論人のひとり、赤木智弘さんが「『丸山眞男』をひっぱたきたい——31歳、フリーター。希望は、戦争。」（『若者を見殺しにする国—私を戦争に向かわせるものは何か』双風舎、二〇〇七年所収）という論文でいちやく有名になりました。格差拡大のあおりを受けたロスジェネの論客として、戦争でも起きれば兵隊同士の格差はチャラになる、という「妄想」がオヤジ論壇の注目を集めたものでした。そのなかにこんな文章があります。「私であれば『日本人の31歳の男性』として、在日の人や女性、そして景気回復下の就職市場でラクラクと職にありつけるような年下の連中よりも敬われる立場に立てる。フリーターであっても、無力な貧困労働層であっても、社会が右傾化すれば、人としての尊厳を回復することができるのだ」（赤木智弘「けっきょく、『自己責任』ですか」『論座』二〇〇七年六月号）119―120頁）

このなかにはナショナリズム、排外主義、民族差別、女性差別などがパッケージで詰めこまれています。人種や性別、年齢だけで序列が決まるという属性主義は、ネオリベの業績主義とは相容れないはずなのですが、ネオリベはこういう不満をうみだしつつ、逆にそれを利用していきます。

バックラッシュの担い手は誰か？

女叩きの担い手には次の三つの種類の集団がありました。

第一は「ネウヨ」と呼ばれるネット上の右翼でした。ナショナリズムや嫌韓・嫌中の言説とともに「女叩き」が登場しました。ネット上での発言者には、性別や年齢を特定することができません。ネカマ（ネットオカマ）と呼ばれるネット上の性別転換者までいるぐらいですから、ハンドルネームだけではかれらが何者であるかはわかりません。ですが、電子フォーラムやチャットなどのヘビーユーザーの研究から、その人たちが、若年男性に集中していることがわかっています。投稿の時間帯の分析などからも、無職やフリーターが多そうなことも推測されます。[3]その投稿のなかに「ブスは黙ってろ」「あの女、今度輪姦（まわ）してやろうか」とかいう聞くに堪えない「女ぎらい」の言説が登場します。戯画的にいうなら「下流男の敵としての成り上がり女」という構図がつくられ、その「女」が攻撃のターゲットになったのです。こういう「負け組男性」の目から見れば、自分が結婚できないのも女が悪いせい、就職できないのも女が職を奪ったせい、ということになるのでしょう。

第二は、これに新旧の保守系言論人が加わります。いえ、前述の定義に従うなら、「保守系」というより「反動系」と呼んだほうがよいかもしれません。雑誌『正論』や『諸君！』（二〇〇九年に休刊）に登場するひとびとです。これには西尾幹二、林道義などの旧世代と、藤岡信勝、高橋史朗、八木秀次、西岡力、小林よしのり、長谷川三千子のような新世代とがあります。後者の「新世代」とは、戦後生まれの団塊世代を含む人々です。このひとたちはフェミニズムが日本の家族と伝統を壊すと考え、共同してキャンペーンを張りました。そのひとり、長谷川三千子さんは、国連女性差別撤廃条約の批准に反対し、男女雇用機会均等法にも反対した筋金入りのアンチ・フェミニストの女性です。[4]

第三に、各地に根強くいる草の根保守とその勢力を基盤とした新旧の保守政治家がいます。

参院自民党のドンとして長く君臨した村上正邦さんは、夫婦別姓選択制を可能にする民法改正案の国会上程を、いのちに代えても阻止する、とがんばりつづけたオジサンですし、「男はレイプできるぐらいの元気がないと」とのたまった三浦朱門元文化庁長官（曾野綾子さんの夫）も入れてもよいかもしれません。これら旧世代の男性にとっては、男が女を組み敷き、女がそれに屈服する、のが自然であり、その逆はたえられない不自然なのでしょう。それに男女共学を経験した戦後世代が続きます。「日本も核武装を」と唱えた西村眞悟や、アメリカによる押しつけ憲法改正を悲願とする安倍晋三も入るでしょう。こういう男の政治家に腰巾着のように取りいる高市早苗や、山谷えり子のような女性の政治家もいます。高市さんに至っては、村上さんの意を受けたか、夫婦別姓選択制反対の急先鋒として活動しています。自分は同業の国会議員と結婚し姓を変えているにもかかわらず、国会では「通称使用」をしている「言行不一致」の政治家だというのに、です。[5] これらのひとびとは伝統と家族の価値が大好きなひとたちで、「別姓は家族を壊す」と主張します。したがって夫婦別姓を推進するフェミニストは「家族破壊者」の汚名を被せられるのですが、フェミニストの側から言わせれば、(1)別姓にしたぐらいで家族は壊れるものではなく、(2)別姓によって壊れるぐらいの家族なら、壊れた方がましで、(3)そのうえ家族はとっくに壊れてしまっている、その原因をつくったのはフェミニストではない、というのははっきりしていました。それどころか別姓推進論者たちは、別姓が可能なら結婚したいという人たちでしたから、どちらかといえば「家族大好き」な人たちでした。

これら三つの集団は、世代も背景も違い、動機も違うひとたちですが、同じ時期に「女叩き」の連合戦線を生み出しました。ターゲットは諸悪の根源としてのフェミニズムです。フェミニズムが結婚しない「負け犬」「おひとりさま」をあおり、非婚化と少子化の原因をつくり、セクハラを言い立てて職場の雰囲気を悪化させ、DVと虐待を暴いて家庭を破壊した……というのが彼らの言い分です。まったくもって濡れ衣というほかありません。非婚化と少子化は何もフェミニズムのせいではありませんし、セクハラとDVは昔からたくさんありました。それどころか多くのフェミニストの感慨は、世の中の変化が実感できるほど、フェミニズムに影響力があったらなあ、というものでしょう。

バックラッシュの共通点

これらの「反動勢力」の共通点はいくつもあります。

まず、「女叩き」にみられる性差別意識です。ひかえめに「助手席」に坐っているはずの女がわがもの顔にふるまい始めたことに対する反感です。「女はひっこんでろ」「出しゃばるな」という根強い男尊女卑意識は、二〇一一年の東日本大震災の際の避難所でも見られたといいます。こういうアタマの持ち主を、樋口恵子さんは「草の根封建オヤジ」と呼びます。戦後生まれの新保守と、旧来型の土着的な男尊女卑意識とがなだらかにつながる状況を見ていると、封建制はとっくになくなったのに、樋口さんの命名も当たっていないとはいえないという気分になります。しかもこの「封建オヤジ」は決して年配者ばかりとは限りません。地方議員などにいる「男女共同参画行政」叩きの急先鋒には、四十代の若きリーダー、地元の青年会議所の会頭上がりがいたりしますから、かならずしも世代や年齢からは説明できません。こういう政治家には海外留学の経験者などがいて、へえ、外国を見てきたら少しは発想が柔軟なのかとも思いますが、その逆に日の丸が大好きなナショナリストだったりします。それも理解できないわけではありません。海外留学を経験した日本の男性には、語学べたのせいでプライドをいたく傷つけられて排外主義者になって帰ってくるケースが少なくありませんから。考えてみれば「新しい歴史教科書をつくる会」の藤岡信勝さんも、湾岸戦争のときにアメリカ滞在中で、さんざん傷ついて帰国した研究者のひとりでした。

　第二にすでにお察しのように、この性差別意識は、人種差別、民族差別と結びついています。ネット上の「ブスは黙ってろ」発言は、在日韓国朝鮮人や中国人に「イヤなら出て行け」という罵倒とかんたんに結びつきます。さらに中国や韓国で反日デモや反日的な行動が起きるたびに、嫌韓・嫌中の言説がネット上を飛び交います。ネット上の威勢のいい言論を見ていると、今にも戦争が起きそうな具合です。その背後にあるのは、夜郎自大な大国意識とナショナリズムです。「何を生意気な」「鉄槌を食らわせろ」というのは、もともと自分たちが見くだしていた存在だからこそ駆り立てられる怒りなのでしょう。ネットユーザーは、戦争体験を持たない世代です。戦争体験がないにもかかわらず、いいえ、ないからこそ、いたずらに戦闘モードの主張が飛び交います。核武装論がかんたんに登場するのも、この世代の特徴です。

第三に、仲間内にだけ向けられた内向きの言論における公共性の不在と、国際感覚のなさをあげておきましょう。典型的な例は、西岡昌紀が書いた「ナチ『ガス室』はなかった」という問題含みの論文を掲載したために、九五年に廃刊に追い込まれた雑誌『マルコポーロ』事件でしょう。原因の第一は、「ナチのガス室はなかった」という根拠のない主張をするような歴史に対する無知と無教養、第二はそういう論文を日本語で載せても日本人以外の誰も読まないだろうというまったく鎖国的な意識でした。実際にはこの論文はアメリカのユダヤ人団体の目に止まり、雑誌『マルコポーロ』の発刊元である文藝春秋に厳重な抗議が来て、会社全体への広告出稿の拒否につながり、危機管理のために版元の文藝春秋は『マルコポーロ』を廃刊処分にしました。これで「辣腕編集者」とうたわれた花田紀凱という編集長が失脚したのですが、それというのも外国人が読まないだろうという内向きのジャーナリズム意識の帰結でした。ドイツではホロコーストの歴史的事実に反する言論は、その発表自体が違法行為となります。そういう国際常識もない程度の日本の編集者の「辣腕」ぶりは、『マルコポーロ』という越境的な雑誌名を裏切る、国内にしか通用しないものでした。

同じような無知・無教養は現在進行中の「男系天皇説」にもあらわれています。これら保守系言論人は「女性天皇」に強く反対していますが、天皇の霊性が男系DNA、つまりXY遺伝子のうちY遺伝子のみにつながっているというのはまったく根拠のない主張です。そもそも古代の天皇一族が遺伝子などという概念を知っていたわけがありません。それに歴史を通じて強大な女帝がいたことはよく知られています。女帝「中継ぎ天皇」説は、「万世一系」の「男系天皇」説を正当化したい戦前の御用歴史家たちの苦し紛れの説明であることも、今日ではわかっています。かれら保守派が「天皇尊崇」の念から「男系天皇」説を唱えれば唱えるほど、天皇家は継承者の選択肢が狭まり、結果として天皇家の存続に不利になることを思えば、自分たちが不敬不忠の輩であることを自覚してもらいたいものです。

第四に、かれらの共通点には、つよい危機意識と少数派としてのアイデンティティがあります。ふしぎなことにモラルマジョリティ（道徳的多数派）であるはずのかれらは、気分のうえでは少数派に転落してコーナー際に追い詰められているという自己意識を持っています。かれらにとっては「男女共同参画」が国策となったこと、男女共同参画社会基本法が成立したことそのものが、国が女をのさばらせている証としてがまんならないのでしょう。この強い危機意識は言論上の過激な発言へとつながります。さらにことばだけ過激で行動しようとしない言論右翼への批判が、行動派右翼から寄せられます。このあたりから行動派右翼はフェミニストの集会を積極的に妨害し、街宣車をくりだし、問題があるとかれらがかんがえる講師をひきずりおろし、集会で発言するようになりました。二〇〇一年には行政主催の辛淑玉さんや松井やよりさんの講演会がドタキャンになったりしました。男女共同参画社会基本法の成立にあたって活躍したジェンダー研究者の大沢真理さんは、公開講演会の前に「狙撃するぞ」という匿名の脅迫を受け、警備がついたくらいです。わたしも被害者のひとりでした。[6]

こうした動きにはどれほどの影響力があったでしょうか？　一部保守系メディアに登場する言論人たちは、「女性天皇」論でも、「家庭防衛」論でも、「嫌韓・嫌中」論でも、つねに同じ顔ぶれが並ぶ「使い回し」で、その裾野がたいして大きくないことが想定されます。またネット上の言論はウェブ空間の内部でとめどなく増殖しますが、その実体はよくわかりません。ネット人格などいくつでもつくれますし、それにネット上の言論にアクセスする人々の数が限られていることを思えば、そこでどんなに過激な情報が往き来していようとも、ネットの外へ出て行くとはあまり考えられません。バックラッシュ言論の影響力を過大評価しないことは大切ですが、とはいえ、ネットから生まれたフジテレビ抗議デモのような街頭アクションもあり、[7]オフラインの行動にはオンライン上の動員が効果を発揮していますから、ネウヨの影響もあなどれません。

ネット上の言論についてはメディア研究者がおもしろい発見をしています。そのひとり北田暁大さんは、ネット言論には「スタイルとしてのシニシズムとロマン主義的アイロニー」があると指摘します（『嗤う日本の「ナショナリズム」』NHK出版、二〇〇五年）。小林よしのりが名づける「純粋まっすぐ正義くん」というPC（政治的に正しい Politically Correct）な人々への反発や揶揄にあらわれるような、ベタを避けてネタにして嗤うシニカルな態度のことです。その対象には、「女は抑圧されている！」と叫ぶフェミニストも含まれています。植民地支配を告発する在日の人々も、戦争責任を問う中国人も含まれます。ネオリベ改革のせいで格差に苦しみ不遇をかこつ「ボクちゃん」(ネットのヘビーユーザーには三十代までの男性が多いことはこの時期にわかっていましたから) たちは、もともと右翼的な思想の持ち主でなくても、マイノリティの正義への冷笑から、ナショナリストたちと同盟を組みます。「敵の敵は味方」というわけです。それだけでなく、ナショナリズムがかれらにプライドとアイデンティティを備給してくれ、イデオロギー的な理論装置を提供してくれます。こうして「マイノリティの正義」をさらなるマイノリティ意識からバッシングしていたひとびとが、ネット上で「勝ち馬に乗る」マジョリティへの同調者へと転じていきます。その結果は、「おちこぼれていた」はずのひとたちが、もっとも保守的なモラルマジョリティの側に立つという逆説です。

北田さんの調査ではさらにおもしろいことがわかりました。フェミニズムがキライか？　そう聞くとこの人たちは、フェミニズムに好感も反感もどちらも持っていないことがわかりました。それというのも、「フェミニズム」ということばを聞いたこともなく、それが何かも知らない人たちが大半なので、好きもキライも答えようがないからです。それに代わって、彼はもうひとつ別な質問を置きました。「女性上司のもとで働くのはＯＫか？」とたずねると大半の回答者から「イヤ」と答が返ってきました。つまりかれらは「フェミニズム」に無知だが、素朴な「女性差別」意識の持ち主たちであることがわかったのです。回答者のなかでも、所得が高い階層は「女性上司のもとで働く」ことに許容的でした。つまり自分に自信があれば女性のパワーを認めることができるが、そうでなければ、「生意気な女」は許せない、という男の狭量さが、経済力と逆相関していることがわかります。

バックラッシュの手法

かれらの「女叩き」の手法はなかなか進化したものでした。

第一に戦略的かつ組織的です。第二に市民運動の方法から学んでいます。第三にネット強者としてニューメディアを活用しています。第四に「女叩き」の前面に女を立てて「女対女」の対立の構図を意図的につくりだしていることです。順に説明しましょう。

第一に相手方の弱点をうまく衝きました。「ジェンダーフリー」バッシングをご記憶でしょうか? 二〇〇〇年代に入って、政府や地方自治体に「ジェンダーフリー」を使わないという動きが拡がりました。「ジェンダーフリー」とは「性別を否定すること」と短絡的に「誤解」され、学校や行政は「女らしさ」「男らしさ」を撲滅しようとして、ひなまつりや端午の節句まで禁止しようとしている、男女同室で着替えをさせたり、騎馬戦に女の子を参加させようとしている。[8] そのうえ、男でも女でもないとしてセクシュアルマイノリティの講師を教壇に立たせ、娘や息子をレズビアンやゲイにしようとしている……と親の素朴な差別意識に訴えるデマを流しました。「ジェンダーフリー」はわかりやすい和製英語として行政や教育界の一部で流通したことばですが、概念に厳密な専門家はこの用語を使いません。ですから「ジェンダーフリー」バッシングが起きたころ、専門家はこの用語を擁護しようとしませんでしたし、それに危機感を感じてもいませんでした。わたしもそのひとりですが、その頃の危機感の薄さを後になって反省しています。

「フリー」ということばは、日本語圏ではイメージの悪いことばです。「自由」はただちに「わがまま」「自分勝手」に置きかえられがちだからです。ジェンダーフリー（性別からの自由）はフリーセックス（性の自由、場合によっては乱交を指す）へと連想を生み、「寝た子を起こす」と性教育がバッシングの標的となりました。有名な七生養護学校事件が起きたのが二〇〇三年。知的障がいのある子どもたちが性的被害に遭わないようにと、良心的な先生方が人形で教材をつくり、性交と生殖について実践的に教えていたことがやり玉に挙げられました。東京都の教育委員と一部の都議会議員とが集団で養護学校を訪れ、現場で教材を没収し、先生方が処分を受けるというとんでもない事件が起きたのです。

この時期にどんな事件が起きたかを東京都と地方とで年表にして掲げておきましょう【図表8－1&2】。多くは地方で起きたバックラッシュは中央のメディアで報道されることが少なく、知らない人が多いでしょうから。

「バックラッシュ」の不名誉な先進地域は東京都、九九年に石原都知事が誕生して以来のことです。それが全国に波及していきました。全国各地で似たようなバッシングが地方議会や教育委員会において起きました。ちなみに石原都知事が就任一年目に決定した政策のひとつに東京

図表 8-1　男女共同参画政策へのバックラッシュ（東京都）

1999年	石原慎太郎東京都知事に当選
2000年	東京都男女平等参画基本条例成立／東京女性財団廃止命令(2002 年解散)
2001年	千代田区男女共同参画センター松井やよりの講演中止／台東区男女平等推進プラザ辛淑玉講演中止／石原「ババア」発言
2003年	七生養護学校事件／都教委「不適切な性教育」批判、教員大量処分／都教委式典国旗国歌実施通達
2004年	都教委「ジェンダーフリー不使用」通達
2005年	国分寺市事件（東京都、国分寺市と共催の人権講座に介入、講師候補者の上野を拒否）
2006年	若桑みどりら1808筆の抗議署名を都教委に提出／東京都男女共同参画審議委員に高橋史朗就任
2007年	東京都知事石原3選
2011年	東京都知事石原4選／七生養護学校事件、教員側勝訴
2012年	東京都教員らによる都教委訴訟、最高裁で敗訴

図表 8-2　男女共同参画政策へのバックラッシュ
（その他の地方自治体）

2004年	豊中館長雇い止め・バックラッシュ事件
2006年	福井県ジェンダー関連図書153冊撤去事件（うち17冊が上野の著書）／市川市男女平等基本条例廃止に代わって男女共同参画社会基本条例制定
2008年	つくばみらい市で男女共同参画事業として実施される予定の平川和子を講師とするDV防止法関連の人権講座が右派の妨害により直前キャンセル→抗議署名運動／堺市図書館でBL関係の図書5499冊が「市民」の要請を受けて撤去、処分の直前に、抗議によってさしとめ
2011年	館長雇い止め・バックラッシュ裁判、最高裁で元館長側勝訴

図表 8-3　男女共同参画政策へのバックラッシュ（国政レベル）

2002年	山谷えり子衆議院議員が国会で『未来を育てる基本のき』『思春期のためのラブ＆ボディBOOK』を問題視、絶版へ追い込む
2005年	自民党「過激な性教育・ジェンダーフリー教育実態調査」プロジェクトチーム発足（安倍晋三座長・山谷えり子事務局長）／内閣府新国内行動計画策定にあたり「ジェンダーフリー」不使用の通達
2006年 9月	安倍内閣発足／山谷えり子教育再生担当首相補佐官、高市早苗少子化担当大臣任命
2007年 2月	「美しい日本をつくる会」発足・男女共同参画社会基本法廃棄を目的に掲げる
2007年 4月	「家族の絆を守る会」発足

女性財団の解散命令があります。橋下徹が大阪府知事に就任して一年目にうちだした方針に大阪府立男女共同参画・青少年センター（ドーンセンター）の売却がありますから、かれらの共通点は「女ぎらい」のようです。橋下さんは大阪市長に転じたのち、初年度に大阪市男女共同参画センター（クレオ）の統廃合を打ち出しましたが、これも予想通りの展開でした。

その動きがあまりに判で捺したようにそっくりなので、これには組織的なマニュアルがあるにちがいないと思ったものです。実際にありました。統一教会系の「世界日報」という新聞が各地の情報を報道し、情報の共有を図っていました。他にも宗教系の議員連盟などが関与していることもわかり、背後に組織力や資金力のあるらしいことも推測されています。

それが国政レベルへと波及したのが二〇〇五年の

自民党「過激な性教育・ジェンダーフリー教育実態調査」プロジェクトチームの発足です【図表8－3】。座長は安倍晋三、事務局長が山谷えり子。全国から更衣室問題や行きすぎた性教育の事例を集め、「ジェンダーフリー」の危険を訴えました。集まった数千の事例には重複と伝聞が多く、実際の証拠がないばかりか、男女同更衣室の数少ない事例には、「ジェンダーフリー」の影響はまったくなく、たんに「教室が少ないから」というもの。ウソも百回いえば本当になる、といいますが、火のないところに煙を立ててデマを飛ばした、とんでもプロジェクトでしたのに、このチームの座長であった安倍がのちに小泉後継内閣の首班に指名されるに至ります。憲法改正を唱え、教育基本法を改悪したこの危険な保守政治家が、権力のトップの座に就くに及んで、フェミニストの危機感はピークに達しました。

第二に、かれらは市民運動の手法から多くを学んでいます。デモや請願、署名運動のような手法をとるだけでなく、行政への市民参加の制度をうまく活用しています。二〇〇六年にジェンダー関連図書百五十三冊を開架から撤去させようとした福井県図書撤去事件の圧力の発端は、行政の募集した「男女共同参画市民推進委員」を勤める元学校長の男性でした。二〇〇八年にセラピストの平川和子さんを迎えてつくばみらい市で実施されるはずだったDV防止に関わる人権講座を妨害したのは、「DV防止法犠牲家族支援の会」を名のる市民団体でした。[9] この団体の代表は女性ですし、「在特会」こと「在日特権を許さない市民の会」という民族差別団体に集うひとびとも、さまざまな不安や不満をかかえるふつうの会社員や主婦だということがわかっています。ほんのちょっと別なルートがあれば別な方向に行ったかもしれない人々を、かれらはうまく組織しています。

第三に、かれらはネット強者です。それはこの人たちがネットのヘビーユーザーの層と重なるからかもしれません。ブログ、ツイッター、HPの活用などは、対抗勢力の側も学ばなければならないぐらいです。平川和子さんのつくばみらい市での講演が妨害でドタキャンになったあと、一週間後に予定されていた長岡市での講演にはネット上で「抗議の参加を」という動員の呼びかけがあり、一月の雪の長岡に横浜や東京からやってきた人々がいたといいます。[10]

最後にこういう団体には男の尻馬に乗る女がかならずいます。夫婦別姓選択制に反対する急先鋒は高市早苗ですし、「男女共同参画」を批判するのは長谷川三千子、嫌中をあおるのは櫻井よしこ、フェミニズムが世の中を生きづらくしたと責めるのは山下悦子（『女を幸せにしない「男女共同参画社会」』洋泉社、二〇〇六年）……と、オヤジメディアが重宝がる女性言論人の出番が用意されています。この女性たちもオヤジメディアにいいように使われて、使い捨てられるだけということに気がついてほしいものですが。

以上のようなバックラッシュの逆風は二〇〇〇年代に吹き荒れました。その経過についてはすでに示した年表のほかに、『バックラッシュ！　なぜジェンダーフリーは叩かれたのか？』（双風舎、二〇〇六年）『「ジェンダー」の危機を超える！　徹底討論！バックラッシュ』（青弓社、二〇〇六年）などを参考にしてください。わたし自身も当事者のひとりでしたから、『不惑のフェミニズム』（岩波現代文庫、二〇一一年）にその経緯が詳しく述べられています。

「女叩き」の歴史

こういう「女叩き」を見るたびに、なにやらデジャビュ（既視）感があります。いつかどこかで見た景色。

社会が大きく変動するときに、その変化からとりのこされたと感じるひとびとのあいだから、決まって「女叩き」が起きるようです。なぜなら、女と若者は社会変動のヘラルド（先駆け）であり、他の社会集団の変容に先立っていちはやく変化をこうむるからです。

社会変動は社会のすべての集団に一様に経験されるわけではありません。旧体制にがっちり組みこまれそこから既得権を得ている集団は変化が遅く（なぜって変化する理由がありませんから）、そこから排除されている周辺的な集団ほど、変化を歓迎する革新者になる傾向があります。有名な野生ザルの棲息地、宮崎県の幸島にいる「芋洗いザル」だって、餌づけで手に入れた芋を海水で洗って味付けして食べるという新しい食習慣を最初に獲得したのは、メスザルとワカモノでした。長老ザルにその習慣が及ぶまでには時間がかかりました。

保守派はおクニと伝統、わけても家族が大好きです。その家族を壊すのが、外国かぶれの女たち、ということになっています。変化の尻馬に乗った女たちは母性を拒否し、子どもを産まず、夫にしたがわずかんたんに離婚し、夫のしつけ（ＤＶ）にも反抗して逃げ出す……わがまま勝手な女たちというわけです。その女の自己主張をあおりたてるのが、フェミニズムだと解されています。

ね、どこかで聞いたストーリーでしょう？

明治時代にも同じようなことがありました。「女叩き」は明治からのワンパターンなのです。ご一新以来の文明開化で疾風怒濤の変化を経験した日本人のなかには、その変化についていけず零落した旧士族や支配層がたくさんいました。明治維新から二十年たって明治二十年代になってから国粋反動の時代が始まります。そのときにターゲットになったのが、「女学生」です。えび茶袴に束髪を結い、編み上げ靴をはいて、外国人宣教師の教えるミッション系の女学校へ通う若い女たち。とくに「自転車に乗る女学生」は、いっぽうでは解放のシンボルであり、他方ではバッシングの標的でした【図表8－4】。国粋派にとっては「自転車に乗る女学生」は、はねっかえりの亡国のシンボルでした。「良家の子女」は自転車に乗ってはならない、なぜならヴァージンを失うから、とさえ言われたものです。まったく根拠のない非難ですが、その当時はおおまじめに信じられたものです。ミッション系の学校へ女性

図表8-4　自転車に乗る女学生
出典：「新版引札見本帖」（明治36年）

が行ったのは、それ以外に女子の高等教育機関が少なかったからです。好奇心と向学心の強い若い女たちが、新風俗になじんでいきました。

女性学研究の古典に、小山静子さんの『良妻賢母という規範』(勁草書房、一九九一年)という名著があります。小山さんによると、今では古色蒼然とした保守イデオロギーの塊のように見られている「良妻賢母思想」こそ、明治の進歩思想であった、といいます。というのはバッシングのせいで窮地に立たされた女子の高等教育を国粋派から守るための理論武装だったのだ、と。

それ以降もくりかえし同じような「女叩き」が、時代の節目ごとにくりかえされました。大正時代には、洋装のモガ(モダンガールの略称)がバッシングの対象となりました。風俗の文明開化ではいちはやく男が断髪・洋装をとりいれたのに、女は和髪・和装の時代が長く続きます。ナショナリストには、男が変わっても、女は伝統の担い手として変わらずにいてほしい、という自分勝手な願いがあるようです。そのせいで、イスラム圏でもTシャツ・ジーンズに変わってしまった男に対して、女のスカーフやヘジャブ着用はなくなりませんし、朝鮮系の民族学校でも男子生徒の制服は民族色をなくしているのに、女子生徒の制服はチマチョゴリを連想させるデザインのままであるため、民族差別のターゲットになりやすい、ということが起こります。

近くでは七〇年代のウーマン・リブを思い出します。日本のウーマン・リブはアメリカかぶれのはねっかえりの女たちが集団ヒステリーを起こした、とバッシングとからかいを受けました。どうやらナショナリストの目には、日本にとって困ったものは外国からやってくる、その影響をうけやすいのが無知で愚かな女たちであり、その女たちが日本の伝統を壊す、という、まあ、なんとも単純なストーリーが、すっかりできあがっているようなのです。

バックラッシュは歴史のうえで、何度でもくりかえされます。そのロジックはうんざりするほどワンパターンです。ですがこんなに単純でわかりやすいロジックに乗ってしまうひとびとがいる限り、わたしたちはそれとの闘い方を学ばなければなりません。

ネオリベとナショナリズム

このところまたナショナリズムの対決がきなくさくなってきました。尖閣諸島をめぐって中国の抗日と日本の嫌中があおられ、竹島をめぐって韓国の反日と日本の嫌韓が対立します。国境紛争というのはナショナリズムのもっとも素朴なあらわれ。それに依存しなければならないほど、中国の国内事情も韓国の政権基盤も危ういのか、と思わざるをえませんが、こんな抗争に乗ったがさいご、エスカレートする対立に「加油」(「がんばれ」の中国語)するいっぽうで、収拾のつかない混乱にまきこまれるだけです。

もちろん日本にも「妄言妄動」をくりかえす愚かな政治家はいます。小泉純一郎もそのひとりでした。かれは歴代首相のなかで、三木、福田、鈴木、中曽根に次いで八月敗戦の夏に靖国神社参拝を強行した総理大臣です。小泉さんは在任中何度も靖国神社を「公人」として参拝していますから、「内閣総理大臣」という名の献花をしていますから、私人としての参拝ではありません。このふるまいはとうぜんのように、隣国の韓国と中国とを刺激し、日中関係、日韓関係は急激に冷え込みました。わかっていてやるのですから、「愚挙」としか言いようがありません。

その後継者、安倍さんは在任中に「旧日本軍による慰安婦の強制連行を裏づける資料はない」と発言して物議をかもしました。あろうことか他の保守政治家たちと連名でアメリカの新聞に意見広告まで載せたものだから、猛反発を食らって二〇〇七年米下院議会での日本政府に対する謝罪要求決議まで引き出してしまいました。外交的には大失点です。この安倍さんは、二〇〇一年に「慰安婦」問題をめぐる女性国際民衆法廷をNHKがETVで放映しようとしたときに、事前に政治介入したという疑惑を持たれている、札付きの保守政治家です。その安倍さんが二〇〇七年夏の参院選逆転の敗北を喫した後、神経性の下痢で総理の座を投げ出したときには、この小心者で危険な政治家が政権の座を去ったことに、こころから安堵したものです。

そういえば最近では、大阪市長の橋下徹さんが「慰安婦が必要なことは誰にでもわかる」と発言してまたまた「妄語」批判を受けています。橋下一派の「船中八策」は、政策パッケージとしては論理的な一貫性がなく、政治的なビジョンや世界観が見えづらい寄せ集めの政策集ですが、「透明性」と「公開性」、「競争」と「効率」の好きな橋下さんは、政策的にはネオリベ的な改革者のひとりと言えるでしょう。かれの「脱原発」も、環境やエネルギーをめぐる長期的な世界観から来ているというよりも、独占体制のもとにある電力需給の効率化を求める点で、政党のなかでもっともネオリベ的な「みんなの党」に近いものです。その橋下さんが来るべき国政に打って出るための領袖に、安倍晋三さんを迎えたいとすりよっていったのには、唖然としました。いえ、やっぱり、というべきでしょう。既成の政治家にはすりよらない、と豪語していた橋下新党が、使い古しの失脚した政治家、それもネオコンの保守政治家をふたたび使い回そうとしたことは、ネオリベとネオコンとのあいだの「奇怪な結託」をあらためて印象づけるものでした。安倍さんにフラれた後、橋下さんは結局、もうひとりの危険な保守政治家、「日本のル・ペン」こと石原慎太郎にすり寄っていったのですけれど。

二〇一二年末の、原発事故以来初めての総選挙では、安倍晋三が政権首班に復帰しました。政治家として再起不能な去り方をしたはずの安倍さんが、再び総理に返り咲いたことで、わたしは第二次安倍政権を「ゾンビ復活内閣」と呼んでいます。しかもこの政権は、原発政策を推進し、警告されていた原発事故をひきおこした点で「原発事故戦犯内閣」でもあります。原発再稼働を推進し、原発輸出に熱心なこの政権は、財界の短期利益を優先するネオリベ政権でもあるのです。

1　すでに述べたように「男女共同参画」政策は行政主導の国策。フェミニズムとは似て非なるもの。以後、政策について述べる場合には「男女共同参画」、女性解放の思想と運動について述べる場合には「フェミニズム」と使い分けする。

2　ホモソーシャルと女ぎらい（ミソジニー）の関係については、以下を参照。上野千鶴子『女ぎらい』（紀伊國屋書店、2010年）。

3　そういえば赤木智弘もデビューしたのは自分のブログ、それがネット界で注目を集め、オヤジ雑誌メディアにも越境した。

4　長谷川三千子「『男女雇用平等法』は文化の生態系を破壊する」『中央公論』一九八四年五月号。この時期「男女雇用機会均等法」は、まだ「男女雇用平等法」と呼ばれていた。「雇用平等」が「雇用機会均等」に変わったことについては第二章で論じた。

5　ちなみに高市は、別姓ノー、通称使用オーケーの立場だが、多くの別姓推進論者は、戸籍と通称との不一致こそが不便だと訴えている。

6　図表8－1、8－2（218頁）にあるように、上野は二〇〇五年に東京都の介入による講師おろしの国分寺市事件の当事者となり、二〇〇六年には、福井県ジェンダー関連図書撤去事件の著者の一人として福井県との係争の当事者となった。

7　二〇一一年夏「韓流ドラマの放映が多すぎる」と「偏向報道」を批判する人々がお台場のフジテレビ前

に集まって抗議デモをした事件。ネット上の呼びかけで約千五百人が集まったとされる。ネットヘビーユーザーと嫌韓との結びつきを証明する出来事だった。

8　ちなみに体育学の研究者は、騎馬戦に女子が参加することに何のふつごうもないと言う。二〇一二年ロンドン・オリンピックでの女子の格闘技における活躍を見ればさもありなん、とうなずかれるだろう。

9　かれらの主張によれば、DV防止法が妻の逃亡に手を貸し、隔離して面会を禁止するために、妻も子も奪われ後にとりのこされた不遇な夫が法の犠牲者になっているという。

10　グーグルで「フェミニズム」を検索するとトップに「フェミナチ掲示板」が出てくるという状況をなんとかしたい、と考えて、わたしたちはネット上に「ウィメンズ・アクション・ネットワーク」というポータルサイトをつくった。http://wan.or.jp/

第九章　ネオリベから女はトクをしたか？

答はイエス・アンド・ノー

前章までに述べてきたようなネオリベ改革から、女はいったいトクをしたのでしょうか、ソンをしたのでしょうか？

これはなかなか答えにくい問いです。答えにくいのは、ネオリベ改革からトクをした女と、ソンをした女の両方がいるからです。ただしトクをした女はひとにぎりのエリート、ソンをしたのはとくべつの資源を持たないマジョリティの女性。前者にはこれまでなかったチャンスを与えられ出世する女性もいましたが、後者はこれまでと同じ労働条件でより労働強化を強いられるか、さもなければこれまでと同じしごとをしても労働条件が著しく切り下げられるという状況に直面しました。言いかえれば、ネオリベ改革は、女をエリートとマスとに分解する効果を持った、といえます。ただし一握りのエリートと大多数のマスとに、とあわててつけ加えなければなりませんが。

バックラッシュ派の目にはこの日の当たるエリート女性ばかりが映っているために、「女のせいでワリを食ったオレたち」と怨嗟の声が生まれるのでしょう。それは事態の一面を切り取ったものにすぎません。

ネオリベ改革から、女はトクをしたか、それともソンをしたか？

この問いに対するわたしの答は、イエス・アンド・ノーというものです。

イエス。

なぜならば、女性の人生にはかつてなかった多様な選択肢が登場するようになったからです。結婚してもよいし、しなくてもよい。出産してもよいし、しなくてもよい。いやなら離婚してもよい。結婚・出産のあと働いてもよいし、働かなくてもよい。働き方も正規雇用でも、非正規でもよい。総合職で働くこともできるし、一般職でもよい。派遣でも働ける――女がこれだけ多様化すると、どの選択肢も特別なものではなくなり、どれを選んでも差別や偏見の目で見られることは――かつてにくらべれば――少なくなりました。

「選ぶ」というと、ただちに違和感を感じる読者も多いでしょう。選んだのじゃなくて、実は選ばされただけだ、と。たしかに出産のあと離職したのは「働かない」のではなく、働きたくても「働けない」からだ、とか、好きこのんで派遣やパートになったのではなく正社員になりたくてもなれないからだ、という言い分を持つ女性はたくさんいます。その一方で、「結婚してまで働きたくない」という女性もいますし、また派遣やパートの労働者に「正社員になりたいか？」と尋ねると、「ノー」という回答が返ってくるというデータもあります。[1]

女性のライフスタイルの多様化が、女性の選択の結果なのか、社会の強制の結果なのかは決着のつきにくい問題ですが、答はここでも両方の要素があるというほかありません。

ただし九時から五時まで、残業ありの正規雇用の職場に適応できない女性は、仕事を辞めるしかオプションのなかった時代に対して、その中間の「多様な働き方」――これをフレックス・レイバー（柔軟な働き方）と言います――がメニューとして差し出されるようになった時代は、たしかに選択肢が増えたということができます。それどころか、結婚退職制、出産退職制、若年退職制などあの手この手で女性を職場から短期間に閉め出すことを慣行としていた七〇年代までの職場環境にくらべれば、今や女性は職場でなくてはならない戦力となりました。

ライフスタイルの選択肢が増えるとは、ある選択肢を選べるようになるということだけでなく、その選択肢を選んでも社会的な不利益を受けない、ということを意味します。離婚や非婚が増えたのは結婚しなくても生きていける道が女性に拓かれたからですが、それに加えてその選択に伴うスティグマが減ったからです。一昔前には、離婚した女性はまるで人生の敗残者のように扱われたものですし、非婚の女性は女性の規格はずれという目で見られたものです。それが「ワタシ、負け犬で～す」とか「バツイチなんです」と明るく言えるようになったのは――たとえ「負け」とか「バツ」という否定的な表現を含んでいたとしても――たんにそういう人たちが増えたからだけではなく、社会がそういう生き方に寛容になったことのあらわれでしょう。

なぜならば、女の分解は女の分断をもたらしたからです。「女女格差」と言いかえてもかまいません。

ネオリベと「女女格差」

もうひとつの答はノー。

男女格差はもとからありました。賃金に限ってみると、日本の男女賃金格差は男性一〇〇に対して女性は常用労働者（期間の定めのない労働者）で五二・二、一般労働者（正社員）で六六・九（二〇〇七年）。独立行政法人国立女性教育会館の出した『男女共同参画統計データブック２００９』（ぎょうせい、二〇〇九年）では、「日本の性別賃金格差は、先進諸国の中でも最も大きく、しかも縮小していない」と指摘しています。これが非正規労働者になると正社員の七割の賃金。正社員の給与は男性が年齢とともに賃金カーブが上昇するのに対し、女性は三十代から横ばい。年齢とともに男女賃金格差が拡大する傾向にあります。ただし大卒女子総合職に限ってみれば、賃金格差は縮小傾向にあります。勤続年数とともに格差が開くのは管理職に就くかどうかに影響されますが、ポスト均等法世代が勤続二十年を経たあと、男性並みに昇進していればこれ以降も格差は縮小するでしょう。ですが、それは企業で生きのびたほんの一握りの女性キャリアにすぎません。日本では、正規職と非正規職との格差が大きく、女性が非正規職に就く割合は男性よりも高いために、非正規職の女性の賃金格差はますます大きくなります。ということは男女格差に加えて、女女格差、すなわちエリートキャリア女性とそうでない女性とのあいだの格差が拡大したことを意味します。

均等法がもてはやされていたのと同じ頃、大手の企業や金融機関は企業グループ内の系列人材派遣会社を次々に子会社として設立していました。辞めた女子社員を登録して、子育ての手が離れたら職場に復帰してもらおうという戦略でした。職場経験のある元女子社員たちは、研修の必要がないだけでなく、社内の慣行や暗黙知にも習熟しており、ただちに戦力として活用できると踏んだからでした。顧客の守秘義務のある金融機関などでは、身元のたしかな元社員の女性が働いてくれることは歓迎されました。ただし女性にとっては元の職場に同じ労働条件で戻れるわけではありませんでしたから、企業側にとってはベテランの女性社員を低コストで使える有利な選択でした。

がんばれる女性にはがんばってもらおう、家庭や育児の責任があってがんばれない女性には分相応に働いてもらおう――その結果生まれる「女女格差」を、一部の女性は歓迎しました。なぜならそれ以前には、格差も生まれないくらい、女はまとめて差別されていたからです。

二〇〇〇年代に入ってから「格差」が社会問題になり政治課題となったときに、その格差をもたらした雇用の非正規化が「犯人探し」の対象となりました。そのとき、率先して女性の雇用の非正規化を唱え、それをビジネスチャンスとして人材派遣業を成長させてきた奥谷禮子さんは、反省を求められても恬として恥じず、持説を唱えています。りっぱな確信犯というべきでしょう。同じく小泉構造改革のもとで非正規雇用の規制緩和を推進してきたエコノミストの竹中平蔵さんは、政治家を辞めたあと、パソナという人材派遣会社の役員に就任しました。これもまた首尾一貫しているというべきでしょう。ザ・アールもパソナも主として女性を対象として――いっそ「食い物として」と言いたいぐらいです――登録派遣事業を営む企業です。女性の雇用崩壊に手を貸し、それから利益を得たと言われてもしかたありません。

とはいえ、労働の柔軟化そのものが悪いわけではありません。そもそも人間の生活のなかで九時から五時までのプライムタイム、お天道さまが頭の上にあるいちばん活動的な時間をほとんどすべて売り渡さなければ食べていけない働き方にこそ、問題があると言うこともできます。それなら半日だけ働きたい、一週間に三日だけ働きたいという人がいても当然ですし、何よりこの九時五時シフトが子育てと両立しないことはとっくに実証されています。ですから労働の柔軟化を推しすすめフレックス・タイムを早めに導入した諸国は、そうでない諸国よりも出生率が高いという結果を示しています。問題は日本における労働の柔軟化が、極端な賃金格差をともなったことにあります。つまり柔軟な労働イコール不利な労働となってしまったのです。派遣やパートであっても雇用保障を伴うこととか、正規と非正規とのあいだの賃金格差の是正や非正規雇用への社会保険の拡大には、竹中さんはこれも一貫して反対しているのですから、柔軟な労働を「不利な労働」のままにとどめておこうとしていることに変わりはありません。しかもその「不利な労働」の八割近くを女性が占めているのです。

女の分断と対立

ネオリベが選別と競争の原理であることは何度も述べました。それは優勝劣敗、自己決定・自己責任の原則を競争の参加者にもたらします。男女雇用平等法が「男女雇用機会均等法」に換骨奪胎された経緯を思いだしてください。

「機会均等」の競争は、そのゴールに必ず勝者と敗者を生みます。勝者は努力と能力のせいで勝利を獲得し、その勝利を敗者が称える、のがフェアな競争のルールというものです。他方、敗者は自分の敗北の理由を自分自身の努力と能力が劣ったせい、と自らに帰責するほかありません。そうなれば自分が置かれた不利な状況にも納得せざるをえなくなります。言いかえれば「機会均等」とは少数の勝者を、多数の敗者が支える原理のことだと言ってもかまいません。

優勝劣敗の原則のもとでは、勝ったのは自分のせい、負けたのも自分のせいですから、勝者は敗者に対する理解や同情を持ちません。他方、敗者は勝者に対して羨望や嫉妬を抱きます。こうして「女女格差」のもと、女が分断されていけば、女同士が利害を共有することはいちじるしくむずかしくなります。

若手の社会学者、妙木忍さんに『女性同士の争いはなぜ起こるのか』（青土社、二〇〇九年）

というおもしろい本があります。それによると女同士の対立はライフスタイルの選択肢が多様化するにともなって激しくなる傾向があるようです。結婚・出産したかしないかで、「勝ち犬」と「負け犬」が決まり、職業的に成功したかしないかで「勝ち組」と「負け組」とが決まる。女の人生がひとしなみに結婚して主婦になる定食コースだった時代とくらべて、同じ学校で机を並べた学友が卒業して二十年経ってみるとかたや大企業の管理職になり、かたや専業主婦のお受験ママになっている。その落差が大きければ大きいほど、羨望や焦燥は強まります。くらべる相手がいるからこそ、自負も自責も強くなります。

現実には多くのデータが、日本における職場はすこしも「機会均等」でも「公正」でもないことを示しています。ですが、タテマエ平等の教育機関に在学中は、性差別を意識しないですんでいます。偏差値競争は平等ですし、テストの成績が男女別に張り出されるなんてこともありません。だからこそ、学友同士の結婚で、妻は夫に向かって「あたしのほうがずっと成績がよかったんだから」と言いつづけることができます。

わたしが教育現場で見たのは、受験競争の「勝ち組」女子たちにネオリベ意識がとことん内面化されている現実でした。それは自分で自分を責めて傷つけるしかないところにまで、身体化されたといっていいほどの意識でした。自分の弱さを責めて孤立していく若い女性たちを見て、これでは他人とつながれない、われとわが身を壊し、心を病んでいくだけだ――と暗澹としたものです。

現在の自分の状態が「自己決定・自己責任」の結果となれば、たとえその状態に不満があっても、他の誰かにぶつけることができません。そうなれば、自分の外側に敵を見つけて非難することもできませんし、女にとって共通の敵を求めることはむずかしくなります。分断され、孤立していく彼女たちを見ながら、「オヤジ社会が悪い」と自分の外にいる敵を攻撃していられた時代は、のどかだったなあ……と思わずにはいられないのです。

ネオリベとフェミニズム

ネオリベ改革にフェミニズムはいったいどのように反応したのでしょうか?

ネオリベはフェミニズムにとって闘いにくい相手でした。

これまでも述べたとおり、牢固として動かないように見えた家父長制の岩盤をうがつような働きを、一見ネオリベは果たしたように思えます。今から思えば、男女雇用機会均等法もネオリベ改革の一環だったと言えないこともありませんが、均等法以前には考えられなかったような職種や地位に女性が就くようになりました。新聞社では女性記者も支局勤務で泊まりをこなし、深夜の事件現場へも駆けつけるようになりましたし、時差のために二十四時間稼働しつづけるトレーディングルームで、金融トレーダーを務める女性もいます。

もちろんこういう変化は、何も均等法がもたらしたものではありませんし、ネオリベ改革の効果でもありません。もっと大きな世界史的な変化、比較福祉レジーム論の論者、エスピン＝

アンデルセンのいう「未完の革命」[2]というべき地殻変動のような社会変動の帰結です。ネオリベ改革とは、そのような世界史的変化に対する各国における政財官界の反応でしたし、そもそもフェミニズムとはそのような社会変動のなかから生まれた歴史の産物でした。変化の中に生まれた亀裂からこそ、新しい女性の可能性が見てとれるようになります。社会的マイノリティにとっては、変化はつねにチャンスなのです。変化のない停滞した社会ではフェミニズムのようなマイノリティの思想は生まれません。あくまで歴史的な変化が先で思想はあとから生まれること、まちがってもフェミニズムが歴史を変えたとは思わないでください。もしそうならどんなによいかと思うくらいです。

エスピン＝アンデルセンのいう「未完の革命」とは、いちどは男女の役割を分離してそれぞれの指定席を与えた近代社会——イヴァン・イリイチはこれを「性的アパルトヘイト」と呼びました——が崩れて、女性が男性と同じように社会に参加するようになる一連の変化を指しますが、それが「未完の」と呼ばれる理由は、その変化が多くの社会で中途ハンパにとどまっているからです。そしてそれが頓挫したり中途ハンパであることによって起きるさまざまな問題を抱えているからです。

その背後には脱工業化という大きな社会史的変化とそれを可能にした情報革命と呼ばれる技術革新があります。情報を制する者が市場を制する知識産業が生まれ、製造業に代わって情報・サービス中心のソフト化エコノミーが成り立ちます。第二次産業の時代は終わり、今や国民の半分以上が第三次産業に従事する時代が来ました。

思えば重化学工業の時代は、「男の時代」でした。軍隊編成の労働者が、効率を旗印に物づくりにいそしんできました。それが知識集約型の情報産業になると、体力の有無は問われません。体力ではともかく、知力では偏差値分布に男女差がないことは、データからも証明されています。たしかに製鉄業の溶鉱炉の前に立つのは男性労働者の方が向いているかもしれませんが、パソコンの前にすわるには性差が問われません。コンピューター産業の初期のキーパンチャーは、ほとんどが女性だったくらいです。情報化が怒濤のごとくすすんだ頃、近未来には労働の性差はなくなるだろう、とまで予測する論者もいました。

その変化を象徴する出来事があります。ベトナム戦争は、最後の「男の戦争」でした。重火器を肩に、泥の中を這いまわる文字どおりの「汚い戦争」——理念的にも実践的にも——だったベトナム戦争には、同じ頃ウーマン・リブの動きがあったにもかかわらず、「女も従軍せよ」という声は大きくは聞かれませんでしたし、「女にはやらせられない」という保守派の男女の抵抗もありました。ところが湾岸戦争からは風向きが変わりました。女性兵士の参戦が促進されただけでなく、彼女たち自身から、後方支援にとどまらず前線の戦闘参加への要求が出てきたのです。それを可能にする条件が、戦闘のハイテク化でした。攻撃目標に照準を合わせて爆撃するコンピューター・ゲームのような戦闘では、機器の操縦の能力は問われても、体力の有無は問われません。女性兵士の参加そのものが、「汚い戦争」から「クリーンな戦争」への、戦争のイメージアップに貢献しました。
情報の技術革新が工業社会という野蛮な男性中心時代を終わらせ、男女が肩を並べて働ける脱工業化社会へと時代を転換させると期待を持ったひとびとはたくさんいました。ですが、情報革命が進行して十年か二十年経つと、見えてきたのは情報革命は労働の性差を解消しない、たんに再編成しただけだ、という現実でした。どこの社会でも、情報産業のトップマネジメントは男性に占められ、新しい産業分野でも女性はプログラマーやオペレーターのような下位の職種に固定される傾向があることがわかったからです。[3]
これまでの男性中心社会のしくみを掘り崩す変化の契機に、たしかにフェミニズムは期待を抱きました。ですが、それは裏切られる結果になりました。性差別はなくならず、ただすがたを変えただけだったのです。ですからフェミニズムが必要でなくなったわけではありません。にもかかわらず、女たちが共通の利害のために連帯して闘うことは、おそろしくむずかしくなりました。

日の丸フェミニズム？

ネオリベ政権が「男女共同参画」という名の国策フェミニズムを推進したことや、その理由はすでに述べました。少子高齢社会のなかで、「女にも働いてもらいたい」は至上命令だったたからです。そのうえ「女に子どもも産んでもらいたい」という二重の期待が寄せられていました。

わたしたちフェミニストは——少なくともわたしは——「男女共同参画」という用語を使いません。それは英語に対応する概念のない、日本国内にだけ通用する造語だからです。

つくったのは行政。なんでこんなややこしいことばを造語したかといえば、ジェンダー平等政策をおしすすめるフェモクラットたちが、抵抗勢力のあつれきをできるだけ低減したいと考えたからでしょう。日本におけるジェンダー平等政策法制化のピークは一九九九年に成立した「男女共同参画社会基本法」。これで「ジェンダーの主流化」が成立したと言われます。「男女共同参画」は、当時の政権与党のオジサマたちが「平等」の語がおキライだったために、それを避けるための苦肉の策だった、とか。この法律の淵源となったのは、一九八五年に批准された国連女性差別撤廃条約でしたから、この基本法もわかりやすく「男女平等社会基本法」とか「女性差別撤廃基本法」と呼べばよかったのでしょうが、そのままでは国会で承認されたかどうか。この時期にはすでにバックラッシュが始まっていましたから、法案の提出者は慎重にならざるをえなかったのでしょう。

九〇年代までは男女共同参画行政とフェミニズムとは、一種の「蜜月時代」でした。各地で男女共同参画センターが次々にオープンし、予算もポストもついていきました。フェミニズムをやっても「食えない」はずだったのに、今やそれがしごとになる……フェミニズムにとってはいわば「マーケット」が誕生したのです。もっとも、「食える」しごとになったかどうかは、別の問題です。雇用の規制緩和の影響を受けて、行政の現場も非常勤や短時間勤務などの「女向き」の職種が増えたために、男女共同参画センターは女性の雇用崩壊の現場となりました。それでもタダ働きだったボランティアが有償の労働になっただけでも、女性にとっては大違いでした。

ちなみにこの「男女共同参画センター」という呼び名も、わたしには抵抗があります。もとは「婦人会館」とか「女性センター」と呼ばれてきた歴史のある場所。行政はそれを勝手に「男女共同参画センター」と呼びかえました。「女性センター」は中国語では「女性中心」と訳します。これってわかりやすい。いまどき「女性センターがいるのか？」という批判が出るたびにわたしの答えは、「はい、まだまだ要ります」、なぜって、女性センターから一歩外へ出たとたん、至るところ「男性中心」だからです、そういう世の中の一角に「女性中心」の場所があってもよいでしょう、というもの。もっとわかりやすく「女性差別撤廃センター」と名前をつければ、センターのミッションが誰にでも誤解なく伝わるでしょうに。

男女共同参画社会基本法は、男女共同参画の推進を「地方自治体の責務」としています。そのひとつに「男女共同参画条例」の制定があります。各地で条例の制定や行動計画の策定にあたって、審議会の委員に「有識者」としてフェミニストの研究者やアクティビストが動員されました。東京都には二〇〇〇年制定の「男女平等参画基本条例」がありますが、この条例が成立したのは石原政権成立直後のことでした。東京都女性問題審議会の会長は樋口恵子さん[4]。いわばすべりこみセーフで審議会報告が就任して間もない石原知事に提出され、それが都議会を通ったものです。石原政権下で、この審議会委員の顔ぶれはほとんど総とっかえとなりましたから、ほんとうにぎりぎりのタイミングでした。この条例案が「男女共同参画」ではなく、「男女平等参画」となっていることにも、「男女平等」と「共同参画」という用語が並立した時代の名残りがあります。石原都知事が知事就任後最初に手をつけた政策のひとつに、東京女性財団の解散がありますから、時期がずれこんでいたら、東京都にはこの条例は生まれなかったかもしれません。

男女共同参画条例はその後、バックラッシュ派とのせめぎあいの「戦場」となりました。いったんつくった条例を改廃したり、つくらせないとがんばる反対派が地方議会に登場しました。たかが条例、つくったからと言って何が変わるわけでもありません。そもそも根拠法となる男女共同参画社会基本法そのものが理念法であり、強制力も罰則規定もありません。なのに面子にかけてもつくらせまい、とするオヤジたちが各地で抵抗勢力としてがんばったのです。

当時、男女共同参画行政の所管官庁だった総理府は、カネのかからない啓蒙事業として各自治体に「男女共同参画宣言都市」の名乗りを挙げるよう促していました。宣言をした自治体には記念行事のおまけがつきます。そのいくつかにわたしも参加しましたが、何やらのみこめない思いが残りました。記念行事の式場では、市長や来賓が壇上に並び、そのバックには日の丸の旗が掲げてあります。うーむ。日の丸の旗の前で、スピーチをする時が来るとは、思ってもみなかった。そのうち、来賓に女性皇族が出席することもあるんだろうか。男の子が生まれないばっかりにさんざんな目にあっている女性差別の被害者、あの雅子さんまでが？　そもそも家父長制の家元みたいな皇室と男女共同参画政策って両立するんだろうか？　もし雅子さんと同席することになったらどーしよー、あの方になんて言ってあげたらいいんだろ、と先回りしてあれこれ考えたわたしの心配は杞憂に終わりました。そうなる前に、男女共同参画行政はバックラッシュのせいで後退を余儀なくされたからです。

行政主導の国策フェミニズムを、別名「日の丸フェミニズム」と呼ぶ人もいます。これを「国策フェミニズム」と呼ぶことが適切かどうかはわかりません。なぜならこれまで論じてきたように、「男女共同参画政策」とフェミニズムとは似て非なるものだからです。とはいえ、外から見たらその違いはわかりにくく、女の社会参加を応援する点では同じに見えるために、バックラッシュ派にとっては、今やフェミニストは「日の丸」の旗を背負った多数派と受けとられ、彼らの少数派意識をますます強めたことでしょう。

フェミニストの参加？

ところでフェミニストのなかには、この国策フェミニズムにまきこまれたひとたち、それにつけこんで利用しようとしたひとたち、それから距離を置いたひとたち……がいます。大学に籍を置いているために「学識経験者」とみなされて各種の審議会の委員に就任したひとたちが各地にたくさんいます。せっかく自治体が男女共同参画条例をつくる気になっているなら、せめてよいものをつくろう、と使命感を感じて参加したひともいます。審議会の委員など労多くして功の少ないしごとですから、彼女たちが名利を求めて参加したと見なすのは思い過ごしでしょう。とはいえ、行政の協力者にすすんでなっていったのは事実です。批判者から対案の提出者へ、そして責任を分担する市民参加の担い手へ……自治体行政の現場で起きていた変化は、男女共同参画行政も例外ではありませんでした。

フェミニストのなかには、この変化を千載一遇のチャンスととらえて、すすんで協力者になっていったひともいます。とりわけ、少子化に対する政財官界の危機感は強いものでしたから、このままでは女が子どもを産んでくれない、と危機感をさらにあおり、男女共同参画政策をすすめないと事態はもっと悪くなりますよ、と脅迫しながらかねてよりの主張を通すことを画策するひとたちもいました。その彼女たちが主張の根拠としたのが、先進諸国の女性の就労率と出生率との相関のデータです。

一九八九年の1・57ショックから日本の出生率はさらに低下を続け、二〇〇五年に1・26と史上最低になったことは記憶に新しいでしょう。日本と同じように超低出生率の社会に、ドイツやイタリア、アジアでは韓国があります。これらの社会の共通点は、女性の社会進出の度合いが低いこと。つまり性差別と低出生率とは相関するように見えます。他方、先進諸国で相対的に高出生率――とは言っても、人口置換水準2・07以下の1・8以上にとどまりますが――を維持している諸国は、スウェーデンやノルウェーなどの北欧諸国、それにイギリスとフランスの西欧諸国です。これらの諸国における女性の就労率と出生率とをクロスさせてみると、高い相関があることがわかります。したがって女が労働参加するほど、子どもがたくさん産まれる、という命題が成り立ちます。

この発見から導かれる政策は、日本における低出生率は女性の労働参加の低さが原因だから、それを解決すべし、ということになります。たとえば企業における出産離職の慣行をやめさせるとか、保育所を増やして待機児童をなくすとか、子育てが容易になるように企業のワーク・ライフ・バランスを促進するとか、いわゆる仕事と育児「両立支援」策です。待機児童をなくすというのは、ずっと以前から叫ばれてきたことで、昨日今日急に登場した要求ではありません。それを少子化に便乗して実現させたいと思ったひとびとがいてもむりはありません。ですが、待機児童をなくすことも、ワーク・ライフ・バランスを促進することも、子どもを産んでしまったひとたちにとっては意味のある政策でしょうが、これから子どもを産もうとするひとたちに効果があるかどうかは、判定できません。民主党政権が唱えた子ども手当（二〇一二年度からは児童手当）にしても、子どもをすでに持っているひとたちにとっては朗報でしょうが、子ども手当があるからと言って、出産を決意するひとたちが増えるとは考えにくいでしょう。事実各国の出産奨励策のうち、現金ばらまき政策ほど出生率の向上に効果が認められないものはないことはすでにあきらかになっています。

図表 9-1　女子（25 ～ 34歳）の労働力率と出産率（1995年）

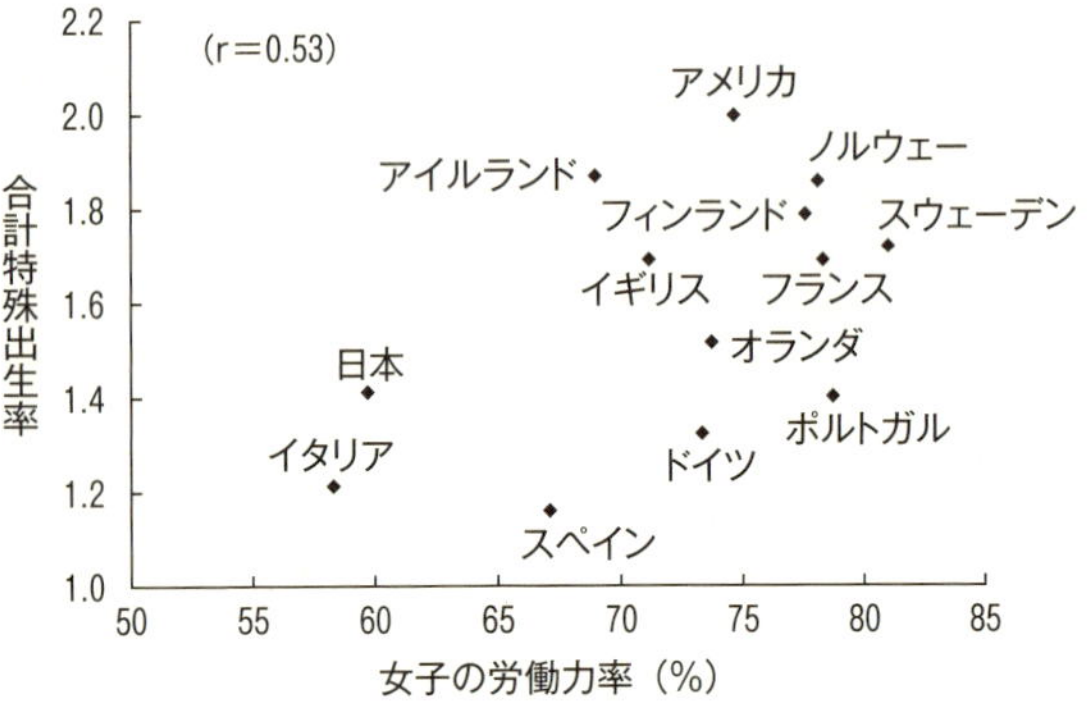

出典：「子どもが減って何が悪いか！」赤川学　ちくま新書より
（資料：女子の労働力率はOECD、*Labour Force Statistics*, 1996, 出生率は Council of Europe, *Recent Demographic Development in Europe*, 1997.
出典：阿藤誠『現代人口学』202頁）

両立支援策があれば、働く母親の離職は抑制され、女性の就労率は上がるでしょう。だからといって両立支援策があるから出生率が増える、という命題が成り立つとは限りません。

女がより多く働く社会では、出生率はより高い傾向があるという命題に対して、これはフェミニストのまちがったデータの用い方だと批判したのは社会学者の赤川学さんでした（『子どもが減って何が悪いか！』ちくま新書、二〇〇四年）。フェミニストは無知からかあるいは故意からか、データの恣意的な利用によって政策決定を誘導している、と彼は批判しました。というのはデータの対象国をOECD諸国からさらに拡大すれば、女性の就労率が低く出生率の高い社会はいくらでもあるからです。

よく引用されるデータは生殖年齢の女性（二十五―三十四歳）の労働力率と合計出生率とをXY軸にとってマッピングしたものです[5]（一九九五年）【図表9-1】。OECD諸国のうち十三カ国（イギリス、フランス、ドイツ、オランダ、イタリア、スペイン、ポルトガル、アイルランド、スウェーデン、ノルウェー、フィンランド、アメリカ、日本）のあいだではゆるやかな右肩上がりの傾斜を示すことから、「女性の労働力率の高い国ほど出生率も高い」という命題を導き出しました。

ですが、赤川さんはわずか十三カ国で相関を出すこと自体に問題があると批判します。OECD諸国だけでも加盟国は計二十五カ国（九五年時点）。ニュージーランド、オーストラリア、デンマーク、カナダ等の他の加盟国を加えて同じように相関をとってみると、相関係数はマイナス、すなわち逆相関となります。つまりここからは「女性の労働力率が高いほど出生率は低い」という命題が導き出されます。つまり先のデータは、先に結論ありきで、「女が働く社会ほど、子どもが産まれる」という命題を導くために、それも相対的に出生率の低い先進諸国のみに限定して、母集団を恣意的に操作した結果にすぎない、というのです。

たしかに就労率と出生率の相関だけをとれば日本でも地方で女性の就労率の高い地域ほど出生率も高いということがわかっています。ちなみに就労率の高い順に福井、石川、富山の各県、就労率も出生率も高いのが、富山、山形、石川の各県です。こうやって県名を挙げてみると県民所得の平均が低く、女性の地位の低い地域だという共通点があります。反対に都市化のすすんだ地域、東京、京都、神奈川、奈良等の大都市圏では女性の就労率も低く、出生率も低いことが知られています。もしこれが正しければ、出生率を上げるためには都市化や近代化をすめず、女性を低賃金でどんどん働かせたほうがよい、という極論すら生まれそうです。反対に就労率が高まると出生率が下がるところでは、出生率を上げるためには、労働市場における女性差別を強化すればよいという人的資本論者の説もあるくらいですから、女性の就労率を上げるために、男女共同参画政策を推進すればよい、という因果関係は成り立ちません。

ただし、のきなみ低出生率を経験している先進諸国に限ってみれば、以上のデータに経年変化を入れてみると、いったん低下した女性の就労率が一九八〇年代から上昇に転じると同時に出生率も上がっていることが確認できます。ここに育児休暇や保育所の整備など両立支援策を投入した政策的なファクターを入れてみると、少子化に悩む多くの先進諸国のうち、いったんは出生率低下に直面した諸国が、その後やつぎばやに政策的介入をしたおかげで就労率が持ち直し、それとともに出生率も上昇に転じていると言えなくもありません。ですから赤川さんの批判はいちがいに当たっているとはいえないのですけれど、そのいっぽうで、出生率を上げるにあたって政策の効果があったかどうかについては疑わしさが残ります。というのも、同じ時期に同じような出生率の動向を示す複数の諸国のうち、スウェーデンとフィンランド、フランスとイギリスは、前者が手厚い両立支援策を実施しているのに対し、後者はかならずしも同じような政策的対応をしてこなかったにもかかわらず、結果にちがいがないからです。

　家族政策を実施してもしなくても結果は同じ、という状況を「収斂効果」といいます。比較的出生率の高い（子沢山の）移民集団が、移住したホスト社会の出生率の動向に、一〜二世代のうちに同調してしまう傾向があることも知られていますが、その理由はよくわかっていません。このように、人口現象とはどうやって起きるかよくわからない複合的な現象なので、政策的介入に効果があるかどうかは測定がむずかしいのです。

　ちなみに赤川さんは同書で「少子化はなぜ進むのか。それを食い止めることは可能なのか」という問いに対しては「不可能」と、「男女共同参画社会が少子化対策として有効でないとしたら、男女共同参画は必要ないのか」という問いに対しては「否」を、そして「少子化が進み、人口減少社会が到来する今後、どのような政策が望ましいのか」という問いには「出生率低下を与件とする制度設計が望ましい」と答えています（同書、24頁）。つまり少子化は止められないけれど、それとは独立して男女共同参画政策は必要だ、と主張しています。

　出生率を上げたければ両立支援策をおやりなさい――という命題は、したがって成り立ちません。ですから少子化を人質にとって、この機に乗じて女性にやさしい政策を政府に実現させようというフェミニストの「陰謀」（？）は、赤川さんのいうとおりに、実は根拠がありません。しかし、同時に彼が主張するように、子どもが増えようが増えまいが、すでに生まれた子どもに対するファミリー・フレンドリー&チャイルド・フレンドリーな政策はぜったいに必要なのです。

チャイルド・フレンドリーといえば、最近また満員電車の中のベビー・バギーが迷惑という論争がメディアを賑わせました。ベビー・バギーを押して歩いたとたん、子連れの女性は障害者と同じ困難を路上で味わいます。子育て中の若い友人は、電車に乗るときは周囲の視線を感じて緊張するといいます。こんな話を聞くにつけても、日本はチャイルド・アンフレンドリーな社会だ、こんなところで子どもを産み育てる気になれないと若い女性が思ってもムリはない、というものでしょう。

ネオリベ改革派は女にもっと働いてほしいと望み、フェミニストは女がもっと働けるようにしてほしい、と望んでいます。したがってはたから見ると、ネオリベ派とフェミニストとは共通の目標を持っているように見えます。両者は同盟を組んで共闘しているかのように見えたこともありました。バックラッシュ派にはそう見えたことでしょう。

ですが大きな違いは、どんな働き方をするか、にあります。ネオリベ派は女に男並みの競争に投げこまれるか、それとも使い捨ての労働力になることに甘んじるかを迫りました。他方フェミニストはそのどちらをも拒否しました。結果はごらんのとおりです。市場の再編と労働の柔軟化の過程で、労働側は経営側に譲歩に次ぐ譲歩を強いられ、やられっぱなしの結果となりました。それが過度の少子化につながったことはこれまで述べたとおりです。

フェミニズムに悔いがあるとすれば、この過程で有効な抵抗ができなかったことです。フェミニズムだけでなく、労働運動を含めて対抗勢力がすべてなしくずしに骨抜きにされていきました。「労働のビッグバン」こと雇用の規制緩和に労働組合のナショナル・センター、連合が同意を与えたことはすでに述べましたし、組合はそもそも非正規労働者に関心を払ってきませんでした。そのなかでも非正規労働者の組織化に熱心だった全国コミュニティ・ユニオン連合会会長の鴨桃代さんが、二〇〇五年の連合会長選に、当選確実と見られていた高木剛会長（当時）の対抗馬として落選覚悟で立候補したのは、そういう状況に対する異議申し立てでした。コミュニティ・ユニオンとは、企業別組合に対して、中小零細の企業の雇用者でもひとりから加入できる任意加入の地域組合のことです。鴨さんばかりでなく、そういう組合の担い手の多くは女性でした。

フェミニズムはなぜ有効な闘いが組めなかったのか？

その問いはわたしにもきびしく迫ってきます。グローバリゼーションのもとでの激化する国際競争、バブル崩壊以後の長引く不況と円高、少子高齢化の進行と人口減少社会の先行きの暗さ、それにだめ押しをするかのような大震災と原発事故――いくらでも理由をあげられます。右傾化する政治風土のもとでのメディアの無理解とバックラッシュ派の攻撃という「抵抗勢力」をあげることもできます。ですが、わたしには、ネオリベ改革がもたらした女の分断、つながる必要があるのに連帯できない女性の状況が原因と思えてしかたがありません。フェミニズムを聞いたことも見たこともない若い女性たちは、自分たちの力を、他の女とつながるためにではなく、他の女を出しぬくために使っていると思えてならないのです。

1　パート労働者が正社員化をのぞまない、という意識調査のデータは、長らく「パート差別」のために政治的に利用されてきた。短時間就労を望むことと、賃金差別を受忍することとは別。パート労働に、「身分差別」というしかない不当な賃金差別があることについては、大沢真理の名著『企業中心社会を超えて―現代日本を〈ジェンダー〉で読む』（時事通信社、1993年）を参照。家庭責任と両立するために長時間労働や残業はやりたくない、というひとびとがいて当然。そういうひとびとが賃金差別を受けずに、「同一労働同一賃金」の原則が適用されたらよいのである。

2　Gøsta Esping-Andersen（2009）*The Incomplete Revolution: Adapting Welfare States to Women's New Roles*, Cambridge, Polity Press. 大沢真理監訳『平等と効率の福祉革命―新しい女性の役割』（岩波書店、2011年）。

3　Osawa, et al. ed.（2007）*Gendering the Knowledge Economy : Comparative Perspectives*, Basingstoke and New York : Palgrave Macmillan.

4　のちに二〇〇三年石原政権二期目の都知事選挙に対抗馬として立候補し、石原の政敵となった。

5　赤川が挙げているのは以下の二例である。阿藤誠『現代人口学』（日本評論社、2000年）202頁。

大沢真理『男女共同参画社会をつくる』（ＮＨＫブックス、２００２年）15頁。赤川が指摘するようにこのデータは行政の啓発誌や女性学研究者の論文等に引用され、「使い回され」た（赤川、前掲書、12頁）。

第十章　性差別は合理的か？

「労働崩壊」の犯人は誰か？

日本社会の労働における性差別がなくならないこと、それどころかもっときびしくなっていることを論じてきました。男女賃金格差もなかなか縮小しませんし、女性の正社員比率は減少するいっぽうですし、管理職も課長級以上はいっこうに増えず、出産離職もあいかわらず。それだけでなく、せっかく整備されたはずの労働法制はちっとも女性を守ってくれず、それどころか「労働のビッグバン」こと、雇用の規制緩和の道をつっぱしってきたことを示しました。

二〇一二年十月十三日、日本学術会議主催で「雇用崩壊とジェンダー」の公開シンポジウムが開催されました。どこにあるかよくわからない盲腸のような日本学術会議は「学者の国会」と呼ばれていますが、そこも十年前から改革に乗りだし、女性会員比率を二〇%までにあげてきました。そのおかげでジェンダー関連の分科会が四つもでき、その四団体が共催して実現にこぎつけたものです。

その準備の過程で、テーマを「雇用崩壊」とするか、「雇用破壊」とするかで、迷いました。「雇用崩壊」といえば、なにやらさらさらと崩れていく自然現象のような響きがありますが、「雇用破壊」といえば、「破壊」した犯人がいるはずだ、という気分になります。そのとおり、雇用崩壊には犯人がいます。その共犯者たちが、政財官界の政策決定者たちに加えて労働界のオジサマたちであったこともすでに論じました。当日のシンポジウムでは、おおかたの報告者の見解が次の点で一致しました……今日の女性の窮状を招いた元凶は、九〇年代以降のグローバリゼーションに加えて、それ以前から職場にがっちり組みこまれていた性差別であること。ふたつがあいまって、使い捨て労働力としての女性労働者の規制緩和をすすめてきたのだ、と。その場でコメンテーターのひとりを務めたジェンダー法学者の浅倉むつ子さんは、学問も共犯者だった、と反省の弁をのべました。九〇年代以降の労働法学は、「規制緩和法学」だった、と。

その背後には、女は家計補助型の労働力である、という牢固とした信念がありました。近代家族の神話、と言ってよいかもしれません。わたしは「神話」を根拠のない信念集合、という意味で使っています。夫という稼ぎ手がいるのだから、低賃金でもよい、いつでも帰れる家庭があるのだから、不安定雇用でもよい、と。だからこそ、企業はパート労働を「(既婚)女性向け」の労働として創りだしたのです。イギリスのフェミニスト社会学者、シルヴィア・ウォルビィは低賃金のパートタイム労働に女が就くのではない、初めから「女向き」につくられたからこそ低賃金なのだと論じました。同じことをパートタイム労働者の低賃金は、いかなる合理的理由でも説明がつかず、「身分差別」というほかない、と喝破したのが、大沢真理さんでした。[1]

実際には女性労働者のなかには既婚女性だけでなく、結婚していない女性もたくさんいます。結婚している女性だって、夫が病気だったり、失業中だったりすることがあります。夫がいても死別することもありますし、離別もあります。それだけでなく晩婚化で未婚の女性は増え、非婚化で生涯シングルの女性も確実に増えています。女性が「家計支持者」であるケースが現実にはどれだけ多くても、タテマエ上、女は男に養われる者、という社会通念がいまだに流通しています。というよりも、そういう社会通念を利用して、企業は女性差別をしている、と言ったほうがよいでしょう。

したがって結婚からはみだした女、とりわけシングルマザーの貧困がもっとも深刻になります。自分自身が家計支持者であるだけでなく、育児負担までかかえこんでいるからです。貧乏がいやなら、未婚の女性はがんばって「婚活」したらよいのですし、離別女性も死別女性も「再婚市場」に登場したらよいのでしょう。死別女性が再婚したら、寡婦控除も遺族年金も打ち切られます。離別女性が再婚したら、元夫からの養育費も支払われなくなります。新しい夫が彼女と子どもを養うことになっているからです。法律婚でなくて、事実婚でも同じです。[2] だからこそ役所の担当者はシングルマザー世帯の玄関に男物のはきものがないかチェックするのですし、プライバシーを根掘り葉掘り訊かれる屈辱に、彼女たちは耐えなければならないのです。

企業は性差別的か？

「ジェンダー」も「身分」も、むずかしく言うと経済外変数です。経済外変数から経済的利益を得ることを、「差別」と呼びます。差別はたしかに不公正ですが、その差別から利益を得ているとしたら、企業は少なくとも経済合理的にふるまっていることになります。

労働市場の女性差別を合理化してきた企業の言い分に、女性の高い離職率があります。女は雇っても短期間で仕事を辞める、だから教育研修コストはかけられない、だから昇進できない、だから非熟練労働力にとどまる、だから低賃金になる……つまり自己責任だ、というものです。たしかに戦後長期にわたって、女性は結婚離職があたりまえでした。それが出産離職に移行したのは七〇年代のこと。ただし当時もいまも、結婚後一年以内に出産するケースが大半ですから、結婚退職しなくても出産退職するまでにわずかな時差がある程度。結婚離職が出産離職に変わっても、離職年齢が一年程度先送りになるにすぎません。結婚だけでは今や女性の就労の妨げにならないことは常識ですが、日本では結婚しても出産しないＤＩＮＫＳのカップルはほとんど増えませんでした。むしろ、出産することが結婚の最大の目的になっていますので、妊

図表10-1　女性の出産離職率

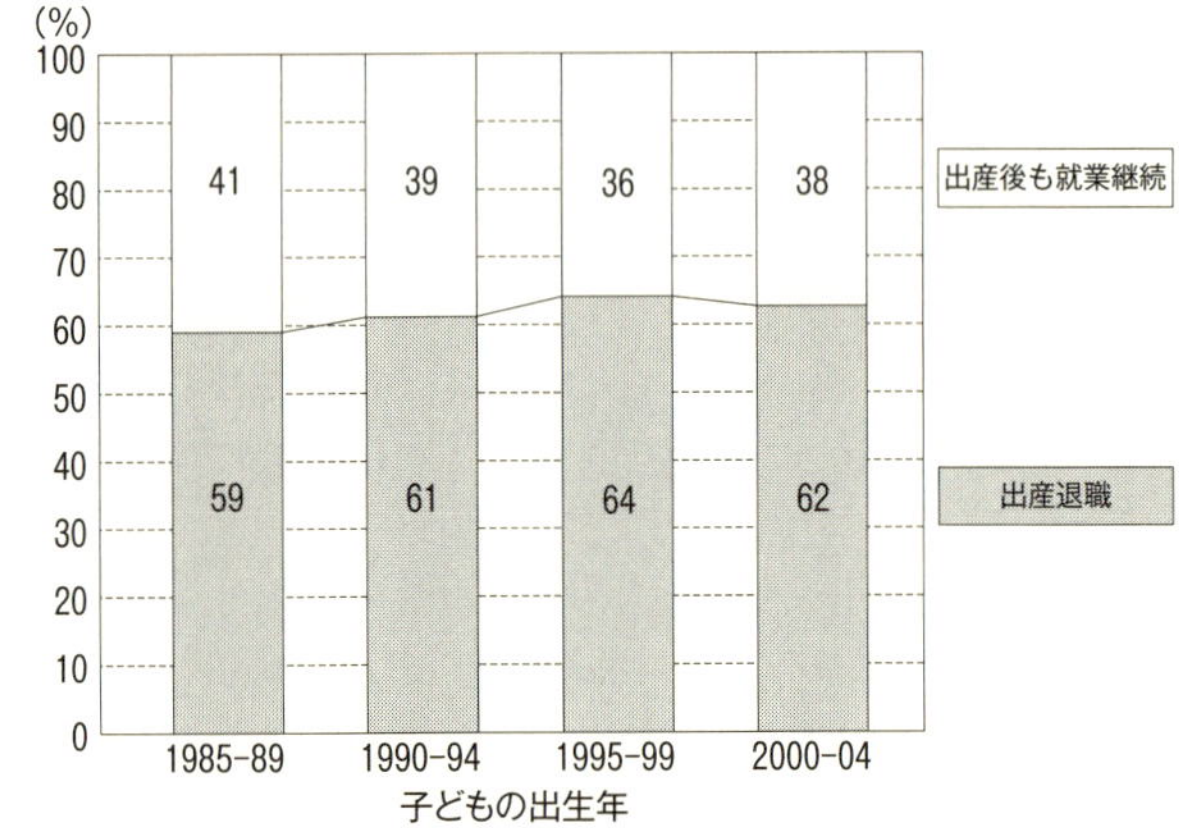

(国立社会保障・人口問題研究所「第13回出生動向基本調査(夫婦)」をもとに作成)

娠するまで結婚を先延ばしする「できちゃった結婚」が増えてきました。

八〇年代から二十年以上にわたって女性の出産離職率は六〇%台を横ばい状態で、ほとんど変化がありません【図表10-1】。そうだろう、やっぱり女は子育て優先、出産離職をするからリスクが大きいんだ、安心して雇っていられない……と企業は言いそうです。ちょっと待って下さい。

長期にわたる出産離職率の変化の少なさの背後には、まず第一に非正規雇用率の上昇があります。せっかく一九九一年に育児休業法ができたのに、それもとらないでさっさと辞める女の自己責任だ、という声が聞こえそうですが、育児休業法は正規雇用の労働者にのみ適用されるもの。非正規雇用の女性は、妊娠を上司に告げたとたん、解雇されるといいます。もちろん労働基準法には、「労働者を妊娠・出産を理由に解雇してはならない」とありますが、非正規なら、契約期間満了、雇い止めを理由に、辞めさせられます。これまで述べてきたように、雇用区分が違えば、男女雇用機会均等法も育児休業法も、非正規雇用者には届かないのです。

第二に、待機児童数の増加に見られる保育行政の貧困があります。少子化で子ども数が減っても不況で働きに出たい母親が増えているから、待機児童が増えているのです。しかも出産離職後、子どもが小さいうちに働きに出たい女性が増えています。日本ではゼロ歳児から二歳児までの保育、延長保育、夜間保育、病児保育、障害児保育……が圧倒的に不足しています。にもかかわらず、それに対する対応は遅々としてすすみません。政権交代時の民主党は「子ども手当」で計二兆円以上の予算を提示しましたが、それだけのおカネを使うつもりがあるなら、保育施設の充実にまわしたほうが、効果があったでしょう。働きつづけたくても働けない……それがワーキング・マザーの現実なのです。

実のところ、不況下で女性の就労継続期間は長期化しています。辞めたくても辞められない、寿退職もしないできない、女性たちが増えています。にもかかわらず、使用者側からしてみれば、女性労働者は短期間で離職することを前提に、いえ、短期間で離職してくれなければ困るように、人事管理システムができているのです。

六〇年代までは職場に結婚退職制がありました。採用時に、「結婚と同時に退職します」と念書を書かせる企業もありました。それでも辞めない女性には、「若年（三十歳）定年制」がありました。三十歳になったら使いものにならないとはとんでもないことですし、事実その頃には職場のベテランになっているはずなのに、その女性たちに居てもらっては困るように人事制度ができていたのです。男性と女性の定年年齢に差がある差別定年制もありました。男性の定年年齢が五十五歳の時、女性は五十歳。企業側の言い分はこうでした……「女は早く老ける」。噴飯ものです。今では逆に女のほうが男よりずっと若々しい、と思えます。

こういう差別的な人事管理に対して、先輩の女性労働者は法廷で闘ってきました。そのおかげで、七〇年代までには、結婚退職制も、若年定年制も、差別定年制も次々に違法化されてきたのですけれど、制度はなくなっても慣行は残ります。今でも結婚や出産によって「肩叩き」を受ける女性は少なくありませんし、異動や配置換えで「戦力外通知」を受け、いたたまれなくなって自分から辞めるように仕向けられる女性も絶えません。また、そんなことをしなくても、最初から女性を非正規区分で雇っておけば、差別だと言われずに、いつでも解雇できるようになりました。

八〇年代、雇用の柔軟化が進んだ頃、こういう例に出会ったことがあります。大卒女性を一年契約の契約社員として採用し、最長契約期間を十年とする、という人事管理を導入した企業がありました。忘れもしません、東京電力の子会社です。採用初年度は、契約社員のほうが正社員の初任給よりも高かったので、人気職種でした。ですが、十年経てば契約打ち止め、実質的には法を犯すことなく若年定年制を実施することができます。なるほどこうやって先輩女性たちが闘ってかちとった若年定年制の違法化は、骨抜きにされていくのか……と感慨を覚えたことを思い出します。この制度にはおまけがついていました。契約期間十年満了の社員のなかから、優秀な女性を正社員に登用するというしくみです。正社員になれるという希望のもとに契約社員たちを競わせ、そのなかで実績を挙げた有能な女性だけを正社員採用する……つまりリスクを負わずに、果実だけをゲットするうまいしくみだ、と舌を巻いたことがあります。使用者のほうが雇用者の側より、いつも一歩先を行く狡猾さにおいて、勝っていたのです。

差別雇用している女性社員に予想よりも長期に居すわられると、企業は困ります。だからこそあの手この手で離職を誘導してきたのですけれど、それでも辞めない女性社員には、やがてあのひとたちがいっこうに辞めてくれないから、あなたがた若い女性を採用できないのだよ、と「お局さま」という蔑称が奉られるようになりました。こうして女性の分断支配が始まります。こういう女性たちをデッドエンド・ゾーンに隔離しておくために、「一般職」という雇用区分が生まれたようなものです。配置・昇進に「総合職」と差のある一般職では、勤続十年以上から格差がはっきりしてきます。事実正社員の所定内給与の比較では、女性雇用者の給与水準は四十代から横ばいになり、年齢とともに男性社員との格差が拡大する傾向にあります。

こんな相談を受けたことがあります。

「丸ノ内ＯＬ、勤続二十年のアラフォー。結婚までの腰掛けのつもりだったのに、今日まで出会いがなく、いつのまにか四十代に突入。仕事はルーティンだし、この先の展望もない。わたしはこれからどうしたらよいのでしょう」

企業にはこういう煮詰まった女性社員がどこにでもいそうです。だからこそ、なおのこと企業は女性社員を採用することに慎重になり、「一般職」正社員を派遣や契約に置き換えてきたのでしょう。そして気がつけば……こんなに法律が整備されたのに、かえって差別的処遇を受けても「女性差別だっ」と言えないしくみができてしまったのです。

性差別は合理的か?

経済学者の川口章さんに『ジェンダー経済格差』(勁草書房、二〇〇八年)というすぐれた著作があります。二〇〇八年度の「日経・経済図書文化賞」を受賞した名著です。副題を「なぜ格差が生まれるのか、克服の手がかりはどこにあるのか」と題した本書は、「企業は性差別から利益を得ているのか?」、すなわち「性差別は合理的か?」という問いに、まっ正面から経済学的に応えようとした本格的な研究書です。こういう骨のある本に、財界のオジサマ向けの日経新聞社が賞を授与したというのもなかなかの見識ですし、そもそも男性のエコノミストが純粋に経済学的な手法で「性差別は合理的か」という問いに取り組むというのも、めったにあることではありません。

川口さんは「ジェンダー経済格差は、男と女と企業の三者間における協力、対立、駆け引きの結果として生ずるもの」（同書4頁）として、これに「ゲーム理論」を採用します。ゲーム理論では、すべてのプレイヤーが自己利益を最大化するようにふるまう合理的な意思決定者であることが前提されています。その結果、「日本的雇用制度[3]と家庭における性別分業という相互依存的な二つの制度が、わが国のジェンダー経済格差を大きく、安定的なものにしている」（同書14頁）ことを明らかにします。

川口さんは「（企業にとって）差別は合理的か」という問いを立てます。もしそれが企業の経済的利益を損なえば「非合理的」、反対に「経済的利益」に貢献すれば「合理的」と判定することができます。オヤジはミソジニー（女ギライ）だから、ホモソーシャル（男同士の集団）が大好きだから、経済的利益を犠牲にしても性差別を維持している……ということになれば、オヤジとは非合理な生きものだっ、と批判することができますが、もし差別が「合理的」だとすれば、彼らは「すまんねえ、ボクらも女性を平等に処遇したいのだけれど」、残念ながらキミたちの能力が低いから、意欲がないから、仕事にうちこんでくれないから……「差別しないわけにいかないのだよ」ということになります。

ここでいう企業の性差別とは、次の三つの指標で測定されます。⑴正社員に占める女性の割合、⑵管理職（課長以上）に占める女性の割合、⑶三十五歳時の男女賃金格差。この指標でいえば「差別企業」とは⑴正社員を雇うなら女より男を優先し、⑵管理職には男性を登用し、⑶その結果として勤続年数が長期化するほど男女賃金格差が拡大する企業だ、ということになります。これらの企業の性差別慣行は、さまざまなデータによって裏付けられています。「企業の利潤最大化行動の結果として（統計的＝引用者追加）差別が発生するということ」（同書84頁）になれば、企業にとって、性差別は合理的選択の結果です。川口さんによれば、その最も高い説明変数は、離職率のジェンダー格差です。女性を差別的に処遇することで、離職コストを支払わずにすむだけでなく、あらかじめ差別的な処遇のもとで、男性なみに優秀な女性を低コストで使うことができるからです。

同じような性差別についての「合理性仮説」は、これまでも流通してきました。女は結婚、出産、最近ではそれに加えて介護で離職する確率が高い、したがって長期蓄積能力活用型の日本型雇用制度のもとでは、人材育成費用の回収ができない、しかも結婚・出産後は家庭責任のおかげで戦力にならない、またもともと腰掛けのつもりだから企業ロイヤリティが低い……したがって企業社会が男並みの正規のメンバーとして迎え入れるだけの資格のない「二流の労働者」だというわけです。そして女が「二流の労働者」である理由は、女性自身に帰責されてきました。「辞めるオマエが悪い」と。

彼の発見は、これまでの通説を裏付けるものでした。企業にとっては「女性を差別する」ことが「合理的である」（同書16頁）。なぜならば、女性の離職確率が高いから。反対に「女性の離職確率が低下すれば、企業が女性を差別する合理的理由はほとんどなくなる」（同書15頁）と言います。

「離職確率の高い女性を差別するのが企業にとって合理的であるからこそ、わが国にはそのような企業が多いのである」(同書16頁)

……やっぱり。

こう言われてしまえば「辞めるオマエが悪い」、性差別は女性の自己決定・自己責任の結果だということになってしまいます。女性は短期間で離職する、離職リスクが高いから企業は女性を採用することに及び腰になる、したがって離職を前提とした女向けコースをつくる、採用された女は短期離職を前提に仕事をする、結果として職場で煮詰まった女性の離職率はさらに高まる、その離職率を前提に企業はふたたび差別的人事制度を運用する……堂々巡りです。その背後には、家庭責任がもっぱら女性にばかりかかる「家庭における性別分業」があります。そして川口さんの指摘するとおり、「家庭における性別分業」と「日本的雇用制度」とのあいだに強い「相互依存関係」があるのですけれど、市場の外部にどのような変数があるかに経済学は関与しない、すなわち市場にとっては市場外変数はすべて与件としてこれを扱うということになっていますから、「家庭における性別分業」が公正か否か、適切か否かを経済学は問いません。市場はその気になれば南北格差も人種差別も自らの利益最大化のために利用する「合理的行為者」から成り立っていますから、市場外で「なぜ女ばかりが家事・育児・介護を担うのか」という問いは、発されることがないのです。

差別型企業と平等型企業

ところで、川口さんの分析はここで終わりません。副題にあるように、「克服の手がかりはどこにあるのか」にまで、答えようとします。というのは、女性を差別しないことでより高い利益を上げている企業も実際に存在するからです。

川口さん自身の研究もこれを裏付けます。かれは労働政策研究・研修機構の「企業のコーポレート・ガバナンス・CSRと人事戦略に関する調査」をもとに、上場企業二千五百三十一社を対象にした二〇〇五年の調査データを徹底的に実証分析することで、差別型企業と平等型企業の比較をしています。ここでいう「性差別」の指標は、次の三つです。(1)正社員に占める女性の比率、(2)管理職に占める女性の割合、(3)ポジティブ・アクション施策数。[4]

分析の結果、差別型企業と平等型企業とでは次の違いが見られたといいます。差別型企業の特徴は、(1)企業規模が大きい、(2)売上高が大きい、(3)一人前になるまでの期間が長い、(4)社員の勤続年数が長い、(5)福利厚生制度が充実している、(6)株主より銀行を重視する傾向がある。それに対して平等型企業の特徴はすべてこの反対、(1)企業規模が小さい、(2)売上高が小さい、(3)一人前になるまでの期間が短い、(4)社員の勤続年数が短い、(5)ポジティブ・アクションがある、(6)銀行より株主を重視する傾向がある。このふたつを比較して得られた結論は、日本的雇用制度と女性の活躍に関わる二つの仮説、「日本的雇用制度の諸特徴が女性の活躍を妨げている」、「効率的経営を追求する企業では、女性が活躍している」がいずれも支持された、というものです（同書248頁）。つまり前者は雇用保障と企業福祉が充実しており、男性稼ぎ主型の労働者を雇用している従来型の大企業、後者は女性も男性も共稼ぎ型の労働者の多い、新興のベンチャー型企業であることがわかります。後者を川口さんは、「株主のガバナンスが強く多様な経営改革に取り組んでいる」革新的企業（同書245頁）、と呼びます。

さらに踏みこんで彼は、女性が活躍している平等型企業では「売上高営業利益率が高い」ことを立証します。

川口さんのまとめによれば、先行研究からもすでに以下のようなことがわかっています。

①社員に占める女性の割合が高い企業は、企業利潤が高い
②社員に占める女性の割合が高い企業は、企業成長率が高い
③生産物市場の競争が激しい産業の企業は、社員に占める女性比率が高い
④生産物市場の競争が激しい産業の企業は、ジェンダー賃金格差が小さい（同書92頁）

それなら、差別型企業と平等型企業とでは、どちらが「経済合理性」にかなうのでしょうか？

大企業ならば売上高が大きいのはあたりまえ。ですが、売上高に対する営業利益率が高いほうが、企業の経営効率は高いことになります。社員の生産性もより高いでしょう。このふたつの企業が市場で競争したらどうなるでしょうか。

企業は商品市場で競争するだけでなく、資金調達のための金融市場でも競争しなければなり

ません。企業間の株の持ち合いで安定している大企業はともかく、新興のベンチャー企業は株主に対して訴求力がなければなりませんから、「銀行より株主を重視」するのはよくわかります。ところで金融市場とは、貨幣を投票用紙とした日々の投票行動の集積と言ってよいものです。だとしたら金融市場においても、最終的には売上高営業利益率の高い企業の方が、株主にとってより魅力的である（株式配当率が高い）ということにならないでしょうか。

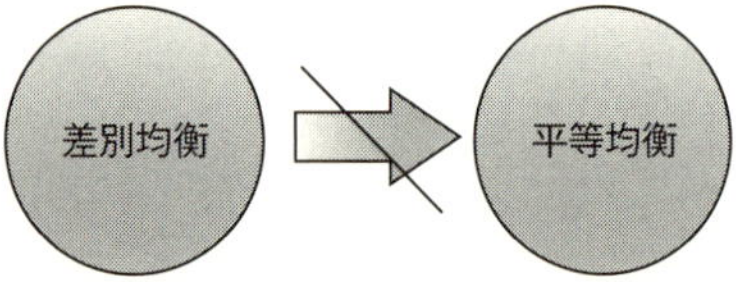

図表10-2　命題＝差別均衡は平等均衡へ移行しない

そう考えれば、平等型企業の方が差別型企業よりも、より経済合理性が高い、という結論に導かれそうです。それなら差別型企業も経営改革に取り組んで、女性社員比率を高めたらよさそうなものです。が、川口さんはここでおそろしい答を出します。差別型企業は、差別を組みこむことですでに合理的に均衡している。したがって内部改革をする必要を感じない、と。

差別型企業は差別均衡のシステムを維持しています。平等型企業は平等均衡のシステムをつくっています。それぞれが均衡系として作用しているために、一方から他方へと移行する理由も必然もない【図表10－2】。これが差別型企業が平等型企業に移行しない理由です。

「日本的雇用制度は女性差別を不可欠の構成要素としており……日

本的雇用制度の諸特徴が女性の活躍を妨げている」と川口さんは言います。その差別型企業は差別によって均衡を維持しています。その一角を崩すことは均衡系の全体を崩すことにつながります。例えば評判の悪い新卒一括採用を考えてみましょう。新卒一括採用を止めようというかけ声がどんなに大きくても、やめるにやめられないのには理由があります。これが日本的雇用制度の「長期蓄積能力活用型」人材育成と強固に結びついているからです。小泉元首相は就職氷河期にあたって「卒後三年新卒扱い」を提唱しましたが、これはまったく何の効果もありませんでした。いくら「新卒扱い」の期間が延びても、後から次々に参入してくる新・新卒者との競争が激化するのみならず、「新卒一括採用」制度そのものは少しもゆらがないからです。

もうひとつ定年についても考えてみましょう。日本企業で定年延長がこれほどむずかしいのは、年功序列給与体系が背景にあるからです。二〇一三年四月には労働者を（希望があれば全員）六十五歳まで雇用を義務づける改正高齢者雇用安定法が施行されましたが、コストの高い（生産性の劣る）人材を雇い続ける負担を減らすために、企業は所定内給与を半分に減額する再雇用制度などをうちだしました。これをうまくまわすためには、年齢と地位、給与の三点セットの連動を崩すことで、企業の組織体質を変えなければなりません。再雇用者にしてみれば自分より年下の上司に仕えることを受けいれなければなりませんし、反対に上司はかつての先輩を指揮命令しなければなりません。やりにくいこと、はなはだしいでしょう。その背後には、ほぼ年齢だけが査定評価の対象となってきた日本の人事考課システムがあるのですけれど、これを職務給・能力給のシステムに変えるのはなみたいていのことではありません。ことほどさように、たった一年の定年延長ですら、日本的雇用制度に根幹から影響するために、そうはかんたんにいかないのです。

差別均衡を維持している企業は平等均衡に移行しないという、この命題は大規模な既存組織についての多くの経験則を裏付けます。大きな組織にとって、とりわけ過去の成功体験のある組織にとって、内部改革ほどむずかしいものはありません。その理由も必然もないからです。むしろ改革は外からやってきます。まったく異質な組織がその外部で生まれ、無視できないほどの影響力をもつ程度に育ち、やがて既存の組織をのっとり、それに置き換わっていく……考えてみればシステムの革新とは、すでにあるものの内部改革によってではなく、その外にとりついたガン細胞がやがて宿主をのっとるように置き換わることで起きてきたのではないでしょうか。革新者はいつも、既存の大組織の内部ではなく、その周辺や外部から生まれます。

差別型企業と平等型企業が競争すれば？

平等型企業と差別型企業とのあいだで競争が起きれば——というシミュレーションは、もっとおそろしい結論にわたしたちを導きます。この競争が国内市場でだけ起きているあいだは、国内市場の革新が起きているとわたしたちは楽観していることができます。産業構造の革新のなかには、成長部門の勃興とともに、衰退部門の退出があります。この交替がうまくいけば、日本経済も構造改革によって「上げ潮」路線に乗ることができると期待できるでしょう。ですが、これがグローバルマーケットにおけるグローバル企業との競争なら？　差別均衡を維持している差別型企業は、まず商品市場における企業間競争に負けるでしょう。それだけでなく、外国人投資家がこれだけ増えた金融市場における企業間競争にも、負けるでしょう。

差別型企業がグローバルマーケットにおける企業間競争に負ける理由を、もう少し説明しておきましょう。グローバルマーケットとは単一で均質の市場ではありません。それは多様で小規模な市場の集積でできあがっています。そこに参入しようとすれば、商品をローカライズしなければなりません。Think globally, act locally という標語は、企業のグローバル戦略についても当たっています。多様な市場の集積に対応できるための条件は、その市場の多様性と同じような多様性が送り手の側に備わっていることです。それが最近よく登場する企業の「ダイバーシティ diversity 戦略」と言われるものです。その多様性戦略の第一歩は、まず性別の多様性。それから人種、国籍の多様性です。商品市場に登場する末端消費者の多くは女性ですから、そして女性の購買に対する意思決定権はますます増大していますから、「女がわからなければモノは売れない」のはあたりまえ、なのです。家電製品すら男ばかりがつくってきた時代は、終わりました。原発のような巨大工業製品だって、もし女性の技術者がもっと参入していれば、違うものになったことでしょう。

差別型企業は平等型企業との競争に負ける……内部改革を拒み続ける日本の大企業を待ち受

けている運命は、「巨艦沈没」です。中曽根康弘元首相が「不沈空母」と呼んだこの国は、いまや泥舟となって、ゆっくり沈みかけているかもしれないのです。沈みかけた船からまっさきに逃げ出すのは、小動物だといいます。この社会で子どもが生まれないのは、生まれる前のいのちが、泥舟から逃げ出している徴候だと思えてなりません。

「二十四時間戦えますか?」

とはいえ、川口さんのいうように、「女の離職率を下げる」ことが、平等均衡を実現するための唯一の処方箋なのでしょうか。それは、すべての女に、「総合職になってがんばれ」と呼びかけることと、同義でしょうか。「二十四時間戦えますか」のミスター・リゲインの戦列に、ミス&ミセス・リゲインも「男女共同参画」することを意味するのでしょうか。わたしにはそうは思えません。それどころか、川口さんが推奨する平等均衡型の「革新的企業」は、その実株主に顔を向ける短期利益優先型の、究極のネオリベ企業だ、と言えないこともありません。株価と配当を重視する株主は、金融市場で企業価値が下がればさっさと株を手放すでしょうし、同じように企業も使えない労働者をさっさと解雇するでしょう。旧来型の銀行と企業と雇用者の一蓮托生のような共同体に代わって、外資のような株主と企業と労働者のドライな関係が「革新的企業」の特徴かもしれないのです。

それだけでなく、川口さんの周到な議論にも、大きな落とし穴があるように思えてなりません。次章ではそれを論じることにしましょう。

1　大沢真理『企業中心社会を超えて──現代日本を〈ジェンダー〉で読む』（時事通信社、1993年）。

2　離死別の女性が再婚しても、連れ子と新しい夫とのあいだに養子縁組契約を結ばない限り、親子関係は発生しない。父親はあくまで死別・離別した元夫だから、元妻に新しい男ができたかどうかで、その子どもと父親との関係が変更されるというのは理屈に合わない。婚姻契約のなかには、妻がその夫に所属する、という考え方、離婚・再婚はその所属の変更であるという古い考えが残っているからだろう。

3　川口によれば「本書では、『日本的雇用制度』という言葉を、高度経済成長期にその基礎が形成され、二度の石油危機を経てバブル経済期に確立した制度の意味で使用する」（同書4頁、注2）。この記述では歴史的経緯については述べられていても、定義が与えられていない。通常、「日本的雇用制度」は、終身雇用・年功序列賃金体系・企業内組合の三点セットとして理解されるので、本稿ではこの意味で使う。なお、歴史的経緯についても、「バブル経済期に確立した」という理解は正しくない。「高度成長期に成立し、バブル期にその終焉を迎えた」というのが適切だろう。「バブル経済崩壊以降に起きた経済環境の激変により、日本的雇用制度は変容を余儀なくされている」（同書）という状況認識については一致している。

4　前述の「三十五歳時の男女賃金格差」が登場しないのは「大卒三十五歳賃金」に有意な差が見られないからである。それに対して「ポジティブ・アクション施策」とは、以下のものを言う。「ポジティブ・アクションに関する専任の部署、あるいは担当者を設置（推進体制の整備）」「女性の能力発揮のための計画を策定」「女性の積極的な登用」「女性の少ない職場に女性が従事するための積極的な教育訓練」「女性専用の相談窓口」「セクハラ防止のための規定の策定」「男性に対する啓発」等（川口、同書232頁）。

第十一章　ネオリベの罠

はじめに

前章では、このまま女性を差別しつづければ日本企業はグローバル競争に負け、「巨艦沈没」するだろう、と暗い予測をしました。経済学者、川口章さんの著作『ジェンダー経済格差』（勁草書房、二〇〇八年）に依拠して、日本企業が性差別から利益を得ていること、それは企業にとって「合理的」なふるまいであること、その差別均衡が続いているあいだは、日本企業は自己改革の必要を感じないこと――を証明しました。

変化が求められているのに変化のドライブがかからない――その日本に、昨年末、またまた「復興」ならぬ「復旧」政権、文字どおり旧に復する政権が誕生してしまいました。日本の有権者はいったん死んだはずのゾンビの土埃を払って、再び使い回すことを選んだようです。変化より安定を選んだ、というべきでしょうか。ことほどさように旧来型の現状を維持したい慣

図表 11-1　政策リスト回答書・政策カテゴリー別

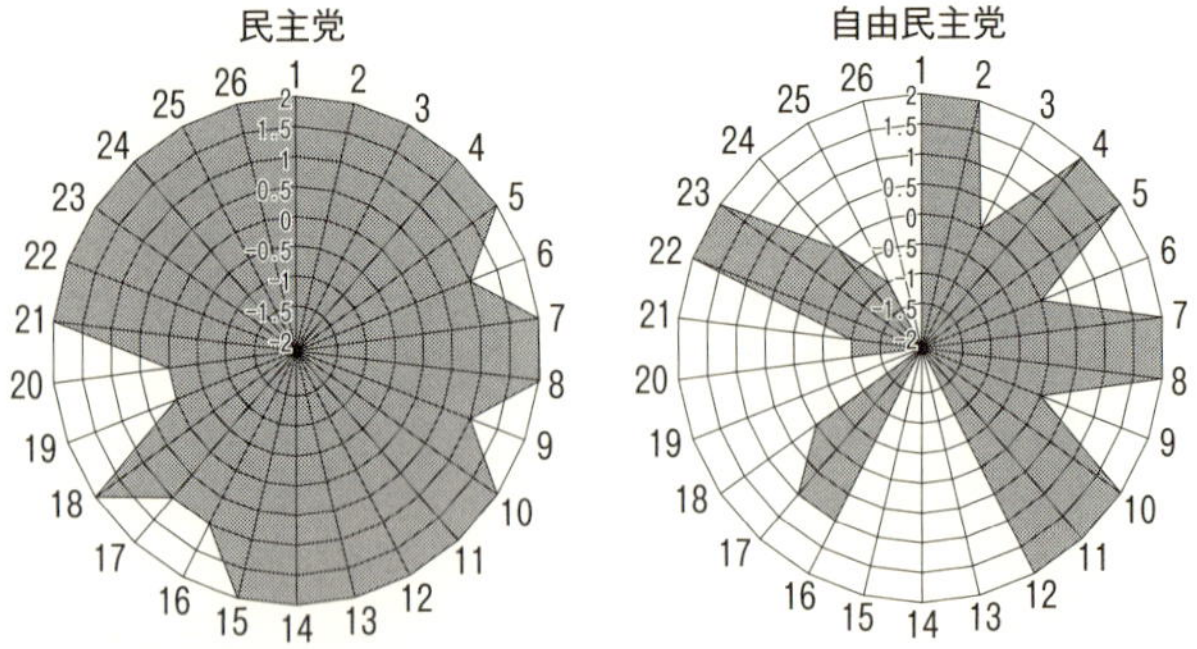

1.9条を厳守　2.24条を厳守　3.原発をゼロ　4.女性の参画　5.女性雇用　6.クオータ制　7.202030
8.同一労働、賃金　9.配偶者控除廃止　10.介護負担軽減　11.子育て支援　12.育児介護休業
13.夫婦別姓　14.婚姻・再婚禁止　15.婚外子差別　16.性暴力　17.DV防止　18.河野村山談話
19.謝罪と補償　20.堕胎罪　21.LGBT　22.貧困解消　23.差別なくす　24.国内推進機構
25.選択議定書　26.国内人権機関

出典：「市民と政治をつなぐ」 P-WAN　http://p-wan.jp/site/

性――これを「保守」と呼びます――は、ねづよいということでしょう。ですが、変化の激しい時代に変化に抵抗することは、それ自体が逆方向への変化ですから、事態は「現状維持」どころか今より悪化するのは、目に見えているのですけれど。

総選挙にあたって、複数の女性団体と個人（二十四団体二百八十五人）が連携して、ネット上で「ジェンダー平等政策」キャンペーンを行いました。わたしはその仕掛け人のひとりです。国連女性差別撤廃委員会CEDAWが二〇〇九年に日本政府にあてて勧告した女性差別撤廃のための国内整備をめぐる五項目十九箇条のリスト[1]にもとづいて、二十六の政策リスト[2]を示し、賛成するかしないかを全政党にアンケートしたものです。その回答はWAN（NPO法人ウィメンズアクションネットワーク）の姉妹サイトである「市民と政治をつなぐ」P‐WANサイト上にアップされています【図表11‐1】。

各政党の「ジェンダー平等度」は、全部賛成の満点52点から全部反対のマイナス52点まで。[3]回答したのは全十二政党のうち十党、満点は社民党と緑の党、最低点は国民新党の-2点。政権交代した二大政党では民主党が44点、自由民主党が11点。「ジェンダー平等政策」はこの選挙の「隠れた大きな争点」だったはずですが、有権者はジェンダー平等に後ろむきの政党を政権に就けたことになります。

その回答結果からおもしろいことがわかりました。「女性を活用したい」という点ではほとんどの政党が一致しているのに、保守系政党では、女性の権利の擁護にはいっこうに積極的でないということです。その違いは、「２０２０３０」と「配偶者控除の廃止」への支持の落差にあらわれています。

「２０２０３０」とは、二〇二〇年までにさまざまな分野で指導的な立場の女性を三〇％にまで増やすという目標のこと。安倍晋三「再登板」首相でさえ、これと同じことを発言していますが、もとはといえば自民党政権時代にできた「第3次男女共同参画計画」のなかにあった目標ですから、自分たちでつくった目標をくりかえしているにすぎません。

他方、「配偶者控除」とは「第3号被保険者制度」と連動したいわゆる専業主婦優遇策、それを廃止することは男性稼ぎ主型の標準世帯を前提とした税制・社会保障制度を止めることを意味します。[4]

女にも働いてもらいたい、有能な女には男並みに働いてもらいたい、と政府や企業が思っているのはたしかなようです。それは不況期のなかで女性総合職の雇用機会が、わずかですが増えていることにあらわれています。他方でそうでない女にもはたらいてもらいたい、だが低賃金で使い捨てのつごうのよい労働力として、というのが「配偶者控除」こと、いわゆる「百三万円の壁」です。年収百三万円ではとうていひとりで食べていくことはできません。妻は夫に扶養される者、働くのは家計補助のため、という牢固とした信念が前提にあります。実際には既婚女性が配偶者特別控除額の百四十一万円を越して働くと世帯単位ではソンになるという税制・社会保障制度の世帯単位制が、女を不利な非正規労働に誘導しているのです。

この女性総合職と非正規職とのはざまで崩壊したのが、それまでの女性向け事務補助職と言われる「一般職」雇用。雇用崩壊はこの「一般職」雇用を直撃し、非正規に置き換えていく効果を持ちました。短期研修ですむ「一般職」のような非熟練労働は、低賃金で雇用保障のないパートや派遣に置き換えたほうが、コストがかからないからです。

他方で不況期には「パートの基幹労働力化」も叫ばれました。非正規パートにも常勤はいます。経験年数を積み重ねれば、彼女たちは熟練労働者にもなっていきます。その彼女たちを——労働条件は据え置いたまま——もっと責任のあるしごとに動員しようというのが「パートの基幹労働力化」という方針でした。

こんなことを話してくれた友人がいます。

「ずっとパートで働いている職場で新人研修の担当をやらされた。はりきってやったけれど、しばらく経つとその子たちが私のポストを追い抜いていく。何なの、これ、って……」

当初は職域拡大を歓迎した彼女たちも、少しも賃金は上がらないのに、労働強化だけがもたらされているのに気がついたのでした。

不況下の労使関係を見てくると、労使の交渉の過程ではつねに使用者の側が一枚上手。労働者側は譲歩に次ぐ譲歩を強いられてきました。それどころか労働者側が交渉力を失ってきた過程があります。そのなかでももっともワリを食ったのが女性でした。

その女性たちの後ろ姿を見てきた若い女たちが、働いて生きることに希望を持てないのもムリはありません。最近二〇一二年度の内閣府の「性別役割分担」をめぐる調査で、「夫は外で働き、妻は家庭を守るべきだ」という考えに賛成する回答が、二十代女性で四三・七％と、前回二〇〇九年度調査の二七・八％より一六ポイントも上がったのはその証拠でしょう。とはいえ、就活のみならず婚活も「狭き門」なのですけれど。

離職率は諸悪の根源か？

川口さんの『ジェンダー経済格差』では、職場の性差別を説明する最大の変数は女性の離職率でした。となれば、性差別を解消するための解は「離職率を下げること」となります。つまり現状の職場にしがみついて、男並みにがんばり、勤続年数を延ばし、管理職予備軍の人材となり、やがて役員にもなっていく——それが「女の生きる道」ということになります。

経済学の泣き所は、どんなに分析が精緻でも、それに投入する変数が与件、つまり予め決められた条件でしかないことです。与件を疑うことは許されていません。女は差別される。なぜなら女は離職するから。——この命題の前提には、離職が不利になる「日本型雇用慣行」というものがあります。いったん就職したら一生もの。就職が就社になり、勤続年数が長いほど地位が上がる、という雇用のシステムです。離職が不利になるのは、同質性の高い人材を競わせながら年齢と共に昇進していく人事管理のしくみができているから。その結果、「社風」にカスタマイズされた「社員」が育ち、その企業には通用するけれど、他の企業へは持って行けない汎用性のない人材ができあがります。したがって勤続年数が長くなればなるほど、転職はむずかしくなり、結果として企業ロイヤリティ（忠誠心）の高い人材が誕生します。日本企業は能力主義の代わりに、平均的な人材が平均以上の力を発揮する企業ロイヤリティの高い同質的集団をつくってきました。それが集団パフォーマンスのレベルを上げたのはたしかですが、逆に、個人のパフォーマンスを査定評価する人事管理のしくみが育たなかったともいえます。が、不況期の企業は、こういう汎用性の低い中高年の社員まで情け容赦なく「人員整理」の対象にするほど、追い詰められています。

川口さんにお会いしたときに、「もし離職が不利になるという与件をなくしたら、川口さんの仮説は崩れるのではありませんか？」とお尋ねしたら、「……その通りです。が、そこまでは考えませんでした」という答が返ってきました。

それなら離職をやめよう、と呼びかける代わりに、離職や転退職、再入職が容易でかつ不利にならない雇用のしくみができればいいのです。そんなことが可能でしょうか。

世の中には離職・転職をくりかえすことが少しも不利にならない業種があります。わたしたち、研究職の世界です。研究職の世界では、よりよい研究条件を求めて、離職・転職をくりかえしてキャリアをステップアップしていくのがあたりまえ。それどころか、初職にとどまれば、「将来性のない人材」と思われるも同然です。それが可能なのは、タテマエ上ではあれ、業績主義が成り立っているからです。

大学に人事部がないことをご存じでしょうか。新卒一括採用もありません。採用人事は各専門分野別に、必要なときにポイント採用。業績評価は同僚によるピア・レビューで、何のふつごうもありません。研究職の業界には、大学のような研究機関の外側に専門分野別の学会という専門職集団の組織ができており、査定評価の一定の公平性は、その外部の目にさらされることで保たれています。さらに第三者機関による大学ランキングのような外部評価システムもあり、論文の生産数や引用の頻度などで大学の評価が定まります。理系の場合にはこの業績主義の尺度はわかりやすいものですが、文系も理系に準じて相応の客観性が保たれるため、そんなに非合理な人事は行われません。

エコノミストの八代尚宏さんに『人事部はもういらない』（講談社、一九九八年）という本があります。彼の主張にすべて同意するわけではありませんが、この言い分には共感しました。新卒一括採用をやめ、各職場で必要なときに必要な人材をポイント採用し、ＯＪＴで研修を積み重ね、同一組織の内外を問わず転退職をくりかえしてステップアップしていく――ことができれば、人事部もいらないし、新入社員ひとりあたり採用コストが三百万円超といわれる新卒一括採用コストもかかりません。採用基準はピア・レビュー。職場の仲間が自分たちの職場に迎えたい同僚を選ぶ権限を持てばよいのです。大学という組織は、現にそれでまわっています。そのためには職種ごとの職務内容の明確な定義、業績主義にもとづく査定評価、年齢・性別（ついでに国籍）と職位が連動しない柔軟な人事、開放性と流動性の高い組織――といった条件が必要なのですけれど、今あげた条件は、どれもこれまでの日本企業が苦手なものばかりです。反対に、日本企業には、企業文化といわれる「暗黙知」が支配しており、それに通暁していればいるほど、その人材は「使える」ことになります。ですが、それは文脈依存的なカスタム知ですから、ある企業で「使える」人材であればあるほど、別な企業では「使えない」ことになります。

したがって川口さんが日本企業の女性差別を分析するのに、離職率を唯一最大の説明変数として採用したのは、日本企業の現在の状況を与件――つまり、変更のきかない所与の条件として、無意識・無自覚のうちに前提していたことになります。彼が「革新的企業」と呼ぶ企業においても、この「与件」は変わらないのでしょうか。

ネオリベへの適応

川口さんが「革新的企業」と呼ぶ企業では、男女が対等に働いているように見えますが、それは外資やベンチャー系の中小企業。使える人材なら誰でも戦力にしたい競争の激しい職場です。「能力と意欲さえあれば報われる」――それならこの競争の世界に男と対等に入っていきなさい、そこで勝ち抜きなさい、歯を食いしばっても離職しないで働きつづけなさい、というのが女性に対するアドバイスなのでしょうか。

何かがおかしい、という気がぬぐえません。

この違和感は、均等法ができて、使用者側がコース別人事管理制度を導入したときに、これからは若い女性たちに、総合職になってがんばりなさい、と励ますことになるのだろうか、フェミニズムとは、総合職になりたい女たちを応援する思想のことなのだろうか――そんなバカな、と思ったときの気分につながっています。

均等法が雇用のネオリベ改革の一環だったことは、前章までの説明で明らかでしょう。女性に「総合職になってがんばりなさい」とアドバイスすることとは、ネオリベの世界に適応して生きぬきなさいということと同じです。あのときの「おかしい」と感じた直観は、二十年経ってネオリベ改革を経由してみたら、あれは女にネオリベ改革に適応して勝者になりなさいというカツマー路線のススメだったのか、と理解することができるようになりました。

総合職をめざしなさい、と言うのは、男の働き方を問わずに、男の働き方に合わせなさい、というのと同じです。それにだれもが総合職になれるわけではありません。きびしい選別を経て狭き門をくぐった者は競争の勝者、それができなかった者は敗者。優勝劣敗、自己決定・自己責任のネオリベの原理がそのまま適用されます。他方、総合職を選ばず一般職になった大半の女たちには、もはやかつてと違って差別的な処遇を「女性差別だ」と告発することすらできなくなったことは、すでに述べました。

そういえば比較的能力主義が通用している研究者の世界で、こんなことがありました。先端分野で国際競争にしのぎを削っているある理系の男性研究者が、こう言いました。「ウチの研究室では女性差別なんてありませんよ。差別なんかしていたら、競争に負けてしまいます」。「ところで先生の研究室に女性はいらっしゃいますか」と尋ねたわたしに、かれはぽかんとして「いません」と答えました……ふしぎですね。

こんなこともありました。

「女性を採用したいとかねがね思っているのですが、どうしてもよい候補者が見つからないのですよ。女性はとくに結婚・出産すると業績競争に負けますからねえ。論文の点数でくらべるとどうしても男の方に軍配があがるのです」

原ひろ子さんたちのグループはその反対の結果を示しました。[5]大学業界で、同じ地位に到達した男女の研究者を比べると、女性研究者の業績が男性研究者の業績のおよそ二倍あった、と。うらがえせば、「女は男の二倍成果をあげなければ、男並みに扱われない」という「常識」を裏付けるようなデータでした。そういえば、『男のように考えレディのようにふるまい犬のごとく働け』（デレク・A・ニュートン著、サンケイ出版、一九八〇年）という本もありましたっけ。三十年前の本なのに、タイトルは今でも通用しそうなのがこわいくらいです。「こんなの、やってらんない」と多くの女は悲鳴を上げるでしょう。

能力主義の世界に生きているわたしは、指導する学生に業績を挙げよ、と叱咤激励するのがしごとです。よいしごとをすれば第三者が評価してくれる――この世の中では、研究職とはまだしも相対的に公平な競争の世界だと信じていられるからこそなのですけれど。学問の世界はアゴーン（格闘技）の世界。そこで勝ちぬくしかない、とわたし自身も思いながら、そこに参入するだけが女の生き延びる道なのだろうか、という疑問を捨てきれずにきました。

これまで述べてきたように、ネオリベ改革はたしかに女に機会を与えましたが、それは「男仕立て」のルールのもとの競争に、女も参入してよい、という「機会均等」でした。人並みはずれた能力や努力の持ち主も女性のなかにはいるかもしれません。そういう少数のひとたちはハンディをものともせずにがんばって勝者になるでしょうが、大多数の女性は敗者になるほかありません。敗者が敗者であることに納得することが、ネオリベの競争原理を支えます。

ですが、もしかしたら競争のルールそのものがまちがっているのではないか？　なぜ、そうは考えないのでしょう。この競争のもとでは、女はハンディつきのレースに参入しており、負けるべく運命づけられている。もともと不利な競争なのに、その結果を自己責任と思いちがいさせられている――のではないか、と?

日本型雇用制度のもとでは、離職はたしかに不利になります。勤続年数が長くなるほど女性の割合が低下し、管理職になればなるほど同様に女性の割合が低下する――たとえそれが女性の「自発的な離職」によるものだとしても、このルールのもとでは女性が集団として組織的構造的に排除される効果があります。ある制度やしくみが男性もしくは女性の集団にいちじるしく有利もしくは不利に働くとき、これを「直接差別」と区別して「間接差別」と呼びます。たとえ当事者に差別の意図や自覚がなくても――差別の事実は、各種のデータから疫学的に証明することができます。そして現状の男性の、そして女性の働き方は、けっして「ジェンダーに中立的」ではないのです。

マミートラックの罠

女性の出産離職に戻ってみましょう。

離職したからといって、離職者がそのまま労働市場の外部にとどまるわけではありません。昔は結婚・出産離職は出戻りなしの終身「家庭人」でしたが、いまは子育てだって期間限定。一過性の負担です。人生のバランスシートが変われば、また前線復帰したいと思う人たちがいるのも当然でしょう。職場を離れて何年も経っていれば「社会復帰」にハードルのあがる人もいるでしょうし、職場のOA化についていけない「戦力外」通知を受けるひともいるかもしれません。が、そこは各地の女性センターが「再就職準備講座」をやってくれたり、リエントリーのための職業訓練機関もあるのですから、活用すればよいでしょう。

このところ出産離職後の女性の職場復帰の時期はしだいに早期化しています。かつては「ポスト育児期」の開始といえば、「末子が就学年齢（六歳）に達したとき」と定義されていたものですが、出産後六年も待てない、三歳児保育に預けられたらすぐにでも、いや、育休が明けたらただちに――と早期化しているからこそ、子ども数が減っているのに「待機児童」が増えるというパラドクスが生まれているのです。

各社の内部事情を聞いてみると、一般に育休をとった女性労働者の査定は前年度より下がります。いくら育休が権利だといっても、その権利を行使することは会社より私事を優先したと見なされるからです。育休をとった労働者への低い査定評価は、いわば母親労働者へのペナルティともいうべきものです。

一年間の育休が終わったからと言って、育児が終了するわけではありません。保育園に入れたら入れたで、送り迎えのために定時に帰らなければなりませんし、熱を出したといっては保育園から呼び出されます。夫も協力してくれるでしょうが、ほとんどの場合、その負担は母親にかかってきます。

ある男性がこう発言したのを聞いたことがあります。家事・育児と一口にいうけれども、負担の重いのは育児のほう。それもあっというまに終わる。いまどきの家事は省エネ省力、負担が重いなんて女に言わせない――そうでしょうか。家事・育児はどこまでが家事でどこからが育児か、切り分けることはできません。たとえ手のかかる乳幼児期がすぐに終わっても、それから長期にわたって、おなかをすかせて定時に帰ってくる子どもに食べさせるために、一定の時刻に家にいて食事を用意する――この労働は家事でしょうか、育児でしょうか。自分がいるときには子どもの帰る時刻が自分の門限になり、自分がいない時には子どもの食事の手当を配慮して出かける――それが少なくとも十年以上は続きます。父子家庭の父親なら経験しているだろうそういう生活を、妻とともに、または妻に代わって父親が長期にわたって引き受ける覚悟はあるでしょうか。女の家事労働には、この待機の時間、家族のつごうのために自分のからだを空けて待つ時間の負担が重いことに、多くの男性は気がついていないことでしょう。

こうして出産した女性が長期にわたってしごとよりも家庭を優先するために（それはまったく無理もない選択ですが）[6]、ワーキング・マザーを残業の少ない職場に配置したり、責任の重いしごとからはずしたりという「配慮」をしてくれることを、ジェンダー研究では「マミートラック（お母さん向けコース）」と呼びます。「配慮」は「差別」とウラハラです。つまりマミートラックとは、母親になったあなたをこれからは二流の労働者として扱うよ、といういわば「戦力外通知」であり、母親労働者というゲットーへの囲い込みなのです。

男に伍してばりばり働いて来た総合職の女性の離職率が思いのほか高いことは知られています。ですがそれが出産離職かどうかは、データからははっきりわかりません。予想外に多い総合職の離職理由を調査した学生がいました。彼女たちは結婚や夫の転勤、妊娠などをきっかけに離職しますが、離職理由を「自己都合」と書いて出産とは言いません。私生活とのバランスを考えた場合、毎日十時まで残業をこなすような今のはたらき方が、家庭と両立できるようなものでないことに彼女たちはとっくに気がついているからです。

それなら残業も異動も少ない一般職は、いわば出産前からの、予めのマミートラックだと言ってよいかもしれません。ですが、前にも述べたように、雇用崩壊でもっともあおりを受けたのは一般職でした。そもそも企業は一般職の女性が出産後も就労継続することを想定しておらず、彼女たちの勤続年数が長期化することを歓迎しませんでした。現在でも多くの女性労働者は出産を機に、離職・転職しています。転職先の多くはパートや派遣。短時間勤務で定時に帰れるからです。その代わり、きょくたんに低い賃金が彼女たちを待ち受けています。日本では非正規雇用が「マミートラック」の代わりを果たすとしたら、やはり子どもを産むことで女はペナルティを科せられているのも同じです。こんな不利な状況で子どもを産み続けようと思えるわけがない、これでは子どもが増えるはずはないと思えるくらいです。

ワーク・ライフ・バランスなどというかけ声で現在推奨されている働き方は、いわばマミートラックと同じ、「二流の働き方」です。それができるのは、雇用保障のある（つまりかんたんに首にできない）正社員で、しかも福利厚生の充実した大企業くらいなものでしょう。総合職で採用したのにあてがはずれてマミートラックにのっかった女性もいるでしょうし、結果的に勤続年数が長期化してしまった一般職女性もいるかもしれません。企業によっては、「暗黙知」を共有した事務補助職の価値を大いに認めているところもあります。前線に兵士を送り出すような営業職の後方支援業務や、顧客情報の管理がきびしい金融機関など。ですが、企業はもっと狡知に長けています。何も正社員を雇わなくても、いったん退職させて関連子会社に派遣登録しておき、退職したもと社員を今度は正社員の半分以下の低賃金で使うことが可能なのですから、わざわざリスクを冒して正社員を雇っておかなくてもよさそうです。現に大手の金融機関にはグループ企業のなかに、退職女子行員をプールした派遣会社を持っているところがいくつもあります。ある大手の流通企業には、出産離職した女子社員の再雇用制度がありましたが、その条件は離職時の上司の査定評価がA以上。十人に一人もいません。つまりよりぬきの人材であることが証明されている女性にだけ、再雇用の「特典」がありました。つまりその企業にとって出産離職は、使える社員と使えない社員とを選別する装置として働いていました。反対に、辞めてもらいたい女性には、マミートラックどころか、通勤しにくい職場へ異動させることで自発的に退社を促すなど、使用者側のあの手この手のいやがらせは、枚挙に暇がありません。

雇用保障と福利厚生の手厚い職場で、幸いにしてあなたがマミートラックに乗れたとしましょう。問題はその後です。日本の人事制度は敗者復活を認めにくい傾向があります。いったんマミートラックにはまったら、今度はそこから脱けだせない——罠があなたを待っています。育休後に職場復帰したら、定時に帰れる負担の少ないしごとがあなたを待っています。「親切な」上司は、時間が来たら、「キミ、帰ったら」と言ってくれるかもしれません。裏のメッセージは「キミの戦力をアテにしていないよ」でしょう。くりかえしますが、マミートラックは「配慮」でもあり、「差別」でもあります。もっと怖いのは、そのうちあなた自身がその処遇に慣れてくることです。ま、いいわ、これはこれで。居心地が悪いわけではないし。職場でがんばったからって報われるとは限らないし。管理職になったのは負け犬か後家さんの魅力のない女ばかりだし——こうやって、ワーキング・マザーに女性管理職のロールモデルの少ない日本の職場が生まれます。

ロールモデルとは何か？

いくら権利の行使と言っても、女が育休をとったり、育休明けに時短をとったりしたら、査定が下がると言いました。それだけでなく、ぎりぎりの人数でまわしている職場では、代替要員もなしにひとりが脱けると、周囲にしわよせがきます。ひんしゅくを買うのを覚悟で「権利行使」するのは、容易なことではないでしょう。

女がとっても査定の下がる育休や育児時間を、ましてや男がとれば査定は下がるでしょう。

いくじれんこと「男も女も育児時間を！連絡会」というグループがあります。労働基準法では子どもがゼロ歳のあいだには一日二回各々三十分、少なくとも一時間の育児時間を取得する権利が女性労働者に保障されています。実質、育児期に時短労働が可能になります。もとはといえば、赤ん坊を企業託児所に連れてくる母親労働者のための授乳時間だったのですけれど、今では保育所の送迎のために使われています。それなら女親だけでなく男親がとってもいっこうにかまわないはずです。いくじれんの男性たちは、この「育児時間の取得を男にも！」というスローガンを掲げて企業相手に闘った男性たちでした。もちろん企業からはいやがられたに決まっています。

そのなかにこんな男性がいました。このひとは育児時間をとったあと、数年して、同期入社の他の男性同僚の昇進スピードと劣らない速さで管理職に登用されました。それをかれはこんなふうにうそぶいたものです。

「ボクのような有能な社員は、会社がほうっておかないんですよ（笑）」

そう。マミートラックだろうが、ダディトラックだろうが、その時期が過ぎたらいつでも戦力に復帰できさえすればよい。やりなおし、再チャレンジ、敗者復活があればよい。そのひとの意欲と能力に応じて、そしてそのひとの人生のライフステージにふさわしいワークとライフのバランスシートに応じて、そのひとの力を生かせるような働き方があればよい。そして離職・休職中はけっして「キャリアの中断」などではなく、べつのキャリアの蓄積だと考えればよい。なぜなら、そのあいだに経験している家事・育児・介護などの生活者としての体験は、性別を問わず、かならずそのひとの「キャリア」を豊かにしているはずなのですから。

　こう書いてもやはり、わたしの気分は釈然としません。山あり谷ありの人生でも、最後は勝ち組になればいいのね、ととられかねないからです。

　ある職場で組合女性部と共同作業をしました。福利厚生の充実している某大企業です。女性正社員比率は決して低くはないのですが、管理職になると激減します。非婚おひとりさまが増えてきた職場で、マミートラックにのっかった既婚女性たちは半ば羨望、半ば怨嗟の対象となっています。残業しない彼女たちのおかげで非婚女性にはしわ寄せが来ているし、その立場に安住しているように見える既婚女性たちに対して、非婚組からはやっかみといらだちが隠せません。他方、既婚組は非婚組に対して、「あのひとたちも、いずれわたしたちと同じような境遇になったらわかるわよ」という気持ちを持っています。

　この職場で、わたしは彼女たちに三つの問いを出しました。第一はこの職場にマミートラックはあるか？　という問い。第二は、そうしたいと思った時にマミートラックから脱けだせるか？　という問い。第三は、この職場に既婚子持ち女性のロールモデルはあるか？　という問いです。

　ところで「ロールモデル」とは何でしょう。わたしは根本的な問いにつきあたりました。マミートラックから脱けだして管理職になることが彼女たちのロールモデルなのだろうか？　女をもっと管理職に、ということがゴールなのだろうか、と。この構図は何やら、女をもっと総合職に、というかけ声の延長上にあるように思えてなりません。

男仕立ての競争のルールのもとで、男と機会均等に闘って勝ちぬくこと——それが女のサバイバルの道なのでしょうか。ネオリベの罠から脱け出すことは、ことほどさようにむずかしいようです。

1 CEDAW勧告五項目とは以下のものである。⑴国際条約⑵国内法の整備⑶労働・雇用⑷性暴力⑸人権。

2 「ジェンダー平等政策」リストは以下の十二項目二十六箇条である。憲法：⑴憲法九条を厳守する（不戦）⑵憲法二十四条を厳守する（男女平等）／脱原発：⑶遅くとも二〇三〇年までに原発をゼロにする／防災復興：⑷防災復興にあたって女性の参画を推進する⑸被災地の女性雇用を創出する／ポジティブアクション（積極的改善措置）：⑹政党の候補者リストにクオータ制（女性割当制）を導入する⑺政治・公的活動、教育分野などあらゆる分野で二〇二〇年までに指導的女性が占める割合を三〇％にする／雇用・労働：⑻実効性のある同一（価値）労働、同一賃金を実現する⑼配偶者控除を廃止する。第3号被保険者制度を見直す⑽家族介護者の負担軽減と介護職従事者の待遇改善を図る／ワークライフバランス：⑾保育所・学童保育の待機児童の解消など子育て支援策を強化する⑿育児・介護休業制度の普及・啓発を推進し、男性の取得を促進する／民法改正：⒀選択的夫婦別姓を実現する⒁婚姻最低年齢を男女同一化する。女性のみに課せられている再婚禁止期間を廃止する⒂婚外子相続分差別規定を廃止する／性暴力：⒃性暴力を禁じ、被害者を保護する包括的な法律を制定する⒄DV防止法の保護命令の対象を拡大し、性別を問わず交際相手を含める／日本軍「慰安婦」：⒅河野談話、村山談話を引き継ぐ⒆被害者に政府（国家）による謝罪と補償をおこなう／性的健康：⒇刑法の堕胎罪を廃止する(21)性的マイノリティ（LGBT）に対する差別や社会的排除をなくす／マイノリティ・社会的弱者：(22)ひとり親世帯、高齢単身女性の貧困解消に実効性のある政策を実現する(23)外国籍住民に対する差別や社会的排除をなくす／国連女性差別撤廃条約の締結国としての責任遂行：(24)女性の地位向上のための国内推進機構を強化する(25)女性差別撤廃条約選択議定書を批准する(26)女性及び性的マイノリティの人権保護の権限を持つ独立した国内人権機関を設置する。

3　得点は示した政策に「賛成」2点、「どちらかといえば賛成」1点、「どちらかといえば反対」-1点、「反対」-2点まで、合計で52点からマイナス52点までの幅がある。「無回答」は0点とした。得点の高い順から社民党（52）、緑の党（52）、国民の生活が第一（51）、日本共産党（50）、民主党（44）、公明党（38）、日本未来の党（36）、自由民主党（11）、日本維新の会（9）、国民新党（-2）。

4　「2030」と「配偶者控除の廃止」というふたつの政策に対する回答の組み合わせで「フェミニスト政党」と「ネオリベ政党」、女性差別的な古い家族観を持った伝統「保守政党」の三者の違いをあぶりだすことができる。両方にともに賛成ならフェミニスト政党（社民、共産、国民の生活が第一、緑、民主と未来はややフェミニズム寄り）、前者に賛成だが後者に反対ならネオリベ政党（自民、公明）、両者に共に反対なら伝統保守政党（国民、維新）である。論理的には前者に反対で後者に賛成という組み合わせも考えられるが、もしありうるとすれば、規制緩和と自由競争を推進するネオリベ度のさらに高い政党だろう。この分析から推論すれば、今回回答のなかったみんなの党はネオリベ政党に、新党大地は保守政党に分類されるだろうか。

5　原ひろ子編『女性研究者のキャリア形成　研究環境調査のジェンダー分析から』（勁草書房、1999年）。

6　子育て中の女性が、育児を人生の最優先課題とすることを責めることはできない。そういう女性たちがいるからこそ、子どもは育ちあがり、人類は存続してきたからである。まれに子育てを優先しない女性が、子どもへの虐待やネグレクトで事件になるが、事件になるほどそれがレアケースであること自体が驚くべきことであろう。むしろ父親になった男たちが育児を優先課題にしないですんできたことのほうこそ、あやしむべきであろう。

第十二章　女たちのサバイバルのために

女子学生へのアドバイス？

このところ女子学生のための「就活」本が出回っています。日経ウーマンの編集長だった麓幸子さんの『就活生の親が今、知っておくべきこと』（日経プレミアシリーズ、二〇一一年）は、「母と子の444日就活戦争」と帯にあるように、ご自分の息子さんの就活体験にもとづいて書かれたものですが、そのなかに、「女子学生とその親たちに伝えたいこと」という章があります。麓さんは目下就活中の娘さんの親でもあります。リアルタイムで日経電子版に女子の就活について連載中。就活戦線が男子と女子とではいちじるしく違うことを実感しています。[1]

リクルートグループで企業の採用と人事に通暁した「雇用のカリスマ」海老原嗣生さんの著書、ずばり『女子のキャリア』（ちくまプリマー新書、二〇一二年）は、副題に「〈男社会〉のしくみ、教えます」とあります。海老原さんは雇用の「一番の問題はジェンダーでしかない」

図表12-1 「夫は外で働き、妻は家庭を守るべきである」といった考え方について

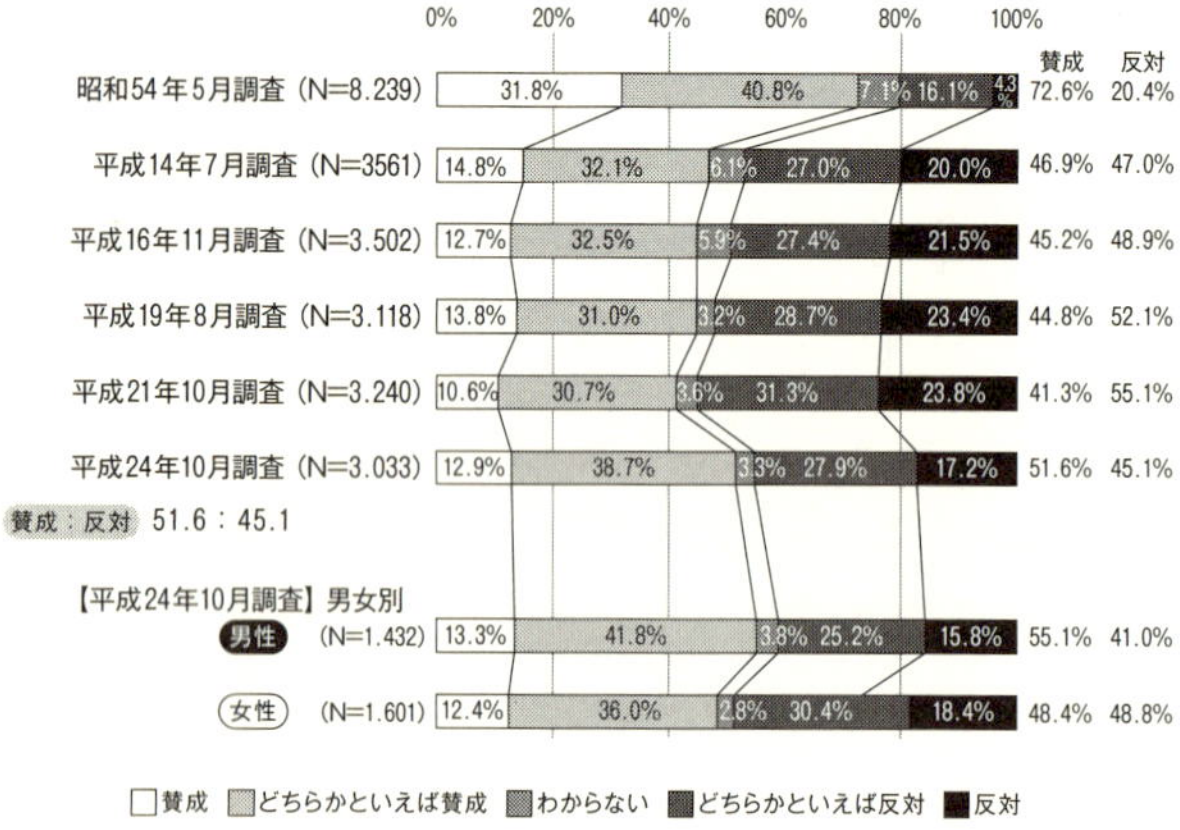

資料出所：男女共同参画白書平成24年版より作成

と言い切ります。「非正規問題も、基本はジェンダーの問題だ」と。［PR誌「ちくま」二〇一二年十一月号での海老原・上野対談6頁］

　新聞記者として長く女性の労働問題にとりくんできた竹信三恵子さんの『しあわせに働ける社会へ』（岩波ジュニア新書、二〇一二年）は、「こんな働き方でいいのか」という義憤にあふれています。後の二冊はこれから職場へ出て行く若者を読者に想定して書かれています。ひとくちに「若者」といいますが、採用にも配置にも昇進にもジェンダーギャップがこれほど明白な状況で、女性と男性を区別しないで論じるのは意味をなしません。竹信さんの本も、働く女性としての自分自身の経験にもとづいて、女性の働き方に目配りして書かれています。

麓さんの本では「専業主婦」を娘にすすめる母親世代の時代錯誤ぶり、そして「専業主婦という〝職業〟のリスクの高さ」が指摘されています。内閣府が最近発表した性別役割分担意識に関する調査では、「夫は外で働き、妻は家庭を守るべき」という考えに賛成する人の回答が一九九二年の調査開始以来初めて増加【図表12－1】。とりわけ二十代男女の賛成率が五割を越えたことに驚きを示すひとたちが多かったようですが、希望はともあれ、実際に妻の専業主婦率は低下するいっぽうですから、専業主婦になりたくてもなれない状況があります。働かなければならない現実、その働き方がちっともうらやましくない現状に若者たちは気がついているのでしょうが、今や「専業主婦」を選ぶかどうかよりも、のぞんでも選べないことを前提に、どう働くか、を考えなければならない時代なのです。

　竹信さんの著書では「労働時間の総量規制」や「同一労働同一賃金」のような政策課題が解決策として登場します。働き方を問うよりも「しくみを変える」ことが必要だ、と。不利なルールのもとで働かされている女性にとっては、そのルールに適応するよりも、ルールを変えることのほうが大事だとはわたしも言ってきましたし、提案はもっともなことばかりですが、たったいま問題に直面している女性にとっては待ったなし。アドバイスとしては迂遠にすぎるでしょう。[2]

　もう一冊似たようなテーマを扱った本に、永濱利廣『男性不況』（東洋経済新報社、二〇一二年）があります。が、この種の本にありがちな「男の職場を奪ったのは女」ととられかねないあおりがあるのは、感心しません。副題に「『男の職場』崩壊が日本を変える」とありますが、「『男の職場』崩壊」を招いたのは女性ではありませんし、かえってこれまで男性がその能力にかかわらず不当に「優遇」されてきたことを証明するようなものです。最後の結論、さてこんな時代、男性はどうやって生き延びればいいのだろうか？　という問いに対する答が、妻との共稼ぎというシナリオであることにはまったく異論がありません。

とはいえ、じゃ、あたしはどうすればいいのよ、という若い女性や若くない女性の嘆息が聞こえてきそうです。

「バリキャリ」か「ハピキャリ」か

海老原さんの本の冒頭に印象的なエピソードが出てきます。妊娠した後輩の女性に、目の前で泣かれてこう言われたそうです。

「子供を産んだら十分休めて、そのあと短時間勤務で復職もできて。女性が働きやすい環境は整ってます。よく考えてくれているとは思うんです。でも……。これで、私のキャリアは、バリバリ頑張って、同期で一番で、ずっと走ってきたキャリアは終わりなんだと思って……。もし、私がまたあの頃みたいに働こうと思っても、それは、たぶん四〇歳を過ぎてからなんですね。」［同書4頁］

海老原さんは「しごと女子の将来」に楽観的です。そもそも大卒女子が同年齢人口の三割を超えたのは二〇〇〇年代以降のこと。稀少種扱いだった均等法施行初期の総合職とちがって、ようやく企業が女をまともに戦力扱いしはじめてから十年程度しか経っていません。同じ時期に晩婚化・非婚化が進行していました。結婚がおんなの仕事の妨げにならないことはとっくに立証済み。ですが、バイオロジカル・クロックと共に出産の有効期限が迫ります。子育ては結婚以上に、女の生活をいちじるしく拘束します。そこで冒頭の妊娠した女性の嘆きが生まれるのですけれど、海老原さんは企業は着実に学習しているし、ゆっくり変化している、と楽観しています。彼の「楽観」の根拠は、欧米社会だって七〇年代までは保守的な男社会だった。それが三十年かけて変わったんだ。日本は遅れているだけで遅かれ早かれ欧米並みに変化するだろう、という予測です。それには同意できない理由があります。

企業が学習したことは「女も使える」ということです。あたりまえです。いままで知らなかったキミたちが愚かだ。「女にも管理職が勤まる」という発見です。これもあたりまえです。それにポストが人を育てます。やらせてみたら、できた――それが均等法以後の経験でした。それに加えて「女が辞めない」ということも彼らは学習しました。それなら応分に働いてもらわなければ――と均等法以後の企業は学びました。その結果、係長級までの女性の下級管理職は着実に増えました。次の課長級まであと十年。女性が離職しないでふんばってくれれば、企業は変わる、と海老原さんは主張します。

それに対して彼は思いがけない解を提示します。出産・育児が就労継続の最大のネックであることは誰でも知っています。それを遅らせてもかまわない、という解です。彼の本の最終章「『35歳』が女性を苦しめ過ぎている」は、ほぼ全章をあげて「四十代初産はこわくない」という啓蒙に当てられています。それまでの章で、働き方や企業のホンネなどを説いてきたのに、え、なぜここで晩産、不妊治療、障害児出産の確率とかについて聞かされなければならないの？　ととまどってしまうくらいですが、あとから理由がわかってきました。三十代まで出産を延ばしてきたあなたは、あと十年、四十代まで出産を延ばしても大丈夫、四十代初産はさんざん脅かされているほど「危なく」ないよ、というメッセージなのでしょう。だからあと五年、十年、がんばってごらん、企業はきっと変わるから——と。まるでそのうちきっと治療薬が開発されるからもうちょっとガンを抱えたまま闘ってごらん、と言われている患者さんのようですね。子どもをガンに例えるのは不謹慎ですが、体内に育つ異形細胞という点では同じ。そのあいだに胎児がむくむく育ってしまったらどうしたらいいんでしょう？

海老原さんの本が「しごと女子」に対する熱い応援歌であることは疑いをいれません。が、「晩産のススメ」が解決では、結局のところ、出産・育児と就労、とりわけ総合職型の女性の就労との両立がほとんど不可能、と宣告しているようなものです。事実、彼の本には出産後の女性がほとんど登場しません。

すべての問題は出産した後に始まります。女性が「産む性」でなかったら、「女性問題」の全部とは言わないまでも大半が雲散霧消する、と言ってよいくらいでしょう。産むのを先延ばしなさい、というアドバイスに反して、産みたい女、産んでしまった女はどうすればよいのでしょうか。

彼は「バリキャリ」と「ハピキャリ」とを区別します。「バリキャリ」とは男並みの働き方をめざす「バリバリのキャリアウーマン」、「ハピキャリ」とは夫と子どもをゲットしてほどほどの働き方をする「ハッピーなキャリアウーマン」の略称です。後者にのみ「ハッピー」がつくのは、「女の幸せ」は「家庭と子ども」にあるというステレオタイプまるだしですが、そこは目をつむりましょう。あれ、後者も「キャリアウーマン」て呼んでいいの？　という疑問には、男性社員の補助型の「事務職」だってりっぱなキャリアだ、という彼の見解が答になります。ですが、用語にだまされずに冷静に現実を見れば、「バリキャリ」はいわゆる総合職、「ハピキャリ」は一般職、または前章で述べた「マミートラック」と言われる「女性向けゲットー」に封じこまれた二流の労働者に対応するといってよいでしょう。後者は前者に比べて、昇進・昇給の面であきらかに差がありますし、長期勤続しても四十代から賃金カーブが上昇しません。

「バリキャリ」か「ハピキャリ」か、どちらを選びますか？　という海老原さんの問いは、総合職か一般職どちらを選びますかというこれまでの選択肢と変わりません。のみならず、それよりもっと深刻なのは、これまでの多数派の女性にとっての選択肢、マミートラックに乗ってしぶとく長期勤続するという一般職雇用そのものが崩壊していることです。

同世代の働く女同士として、わたしは坂東眞理子さんと対談しました。[3] リアリストの坂東さんは、後輩の女性へのアドバイスとして「仕事を手放さずに、マイペースで続けなさい」と言ってきたといいます。わたしも「過激な」（笑）見かけに反して、卒業生たちから脱サラや転職の相談を受けるたびに、以下のように「堅実な」アドバイスをしてきました。

「どんな職場でもおまんまの種なんだから、定職、定収入があるほうがずっといい。そこから放り出されたら、荒野にひとりで立つのと同じ。……組織は有能な人にとっては桎梏になるかもしれないけれど、無能な人を守ってくれる。人並みはずれて自分が優れていると思わない限りは組織にいたほうが賢明だ」［同書86頁］と。

それだけでなく、どんなにがんばったとしても、企業はあなたの貢献に報いてくれるとは限らない。まして女に対しては。会社にはコミットせず、半身でつきあって、しぶとく居座ればよい。こういう社員のことを、「不良債権」とも呼びますが、なんの、男性にももっと多くの「不良債権」がいますし、男の「不良債権」を維持するコストの方がはるかに高くつくのですから、たとえいやがらせがあっても粘り腰で過ごしなさい、と。こういうアドバイスが有効だったのは、九〇年代半ばまで、一般職女性に雇用保障があったころの話。その時代は過去になりました。

海老原さんのアドバイスはこうです。

「まだ結婚していない人であれば、きちんと仕事と家庭を両立して、自分も家事労働をしてく

れる男を見つけなさい」［前出、海老原・上野対談11頁］

「家事労働」の負担よりも「育児労働」の負担が重いのは、何度も指摘したとおりです。育児の負担は女の働き方を変えるほどの影響力を持っています。それなら女性の負担の重さに見合うだけの、「働き方に影響を与える程度の育児参加」を男は担うでしょうか。「働き方に影響を与える程度」の中には残業をしない、異動・転勤を断るという選択が入っています。イクメンが話題になるのはそれが少数派だから。海老原さんは「パパ・クオータ制」を提唱していますが、たとえ男に育休取得の権利があろうが、パパ・クオータがあろうが、それを取る男性は――実際に見てのとおり――少ないでしょうし、権利を行使する男性が企業から快く思われない事情は変わらないでしょう。最近のデータでは若い父親のなかには「働き方に影響を与える程度の育児参加」をしている男性が徐々に増えていることがわかっていますが、こういう選択に対して企業からペナルティを科せられるリスクを、彼らは背負いかねません。

実際に子どもを産んでしまったあとの働く女性の多くが、「夫に協力を頼めない」「頼みたくても家にいない」「夫に育児に参加するつもりがあってもできない」と嘆きます。素朴な疑問は、海老原さんの言うように「自分も家事労働をしてくれる男」をなぜ見つけなかったの？　なぜあとからでも夫をそのように教育しないの？　というものですが、実は理由はわかっています。彼女たち自身が「自分も家事労働をしてくれる男」を選んでもいないし、夫に「働き方に影響を与える程度の育児参加」をのぞんでもいない、ということです。なぜか？　男が「育児に参加する意思があってもできない」のは、するつもりがないからです。もっとかんたんにいうと、育児より仕事を優先しているからです。男は育児を優先できない、しない理由があり、それを社会が公認し、妻が認めているからです。ホンネを言えば妻も夫に育児より仕事を優先してほしいと思っていますし、育児を優先するような男をそもそも夫に選んでいません。

こういえばただちにイクメンもいれば育休を取る男もいる、ハウスハズバンドだっているじゃないか、と反論が返ってくるのは承知しています。くりかえしますが、彼らがニュースになるのは、あくまで少数派だからだということは覚えておいてください。

キャリアウーマンの妻は夫に、職場で不利になるかもしれないような育児参加をのぞんでいません。だから保育園から熱を出した子どもを引き取りに来るようにという緊急の電話がかかると、「なぜいつもわたしばかりが」という思いを呑みこみながら、会社を早退します。夫にあなたが迎えに行きなさい、とは要求しません。たとえ要求しても夫が「オレは無理だ」と答えたら、引き下がります。なぜなら自分の職業より、夫の職業の方が優位にあり、自分の職業上の不利を引き受けるほうがその逆より合理的な選択だ、と思っているからです。高給の専門職同士、たとえば医師や弁護士のカップルでも、事情は同じです。

エリート女の泣き所、がここにあります。麓さんも、海老原さんも、竹信さんも指摘しない、女の自縄自縛です。それはエリート女は自分の夫がエリートでないことを許せない、ということです。えーっ、わたしはそうじゃないわよ、という声がただちに聞こえそうです。はい、どんな傾向にも例外はあります。が、データが冷徹に示すのは、エリートはエリート同士で結婚すること、女性の場合はことにその傾向が強いこと、その逆は少ないことです。だから海老原さんのアドバイス、「自分も家事労働をしてくれる男を見つけなさい」、は効果がないのです。

エリート女のもうひとつの泣き所は、夫だけでなく子どももエリートでないことが許せないことです。この傾向は子どもが学齢期に入ったあとにかえって強くなります。仕事と育児、どちらを優先するか、というディレンマは、育児のなかに教育が入ってくると、より深刻になります。このディレンマについては、本田由紀さんが『「家庭教育」の隘路』（勁草書房、二〇〇八年）という怖ーい本でより詳細に論じていますから、読んでみてください。

ところで「うかつにも」妊娠してしまった冒頭の彼女には、何て言ってあげたらいいんでしょうね。海老原さんの本の刊行を記念して、わたしは筑摩書房のPR誌『ちくま』（二〇一二年十一月号）で対談しました。わたしは対談で海老原さんにその答を聞きたいと思いましたが、残念ながら最後まで、海老原さんの答はありませんでした。

欧米に追いつく？

もうひとつ、彼の「楽観」の根拠に、欧米社会だって三十年かけて変わった。日本は遅れているだけで遅かれ早かれ欧米並みに変化するだろう、という予測がありました。それに同意できない理由は、変化を経験する時期が、世界史のどの段階に遭遇しているかの違いにあります。

社会は単線的に進化するという信念はとっくに過去のものになりました。どの社会の変化にも、世界史的な同時性とともに、その社会の独自の経路依存性というものがあります。三十年後に始まる変化は、三十年前と異なる世界史的文脈に遭遇しますから、三十年前にスタートを切った社会をたんに追いかけるだけ、というわけにはいきません。それよりも三十年間、同じ世界史的環境のもとに置かれながら、変化を経験せずにきた日本という社会に、どんな特徴や問題があるか、が問われなければなりません。そしてその変化を先送りしてきたことのツケもまた、支払わなければなりません。

三十年前と違って、現在の世界が直面しているのは、東西冷戦構造の崩壊とグローバリゼーションのいっそうの進展です。アジアの台頭と日本の衰退、人口構成の少子高齢化の進行です。三十年前なら軟着陸が可能だったかもしれない変化は、今の時期には過酷な痛みを伴うものになるでしょう。

一九七三年、世界を襲った石油危機のせいで、先進工業諸国はのきなみ、脱工業化と経済のソフト化を迫られました。いわゆる産業構造の転換です。その時期に欧米諸国は女性の活用を選択し、そのための法的制度的な整備にのりだしました。女性の社会進出は、海老原さんの指摘どおり「社会的要請」によるもので、フェミニズムの影響によるものなどではありません。七〇年代まで欧米諸国のほとんどが、家族においても性においてもすこぶる保守的な社会であったことは、彼の指摘するとおりですが、この女性の変化は、家族やジェンダー関係を大きく変えました。それが今日の先進諸国の離婚率上昇、婚外子出生率上昇に帰結していることはこれまでに述べたとおりです。

　同じ時期、日本は「会社資本主義」——企業社会主義（正村公宏）と呼ぶ人もいますが——のもとで男性家長労働者の雇用を守りました。それまでの高度成長期に形成してきた労使協調路線のもと、雇用を守ることに労使の合意が成り立ったという経路依存性があるからです。「オヤジ合意」と言いかえてもかまいません。これで男性稼ぎ主型の日本型標準世帯が延命し、その結果、今日においてもこの「昭和型」モデルにあこがれる若い男女が絶えないのでしょう[4]。日本のひとり勝ちのように見えたバブル経済が、この昭和モデルの延命に貢献しました。同じ頃、構造調整に呻吟していたアメリカとヨーロッパは、「次の一手」を着々と打っていました。

　一九九〇年代のバブルの崩壊とデフレスパイラルの開始は構造転換の好機だったのですけれど、この時期をさらなる労使合意による「オヤジ連合」で乗り切ったのが、日経連（当時）の「新時代の『日本的経営』」であったことも論じました。その結果、女（と若者）を使い捨ててよいというシナリオが成り立ち、日本は先進諸国の中ではまれにみる女性の地位低位国になってしまったのです。

　もうひとつ、先進諸国にあって日本にない、決定的な要因があります。それは移民労働者です。グローバリゼーションとは情報・カネ・モノ・人の国際移動の増加とそれに伴う国内外の秩序の再編過程と、簡略に定義することができます。このなかで、移動の速度はあとになるほど遅く、人の移動が最後に来ます。グローバリゼーションの最終段階とは、人の移動が活発化することです。この「人」とはもちろん、観光客のような通過客ではなく、労働力移動を意味します。諸外国はどこも移民の処遇に苦慮していますが、かといって彼らの参入を食い止めることはできませんし、そうしようとも考えていません。なぜなら移民労働力なしでは経済が成り立たないからです。しかしこれもまた先進諸国のうち、日本に限って特殊な事情は、日本は人の移動については、今日においても「鎖国状態」だということです。

欧米先進諸国では女性の労働参加は、育児・介護というケアの外注を移民労働者の導入によって支えることで推進されてきました。アメリカでは市場化オプション（ベビーシッターやナニー、メイド）によって、ヨーロッパでは公共化オプション（公設保育所と介護施設）によって。日本ではどちらの選択肢もきわめて限られていたために、女性の「両立問題」が先鋭化しました。代わりに、他の社会では外国人労働力が果たした役割を、女が果たす――ケア労働市場の底辺層を既婚中高年女性労働者が占める――ということが起きました。だからといって日本も欧米並みにケアワーカーを外国から輸入すればよい、と主張しているわけではありません。それでは他の女性のコストにおいて問題解決を先送りしているにすぎないからです。ケアワーカーの国際移動――グローバル・ケア・チェインと呼ばれます――の末端に、アジアの地方におけるケアの崩壊があることは知られています。先進国が男女平等を国内だけで達成したようにみえても、世界的規模で考えれば他の社会の女を踏み台にしていることになります。

つまり日本と欧米諸国とのあいだには、世界史的な共通性とともに違いもある。どちらが進んでいるとか遅れているとかではなく、比較が可能なだけ。だから日本は独自の変化を経験するほかない、その変化はこれまでのところ、女性に不利な方向に進んできた、ということを言っているのです。だから日本が欧米の変化をいずれ追いかけるだろう、というこれまでのような「単線的進歩史観」には与しがたいのです。

制度の変更

最終章でもあることですし、ここらでタイトルどおり「サバイバル作戦」を考えてみましょう。そのためには(1)国家レベルすなわち政策や制度の変更で可能なこと、(2)企業レベルすなわち雇用慣行や労働のルールの変更で可能なこと、そして(3)私的なレベル、つまり個人や集団の自助や共助で可能なこと、の三つのレベルを区別してみましょう。

まず(1)国家レベルの政策や制度について。

実は処方箋は何年も前からすでに出ています。すでに紹介した「ジェンダー平等政策」キャンペーンリストのうち、雇用・労働の項目に挙げられているのは「同一労働・同一賃金」と「配偶者控除廃止・第3号被保険者制度の見直し」のふたつ。育児・介護の社会化に関連する要求項目は「家族介護の負担軽減」「子育て支援」「育児・介護休業制度の普及・啓発の推進と男性の取得の促進」の三つでした。このなかに、「正規雇用の拡大」や「雇用保障の確保」が含まれていないことに注意してください。「非正規職員を正規雇用に」とか「すべての非正規労働者に雇用保障を」といった要求は、時代錯誤になりました。ウォーラーステインの予見するとおり、世界システムの中核部門における正規雇用は稀少財化しており、これ以上パイが増える可能性はありません。代わって登場したのはフレックスレイバー（柔軟な労働）。これが世界史的なトレンドです。フレックス労働そのものは良くも悪くもありません。問題は誰にとって「フレックス」か？　にあります。日本では使用者側が、自分たちのつごうにとって「フレックス」、すなわち使い捨て自由の労働力として、フレックス化を推進してきました。

他方、労働者にとって「フレックス」であれば、フレックス労働は歓迎されてもよい働き方です。そもそも九時から五時までの「定型的労働」とは、誰が決めたのでしょうか。少子化対策先進国では、定型的労働と子育てとは両立しない、という経験則があります。事実、フレックス労働を採用した社会は、どこも出生率があがっています。

もうひとつの問題は、フレックス労働が不利な働き方につながるかどうか？　です。短時間労働でも、非定型労働でも、同じ労働に対して賃金差別がないなら、フレックス労働を進んで選ぶ人たちもいることでしょう。諸外国とちがって日本では、非正規雇用が大きな賃金格差と結びついていることが問題だからこそ、「同一労働・同一賃金」の要求が必要なのです。「同一賃金」どころか、フレックス労働に雇用保障が伴わないとすれば、正規雇用よりもリスクが高い分だけ賃金が高くてもよいくらいでしょう。

フレックス化には「よいフレックス化」と「悪いフレックス化」があることを、わたしは辻元清美さんとの共著『世代間連帯』（岩波新書、二〇〇九年）で論じました。欧米諸国はこの「よいフレックス化」を政策的に進めることで、女性の労働力化と出生率の維持とを共に達成しました。

もちろんフレックス化は労働市場の規制緩和の一環であり、企業の利益のためでもあります。雇用保障を企業に求めない代わり、政府が提供したのがデンマークのフレキシキュリティ（雇用柔軟型社会保障）という政策です。それは企業が労働者を簡単に解雇できる代わりに、失業対策や職業訓練を充実することで、労働市場における移動を容易にするしくみです。別なことばでいえば、社会保障を企業に代わって国家が引き受けることを意味します。そうすれば労働者は企業への依存を減らすことができます。ところが日本はその逆をやってきました。企業福祉と呼ばれる保障に、生計から住宅、資産形成、老後までを頼ってきたので、いったん企業からはみだすと何もかも失うばかりか、不況期にはいってから、失業給付の期間を短縮するなど、よりいっそうの企業依存を高める方向に進んできました。エスピン゠アンデルセンが比較福祉レジーム論で「コーポラティズム」と呼ぶ企業福祉が日本型福祉の特徴でしたが、長引く不況でこれが維持できなくなりました。それだけでなく、日本型企業福祉の恩恵にあずかることができる人々は、大企業に属する正規雇用者だけであり、そこからはみ出した人々には届かないこともかねて指摘されていました。

「同一労働・同一賃金」と「配偶者控除廃止」との組み合わせは、かんたんに言うと、だれでもどんな働き方の組み合わせをしても、定型的労働時間に相当する週四十時間を働けば食えるだけの賃金を確保できること、社会保障を企業福祉に依存しなくてすむこと、女性については、社会保障を世帯単位から個人単位に変えて妻が夫の社会保障に依存しなくてすむようにすること、妻が一定額以上働いたらソンになるという不合理な制度をやめること、働いたら働いた分に応じた税金を誰でも納めるようになること――を意味しています。このような制度設計は社会政策学者たちがとっくに提案しているのですけれど、それが採用されるには至っていません。この政策の提案者のひとり、経済学者の神野直彦さんが前民主党政権の政府税制調査会専門家委員会の委員長に就任したときには期待を持ちましたが、ふたたびの政権交代で、よりいっそうの雇用の規制緩和が持論の竹中平蔵さんが、復活した経済財政諮問会議の委員に収まりましたから、このプランの実現は遠のいたというべきでしょう。

これに加えて、竹信さんの提案する労働時間の総量規制も重要です。欧米先進諸国では定型的労働時間とは週三十五時間労働を指します。定型的労働時間はいかに決まるか？　労使の交渉で政治的に決まります。日本の労働時間が四十時間から短縮しないのは、日本の労働者の交渉力が弱いからです。何度でもくりかえしますが、九時五時の一日八時間週四十時間の定型的労働時間は、子育てと絶対に両立しないことは経験的に証明されています。それなのに日本では正規雇用者の長時間労働は強化されるいっぽう。ますます少なくなった正規雇用という指定席の「椅子取りゲーム」の勝者には、たとえ勝ち残っても、使用者側の無際限の残業要求に応じざるをえないという、「ブラック企業」の悲劇が待っています。

ルールの変更

次に⑵企業による雇用慣行や労働のルールの変更で可能なこととは何でしょうか？

すでに述べたように、離職が諸悪の根源、となるような「日本型雇用慣行」をなくすことです。そもそもルールがまちがっているのですから、そのルールのもとで「機会均等」に闘いぬけ、がんばってミス&ミセス・リゲインをめざせ、歯を食いしばっても離職するな、というほうが無理難題というもの。このルールは女に不利にできており、負けが運命づけられているのに、負けたら自己責任と言われる。たまにスーパーウーマンが「勝ち組」になることもあるでしょうが、そういう人たちから「私にやれたんだから、がんばれないのはあなたの責任」と言われては迷惑ですし、そもそもスーパーウーマンだけが生き残れるってへん、です。

そのための処方箋だってとっくに提示されています。まず採用時の新卒一括採用を廃止する、コース別人事管理制度も廃止、年功序列給与体系を改め能力給にし、公正な査定評価のもとに人事を流動化し、転退職が不利にならず、地位と俸給、年齢、性別が関与しない人事システムを作る、家族給を個人給に変え、世帯単位の企業の福利厚生を廃止する（その分は社会保障に代替する）、定年制を廃止する、ライフステージとニーズに対応した多様な働き方を許容する、それによって賃金差別をつけない——とまあ、なんと現状から遠いことでしょう。改革のためには企業の組織構造と人事制度を根本から変えなければならず、これまでの企業行動の慣性からして、道遠しと言わざるをえません。ただし第十章で述べたように、差別的企業が従来の雇用慣行を温存したまま現状維持でいるあいだに、革新的企業（その多くは外資系でしょうが）に国際競争で敗北していく可能性があることは覚えておきましょう。

ダイバーシティ

こうした提言の内容にちっとも「ジェンダー」が登場しないことにおどろかれるかもしれません。そのとおり、これらの提言のセットは、男女を問わずどんな状態や属性の人にとっても働きやすい「ユニバーサル就労」の提言となっているからです。ユニバーサル設計が、障害者にとって使いやすい道具は健常者にとっても使いやすいことをめざしているように、ユニバーサルな制度設計も同じです。ユニバーサル就労は障害者の雇用促進にとどまらず、社会的弱者（乳幼児を抱えた母親労働者はその典型です）にとって働きやすい職場は、だれにとっても働きやすい職場であることを意味しています。そして制度とは、社会の道具のことにほかなりません。

その結果、企業組織のなかではダイバーシティが進むでしょう。このところ、企業の世界ではコンプライアンスやＣＳＲなどとならんでダイバーシティがブーム。「多様性」といえばすむのに、わざわざカタカナでいうのは、企業組織内の多様性を高めることがグローバル・マーケットを生き延びるための喫緊の課題だという合意が、世界標準になってきているからです。

　グローバル市場とはけっして単一で均質な大規模市場を意味しません。むしろ小規模で多様な市場の集積だ、と述べました。ならばグローバル市場に適応するためには、市場の多様性に見合った多様な情報発信者を、企業自身が人材として抱えている必要があります。それがダイバーシティです。

　ダイバーシティとは何か？　かんたんにいうと異文化共生のことです。年齢も世代も性別も国籍も異文化です。情報とは、異文化の接点に生まれます。あるひとにとってあたりまえのことがべつのひとにとってはあたりまえでない――その落差からノイズ（ざわめき）が生まれます。ところで情報とはノイズが転換したもの、ノイズなきところに情報はない、ということは工学系の情報論者にとっては常識です。

　ダイバーシティは性別、国籍、マイノリティなどの多様性を指しますが、国籍の違う異文化のメンバーを組織に迎え入れることが必要なら、その前にまず「女性」という「異文化」を集団に迎える学習をしたほうがよいでしょう。外国人と違って女性は言語と教育を共有していますから、相対的に参入コストがかかりません。逆に言えば女性の参入がうまくいかなければ、外国人の参入はもっと難しいことでしょう。

　ダイバーシティを高めるためにさまざまな施策をわざわざ実施しなくても、これまで述べたような雇用慣行の変革をすれば、ダイバーシティはあとからついてくる、というのがわたしの持論です。

ひとりダイバーシティ

さて、こういう環境のもとで⑶私的な努力、つまり個人や集団の自助や共助で可能なことに何があるでしょうか。いったい「わたし」はどうしたらよいのでしょう?

⑴政府による制度や政策の変更も、⑵企業組織の体質の改革や雇用慣行の変更も、目の前の就活や出産には間に合ってくれそうもありません。わたしの目の黒いうちに、と期待しても、そんな変化がここ数十年のうちに起きるでしょうか。それより前に「日本沈没」が起きる可能性のほうが大きそうな気さえします。

雇用の柔軟化によって働き方の選択肢は多様化しました。ですがそれはその実、雇用の規制緩和による雇用破壊であり、多様化という名の格差の拡大であることも指摘されてきました。今や日本の女性労働者のおよそ六割が非正規労働者。新卒の若い女性も非正規労働市場に投げこまれる時代です。そういう現実から見ると、前章にあげた三人の著者のアドバイスは、どれも幸運にも正規雇用をゲットした人たち向け。わたしには関係ないわ、と思われてもしかたありません。今や企業は「できる女性」の戦力化が最重要課題だから、その女性たちにどうやって企業組織で生き延びてもらうか、というアドバイスばかりに聞こえます。ですが、正規雇用をゲットした人たちが万全かといえば、そんなことはありません。がんばりやで何をやらせてもパフォーマンス・レベルの高い東大女子たちが、卒業後何年かして暗い顔で研究室を訪ねてくることがあります。がんばりすぎてカラダや心を壊す女性たち――男性も――は、あとを絶ちません。たとえ自分がサバイバルしても、企業の方がいつ傾くか、こちらもわからない時代です。

女性の生存戦略には、これまでふたつのルートがありました。ひとつは結婚戦略、もうひとつは労働戦略です。従来は前者に限られていたと言えるかもしれません。女がひとりで食べていけるだけの賃金が手に入る職業が限られていたからです。いまでも非正規雇用の女性たちにとっては「婚活」こと結婚戦略のほうが最重要課題かもしれませんが、現実には非正規雇用の女性たちより正規雇用の女性たちのほうが結婚確率も出産確率も高いことは示したとおりです。

生存戦略のためには、ひとりよりふたり、ふたりより三人、複数の力を持ち寄る方がよい、のはあたりまえです。女性の生存戦略には結婚と労働の両方を視野に入れる必要がありますが、このふたつを組み合わせてできる選択肢を、世帯年収順に示すと以下のようになります。

①正規雇用の妻＋正規雇用の夫
②無職の妻＋正規雇用の夫
③非正規雇用の妻＋正規雇用の夫
④非正規雇用の妻＋非正規雇用の夫

⑤正規雇用の単身女性
⑥非正規雇用の単身女性

　この組み合わせのなかで、もっともリッチなのは①正規雇用の妻＋正規雇用の夫の組み合わせです。これまで①のカップルは夫の年収が②③の組み合わせに比べて低いからこそ正規雇用の妻の収入を加えて初めて②③の世帯年収水準に追いつくと説明されていましたが、このところさまがわりが起きました。均等法以後、男並みの高収入を稼ぐ女性が増えて、①に高収入カップルが増えました。ひとりでも高収入なのに、ふたり持ち寄るともっと世帯年収が高くなるというカップルの増加です。その背景に男性の配偶者選好の変化が挙げられています。高収入の夫は高収入の妻を選ぶ、つまりエリート男はエリート女性が好き、なのです。エリート女はもともとエリート男が好きですが、男性のほうにも同じような変化が起きてきました。こうした変化はヨーロッパで先行しており、それが結果として世帯間所得格差を拡大していることをエスピン＝アンデルセンは警告しています。なぜ「警告」かといえば、世帯間所得格差の拡大は次の世代の格差の再生産につながり、社会全体の「効率を削ぐ」からです。

　②無職の妻＋正規雇用の夫の組み合わせのほうが③非正規雇用の妻＋正規雇用の夫より世帯年収で上位に来るのは、夫の収入が十分でなければ専業主婦をやっていられないからです。非正規雇用の女性の就労動機のトップに来るのはいつの時代も「家計補助」という名の経済動機。夫にじゅうぶんな収入があれば、だれも好きこのんで不利な働き方などしたくありません。

「妻は家庭を守る」ことに賛成する若い女性は、リッチな男と結婚したいという願望を、ジェンダーの用語で言いかえているだけなのでしょう。

正規であれ非正規であれ、ダブルインカム世帯に比べれば単身世帯は世帯年収という点からは不利になります。「おひとりさま」は経済弱者。貧困率は高まります。そのなかでも経済資源のある⑤正規雇用の単身女性と⑥非正規雇用の単身女性とでは格差が生まれます。わたしが『おひとりさまの老後』（法研、二〇〇七年）を書いたとき、「おひとりさま資源」のある高齢者とそれのない高齢者とを区別すべきだという議論がありました。前者を「選択的おひとりさま」、後者を「余儀なくおひとりさま」と呼ぶべきでしょうか。

そしてリストには挙げませんでしたが、このさらに最下位に⑦非正規雇用のシングルマザーが位置します。単身でもたいへんなのに子どもという扶養家族をかかえたシングルマザーの貧困率はきわめて高く、生活保護受給率も高いことがわかっています。⑥が⑦の上にくるのは、非正規雇用の単身女性は親との同居率が高いからです。女性の生存戦略には結婚戦略のほかに親との同居戦略があります。女性たちの経済状態が少しも改善されないにもかかわらず、日本の女性の非婚化が進行したのは、親というインフラがあったからでした。

こういう結果からわかることは、女性へのアドバイスは、正規雇用の夫を見つけるか、自分も正規雇用を確保するか、そのいずれかあるいは両方、つまりあいかわらず「婚活」または「就活」か、あるいはその両方ということになるでしょうか。それでは従来と変わりません。

これまで見てきたように、就活の勝者は婚活の勝者になる傾向が強く、その反対はどちらも得られないとなると、勝ち組と負け組の格差は、ますます拡大するでしょう。

新しく加わった選択肢は女性も「就活」戦争の勝者になることですが、それが男以上に狭き門であることはあいかわらずですし、就職したら何があってもしごとを手離さず、家庭と「両立」しなさい、というこれまた従来どおりのアドバイスです。山一ショック以降、夫の職場の安定性も著しく損なわれています。せっかく「就活」に成功した会社が定年まで無事に続くとは限りませんし、この不況ですから、会社の方だっていつ社員を解雇するかわかりません。企業は社員の貢献に報いてくれるとは限らず、会社のつごうで情容赦もなくリストラに踏みきるでしょう。がんばったばかりに、過労死や健康破壊に追い詰められるかもしれません。夫の過労死をむざむざ看過した妻の無念は想像にかたくありませんし、それより夫に依存していた妻は、明日から路頭に迷います。

ですから以上の組み合わせのなかでもっとも危険なのは、②無職の妻+正規雇用の夫の組み合わせ。「昭和妻」はもっともリスクの高い選択肢であると言えるでしょう。男性のほうもそれがわかってきているのか、「昭和妻」志向の女性を避ける傾向があるようです。そうなれば「昭和妻」志向の女性は結婚願望が高いまま、「婚活」市場での敗者になっていくでしょう。

勝間和代さんのようなネオリベ勝ち組女性ですら、会社に依存するな、自立せよ、とアドバイスしています。会社に対する依存と、夫に対する依存は、どちらもリスクがいっぱい、というべきでしょう。ついでにいうなら親に対する依存もリスクだらけ。最初はよいけれど長期化すれば介護リスクがついてきます。

転退職した男性労働者の共通の感慨は、妻に収入があるからこそ、安心して会社を辞めることができた、というもの。そうなれば教訓はたったひとつ。収入源はシングルインカムでも、ダブルインカムでも足りない。マルチプルにして、リスク分散すること。これだけです。

実践的にいうならば、ひとりの個人やひとつの組織に自分の運命を預けない、収入源はシングルインカムより、ダブルインカム、いやそれどころかトリプル、クワドルプルのマルチプル・インカムソースがのぞましい、ことになります。

実のところ、個人より先に企業組織のほうが延命のための生存戦略を図ってきました。組織内外のダイバーシティに対応して、経営の多角化、市場の細分化と多様化、人材の多様化など。日本には系列企業というものがあり、親企業が安泰なら系列企業も自動的にうるおう仕組みがありましたが、中小の系列企業もクライアントの多様化・分散化をはかっています。NPOも行政への依存度を低めるために公的資金は予算の半分を超えないというルールをつくっているところもあります。組織がこれだけの柔軟な多様化をしているなら、個人も生き延びるために同じように多様化したほうがよいでしょう。それをわたしは「ひとりダイバーシティ」と名づけたいと思います。

ゴー・バック・トゥ・ザ・百姓ライフ

わたしがこのアイディアを得たのは、中世史家の故網野善彦さんからでした。彼は日本史を大胆に書き換えるなかで、日本の百姓とは定着農耕民のことではない、と唱えました。「百姓」とは読んで字のごとく「百（くさぐさ）の姓（かばね）」、つまり多様な職業の組み合わせのことです。気候風土に応じて、夏は稲を耕作し、冬は麦や菜種を育てる。農閑期には機織りや炭焼きをして現金収入にあて、杜氏のような専門的技術を以て出稼ぎをする。農業に限らず、ありとあらゆる職業を組み合わせて生計を立ててきたひとびとのことである、と。最近では一次、二次、三次産業を組み合わせて「第六次産業」という名称が生まれましたが、ことあたらしくそんな名称をつくらなくても、林業地では木工業まで含めた加工業が盛んでしたし、養蚕地では織物までを生産していました。日本の農民が稲単作農耕民になったのはそんなに古いことではありません。養蚕地が最終加工品までを作らずに原材料供給地に限定されていったのもマニファクチャーによる分業が確立してからのことです。思えば近代とは、分業化と専門化を進めることで、つぶしの効かない専門家を育ててきたのでしょう。

専門家はどんなにスキルがあろうと、環境条件が変わってその専門能力がテクノロジーごとスクラップ化すれば用済みになります。そうやって用済みになった技術者に、植字工やタイピストがいます。組織も個人も、何であれ、特定の技術や分野に、あまり特化しないほうがよいのです。なぜならもともと暮らしとは、そのように細分化・専門化されたものではないからです。近代が終わった後の脱近代とは、ふたたび脱専門化の時代だとわたしには思えます。

網野さんの考えを補強したのがウォーラーステインの世界システム論でした。正規雇用はこれから稀少財化する。これからはシングルインカムではなくマルチプル・インカムの時代だ、と。これを「持ち寄り家計」と言います。持ち寄り家計のためにはもちろん持ち寄るメンバーの数が多いほどいいのですけれど、ひとりでも持ち寄り家計は可能です。それは自分の収入源をひとつに限定しない、という選択肢のことです。

だからわたしは、二十一世紀のサステイナブル・ライフは「ゴー・バック・トゥ・ザ・百姓ライフ」だ、と唱えてきました。正確に言えば、それは決して「ゴー・バック」という回帰ではなく、新しいマルチ型の暮らし方の創造なのですけれど。考えてみれば、ただひとつの収入源に頼って生きるサラリーマン・ライフが成立した歴史はすこぶる新しく、こういう近代の暮らし方のほうが、歴史的には一過性と言えるかもしれません。

これまで自分の人生の時間とエネルギーの大半を組織に捧げることで初めて正規雇用者という名の労働者の生活は保障されてきました。逆にいうと、それだけのコミットをしなければ、労働者の生活は保障されませんでした。企業と自分とが一体化しているなら――組織利益が個人利益に結びつき、組織の命運と個人の命運とが一致している場合にはそれでもよかったのでしょう。そうでなければ、企業とは労働だけの売買契約を結び、貸し借りなしの正当な対価を受けとり、福利厚生という名の企業福祉は求めず、生活と人生のまるごとは預けない、という選択がもっと賢明なように思えます。そう考えれば正規雇用者より非正規雇用者のほうが、「百姓ライフ」にふさわしいかもしれません。ただしそのあいだに今日のようないちじるしい格差が存在しない、ことが前提ですが。

専門職やクリエーターと呼ばれるひとびとのなかには、こういう選択を実践している人たちがたくさんいます。そして経済的にも社会的にも成功しているひとびとがいます。そういうひとびとは特別に恵まれた才能や条件を持っているように見えるかもしれません。ですが、それぞれの能力と条件に応じて、「百姓ライフ」にもA級、B級、C級と相応のレベルがあることでしょう。わたしの知っているある日本女性は、何の後ろ盾もなく単身アメリカに渡り、日本人家庭の子どもの家庭教師、特技のマッサージ、それに個人による輸入代行業などを組み合わせて、外国でしたたかに生きぬいていました。それでなくても、会社勤めのかたわら、週末起業でネットビジネスを立ち上げ、不定期に講座の講師を引き受け、わずかだが投資収益も入る——というダブル・ジョブ、トリプル・ジョブを実践している人々は少なくないにちがいありません。定収入を確保しながら、カネにならないNPOをやっているひともいます。ある分野ではきちんと稼ぐことができるからこそ、カネにならないこともすすんでできる——それがほんとうのボランティアだとわたしは思います。

共助けのしくみ

いけることです。どんな環境変化にも適応して生き抜いて「百姓ライフ」ことひとりダイバーシティの強みは、どんな環境変化にも適応して生き抜いていけることです。日本の女のこれからを思うと、サステイナブルよりサバイバル、の方が切実だとわたしには思えます。たとえ日本が「沈没」して難民になっても、亡命してでも、どこででも生き延びていけるスキルを身につけてほしい、と思うようになりました。それは資格を集めたり、専門スキルを身につけることと同じではありません。自分にたとえ力がなくても他の社会的資源を動員できる能力、いわば生きる上での才覚というものです。

こんなふうに言えば、日本という泥舟に乗り合わせた者たちのうち、あなただけでも逃げ延びて、助かってね、というように聞こえるかもしれません。抜け駆けのススメのように聞こえるとしたら困りますので、最後にもうひとつ、ひとりで助かるのではなく、共助けについてもお話ししておきましょう。日本の雇用破壊がこんなに進行したのは、労働者側の力が弱かったからです。正規雇用のオヤジ主導の労働組合が、使用者側と共謀したからです。労働組合は非正規雇用者を守ろうとするどころか、彼らのうえにあぐらをかいてきました。多くの労働者は職場の労働組合が自分の役に立ってくれそうもない、と感じています。そのせいで労組の組織率が落ちているのでしょう。「日本型経営」の三点セットのうち「企業内組合」は、共存共栄の労使協調路線の象徴でした。労使の利害が一致しているうちはよかったけれど、それが対立するようになるとこの路線はもはや機能しません。機能麻痺に陥った企業内組合に代わって登場したのが、個人加盟の地域ユニオンや女性ユニオン、管理職ユニオンなどです。既存の労働組合が何の役にも立たないところで、切羽詰まった労働者たちの「駆け込み寺」の役割を果たしてきました。つくったのは同じように不当労働行為で不利益を受け、どこにも持っていき場のなかった労働者たち。いわば共助けの産物です。竹信さんはこういうユニオンの活用を訴えていますが、それ以前にこういう活動があることを知るリテラシーが必要でしょう。

自分のことは自分で。他人とは関係ない。集団で活動するのはうざいし、ださい――こういうメンタリティがネオリベ的感性です。ネオリベは強者と弱者を生みますが、問題は、弱者も強者と同じメンタリティを共有していることです。強者にはつるむ必要がありません。ですが弱者は弱者だからこそ、つるむ理由があります。女性は、どう考えても今の世の中では構造的に弱者の立場に置かれています。ましてや家族資源のない「おひとりさま」は最弱者です。だからこそわたしは『おひとりさまの老後』のなかで、弱者の共助けについて書きました。『おひとりさまの老後』は、他人に頼らず、まなじりを決して覚悟して生きることをすすめる本ではありません。

制度も政治も変えられないかもしれないけれど、自分の周囲を気持ちよく変えることは自分と仲間の力でできるかもしれない。そうやって機嫌よく日々を生きていくことができたらよい、先輩の女性たちが教えてくれたそのための智恵と工夫がこの本には詰まっています。

女性運動はそのために存在してきました。たとえ目の前の問題がただちに解決できなくとも、たった今の苦しみを共有してくれるひとたちがいることで、困難にへこたれないでいられる、問題に立ちむかう元気がもらえる――そうやって女たちは生き延びてきたのです。傷の舐めあい――と揶揄するひとがいました。それでけっこう。傷ついた者たちは、傷を舐めあう必要がありました。女性にはその必要があったからこそ、つながりをつくってきました。そのことを忘れないで下さい。

おわりに

もういちど、最初の問いに戻りましょう。海老原さんの後輩の女性には、なんと言ってあげたらよいのでしょう？

人生の帳尻は五年や十年では合いません。彼女のキャリアには育児でブレーキがかかり、それまで男に伍して「一番」を張ってきた彼女のプライドはずたずたに壊れるかもしれません。ですが仮にしごとに優先順位を置いたからといって会社がそれに報いてくれるとは限りませんし、そのしわ寄せは子どもに行って、彼女は将来とりかえしのつかない後悔をするかもしれません。目の前の子どものニーズを最優先しようとしごとを犠牲にした彼女は、代わりに人が育っていく過程を共有する喜びを味わうでしょう。子どもが育つ時間をスルーしてしまった夫は、その後、長期にわたって子どもとの関係でツケを払うことになるでしょう。「パパとは話すことがない」と子どもに言われ、離婚のときに子どもから選んでもらうことはまずないでしょう。育児と介護は待ったなし、そしてこれほど専門分化を排し、人間の総合力を必要とするしごとはありません。育児で培った彼女の総合力はいずれしごとに生きるでしょうし、その能力を生かさないような職場なら見限って転職したほうがよいでしょう。人生は長くなり、育児期間は短くなりました。子育てを終えて、もう一度フルスロットルでしごとモードにはいった彼女を生かす職場は、必ずあるでしょう。その彼女をみすみすマミートラックに塩漬けにしておいて、再チャレンジを許さない職場なら、きっと組織ごと未来はないでしょう。あるいは彼女を生かす場はもはや職場ではなく、地域やNPOにあるかもしれません。そのほうが社会に参加している実感を、彼女はもっと生き生きと味わうかもしれません。キャリアカウンセラーの福沢恵子さんは、会社での出世の代わりに「アフター・ファイブ」の活動の場で存在感を示すことを「横出世」と呼びました。インカムソースがマルチプルであるだけでなく、自分の拠り所、アイデンティティも、マルチプルであることでリスク分散をすればよいのです。

はたらき方を考えることは人生のバランスシートを考えること。そして逆説的なことに今日では、差別のおかげで女たちのほうが、正気でそのバランスシートを考えることができていそうです。

1　麓さんは同書刊行から一年後、下の娘さんの就活期を迎えて、リアルタイムで「続・母と子の就活戦争」を日経電子版でWeb連載中。
2　竹信さんは毎日新聞連載の「リアル30's」のコメントでも、同様の主張をくりかえしている。
3　坂東眞理子・上野千鶴子『女は後半からがおもしろい』（潮出版社、2011年）。
4　昭和型モデルに憧れる女性を揶揄して「昭和妻」と名づけたのは『AERA』である。紹介したように直近の内閣府の性別役割分担に関する意識調査結果は、二十代に「昭和妻志向」が高いことを示している。

結びにかえて

わたしはこの七月で「高齢者」の仲間入りをしました。つい先日、所属の自治体から、介護保険一号被保険者証が送られてきました。いくら樋口恵子さんのように「人生百年時代」と言っても、もはや人生の三分の二は過去に属します。そのせいか、このところ回顧ものの著作が増えました。[1]

若い頃は、気に入らねえ、こんな世の中、と思ってきました。うぜえ、オヤジ、とも思ってきました。が、気がつけば、自分自身が、わたしより若い世代のひとたちから、「こんな世の中に誰がした？」と詰め寄られる年齢に達しています。今さらこの年齢になって、いいわけはできません。

原発事故を起こしてしまいました。日本列島を汚染してしまいました。とめなかったから、防げなかったから、わたしも共犯者です——ごめんなさい。

女性の状況がこんなに悪化するのを座視してしまいました。若い女性が子どもを産む気にならない社会をつくってしまいました。微力ながら反対もしたけれど、こんな世の中で子どもを産んでもらえるほうがふしぎだ、と批判もしたけれど、そしてその予測は当たったけれど、でも、あまりに微力でした。いえ、非力と言ってよいかもしれません。世の中が困った方向にすすむのを、とめられなかったから、防げなかったから、わたしも共犯者です――ごめんなさい。ほんとうに、そう言って、若い女性たちにあやまりたい気分です。

でもね。今若い女性も、いつか若くなくなります。

いまアラフォーぐらいの年齢のひとたちには、いつもこう言っています。

アラフォーといえば、人生折り返し点。まだまだ発展途上だと思っているかもしれないけれど、老化は着実に始まります。あと二十年はがんばれる、だけどあと二十年もしたら、あとから来る若いひとたちに、きっとこう言われるのよ、って……「こんな世の中に誰がした？」

そして二十年はあっというまです。

本書を書くのは気が重いしごとでした。ましてや昨年十二月の衆議院選挙、今年七月の参議院選挙のあとは、もっと気が重くなりました。

というのは、日本の政治はどう考えても女に不利な方向へ向かっているからです。女は声を挙げていないわけではない。各種の世論調査を見ても、女の意向は、原発についても憲法についてもはっきりしているのに、それがいっこうに政治に反映されていそうには見えないからです。

いろんなところで書きためてきたものや、発言したことがたまっていました。日本の女がどんな現実を生きているのか、いちどきちんと書いてみたい、と思っていました。書き始めてみたら、とまらなくなりました。次々に書きたいことが出てきて、十二章まで書いてしまいました。

とりあつかった時代は均等法から今日までの、ほぼ三十年間にわたります。ネオリベ改革の三十年間と重なります。そのなかで女にとってもっとも深刻な問題だと思ったから、雇用と労働を中心に論じました。というのも、職がない、ということは食えない、ということと同じだからです。食わせてくれそうな男は激減しました。女が仕事を奪ったせいではありません。ネオリベのせいです。うらむなら女をうらまず、ネオリベ改革を推進した犯人たちをうらんでくれ。

その三十年間はわたしが働いて生きてきた三十年間と、ほぼ重なります。本書はただの評論でもなければ、研究書でもありません。そのときどきに、わたしが怒ったり、笑ったり、してやられたと悔しがったりした同時代の記録でもあります。

均等法ができたとき、女子短大の教員をしていました。女性学の講義を先駆けて開講し、その授業で「みんな、均等法が昨日国会で通ったよ！」と伝えました。……でも短大生のあなたがたには、何の関係もないけれど、とつけくわえなければならなかったときの悲しさを忘れていません。派遣と契約社員の雇い止めが登場したときには、そう来たか、これで結婚退職制や若年退職制禁止をかちとった先輩女性労働者の闘いも骨抜きになった、使用者側のほうが労働者側より一枚も二枚も上手だと思わないわけにいきませんでした。総評が解散して連合ができたときに、これで日本の戦後労働運動も終わりだ、と苦い感慨を持ったことも覚えています。だから本書は、同時代を生きたわたし自身の証言集でもあります。

フェミニズムは「女も外で働く」ことを要求してきましたが、それが一時は、ネオリベの「女にも働いてもらう」意図と一致して蜜月時代を迎えているように見えたことがあります。でも、まさか、こんな働き方とは。つゆほども思っていなかったはずです。男並みにはたらいて、家庭も子どもも持てそうにない働き方か、さもなければ、いいように使い捨てられる不安定な働き方か。どちらかを選べ、と迫られた最初のステップが均等法でしたが、実はそのどちらもやってられない、と女は言いたかったはずでした。

他方で、フェミニズムは「男も家庭に参加する」ことを要求してきましたが、こちらはいっこうに変わる気配はありません。フェイスブックの最高執行責任者シェリル・サンドバーグさんが、近著『リーン・イン（「一歩前に踏み出す」という意味）』[2]の中で、女性が職場進出して何年もたつのに、職場と家庭における男女関係は変わっていない、と嘆いています。まったく、アメリカでもそうなのか、と思わされてしまいます。サンドバーグさんは男性の変化が大事、男が家庭参加をしない限り女性の働き方は変わらない、と指摘しますが、結婚して二児の母である彼女自身も、新生児を産んでいちばんたいへんだったときには夫の協力が得られずベビーシッターで乗り切ったといいますし、五時半で職場を離れる経営者を実践している現在も、彼女の夫が同じことをしているかどうかには触れないのです。

今から二十年以上前に書いたわたしの本、『家父長制と資本制』(岩波書店、一九九〇年/岩波現代文庫、二〇〇九年)のなかで、働く女性の家事・育児負担は、機会費用の高い夫の参加によってではなく、アウトソーシングと商品化、そして機械化によって代替されるであろう、と予測しましたが、そのとおりになりました。

日本の男性の特徴は、OECD諸国のどこよりも男性の家事時間が短いことです。そしてその理由には、OECD諸国のどこよりも、男性の労働時間が長いことがあげられています。日本の父親は家庭参加したくてもできない、とよく言われますが、ウソばっかり、とわたしは思います。日本の男性は家庭参加をする気がなく、会社もさせる気がなく、何より妻がそれをのぞまない、からとわたしには思えます。なぜなら妻は夫の職業上の成功を家庭のために犠牲にすることを、けっしてのぞまないからです。そのくせ、自分ひとりにしわよせのくる子育てに、日本の女は不満と怨恨をためこんでいます。その葛藤のなかで、夫と対立したり、夫との関係をあきらめたりする若い母親たちを、わたしはたくさん見てきました。

わたしたちの時代には「仕事か家庭か」の二者択一だった選択肢が、「仕事も家庭も」に変わっただけで、女性の選択肢が狭くて負担が重いことに変わりはありません。男のほうは、あいかわらず「仕事も仕事も」の選択しかありません。仕事にくらべれば、家庭の価値はぐんとないがしろにされています。これがネオリベ改革の結果でした。日本の社会は、子どもが育つこと、子どもを育てることにカネも人手もかける気のない、子どもに甘いと見えてその実「子どももギライ」な社会なのです。こんな社会で、女が子どもを産み育てる気にならないのも、ムリはありません。

好きなだけ、自由に書いてよい、と誌面を提供して下さったのは『文學界』という媒体です。え、なんで『文學界』に？　毎号の文学作品のなかに、このハードな連載が混じっているのは違和感があったかもしれません。事実、誌面を開けてみると、この連載だけ、漢字が多くて字面が黒く、他のページと違和感があったものです。が、文学もまた同時代の現実から生まれています。けっして社会とは無縁ではありません。わたしの連載を楽しみにしてくださる読者もいらっしゃいました。この決定をしてくださったのは、編集長の田中光子さん。女性編集長だからこその英断でしょう。『文學界』だけでなく、『世界』や『新潮45』など、必ずしも「女性誌」とはいえない雑誌媒体に、このところ女性編集長が増えた理由について、連載中に新聞記者から取材を受けました。「そりゃ、雑誌媒体が落ち目だからでしょう」……「困ったときの、女だのみ」と答えて、憎まれ口をきいたわたしに、「そのとおりです」と言ったのも田中さんでした。そういえば、弱小政党の党首に女が多いのも、そのせいかしら、という気になりますし、安倍政権の女の使い方にも同じことを感じます。
とはいえ、女性の活躍の場が増えたのも事実。トップの立場にいて、意思決定権を行使できるからこそ、「やりましょう」の一言がきいてきます。サンドバーグさんも、昇進すればするほど仕事がやりやすくなる、と言っています。そういえば、この企画、やりましょう、と言ってくれたのは、ふたりの若い女性編集者でした。ふたりとも元上野ゼミ生の、衣川理花さんと鳥嶋七実さん。優秀な東大女子だったふたりは、文藝春秋という名門企業に就職して、そこがオヤジ会社だということにショックを受けていました。何を今さら。知らなかったの？　と言いたい気分ですが。後から聞けば、知ってはいたが、予想以上だったとか。

　このわたしにしてからが、まさか文藝春秋から本を出すとは思いもよりませんでした。[3]わたしが変わったわけではありません。その程度には、文藝春秋も変わったのでしょう。何より女性編集者を採用し、その女性たちが社内でサバイバルしてきたからこその変化です。文藝春秋さん、わたしの本を出してくださってありがとう。

　鳥嶋さんが異動で担当を離れてからは、同じく元東大男子の丹羽健介さんが加わって男女共学チームになりました。丹羽さんは、学生時代に上野の講義から脱落した経歴を告白し、リベンジ戦だと言ってがっちりサポートしてくださいました。

　とはいえ、どんな世の中でも女たちは生き延びていかなければなりません。

サステイナブルよりサバイバル。時代はそこまで来ている、とわたしには思えます。国家が国民を守ってくれなかったあの敗戦のあとも、行政が機能しなかった津波と原発事故のあとも、子どもをひっかかえ、年寄りの手を引いて、生きるために逃げたのは女たちでした。男たちがいさかったり、茫然自失しているあいだにも、おなかをすかせた子どもを食べさせ、安全を求めて逃げ惑ったのは女たちでした。

若いひとたちに向けて話をする機会を与えられたとき、わたしは最近、「明日の日本を担っていくのはあなたたちです」と言うのをやめました。日本が泥舟なら、さとい小動物がまっさきに舟から逃げ出すように、あなたがたも逃げたらよい。泥舟といっしょに沈没するのは船長だけでたくさん、あなたたちに責任はない。国なんてその程度のもの。それより、世界中どこでもいいから、生き延びていってほしい。どんなやりかたでもいいから、世界のどこかで、元気でいてほしい……わたしに実の娘や息子がいたら、この地に踏みとどまってがんばれと言う代わりに、きっとそう言うことでしょう。

原発事故をおこしてしまったわたしたちは、汚染された土地にふみとどまって子や孫を育ててくれ、とはもはや若いひとたちに要求できない立場にいます。

まったく、今さら、どのツラ下げて、そんなことをお願いできるでしょうか？（それなのに、避難したひとたちに汚染地へ戻ってくれというあつかましいお願いをするひともいます。そのうえ原発を再稼働させてくれというツラの皮の厚いひとたちさえも）。それが「こんな世の中をつくってしまった」者たちの報いです。

ですが、もし、ここから立ち去れない、立ち去ろうとしないあなたがいたら……もういちど、微力な者たちの闘いを思い出してください。官邸前のデモだって、評判のわるいフェミニズムだって、少しは世の中を変えることができるかもしれないのですから。負けるとわかった戦争に突っこんでいったときのオトナたちのように、「あのとき、あなたは、どこにいて、何をしていたの？」と子どもや孫たちの世代から責められないように。

あとはあなたのサバイバルを祈るだけです。

二〇一三年盛夏に

上野千鶴子

1　上野千鶴子・荻野美穂・西川祐子『フェミニズムの時代を生きて』（岩波現代文庫、2011年）。上野千鶴子『〈おんな〉の思想　私たちは、あなたを忘れない』（集英社インターナショナル、2013年）。
2　シェリル・サンドバーグ著『リーン・イン――女性、仕事、リーダーへの意欲』（日本経済新聞社、20

13年)。
3　文春からわたしが最初に出した本は、辻井喬さんとの共著『ポスト消費社会のゆくえ』(文春新書、2008年)である。その時の担当も川村容子さんという女性編集者だった。

上野千鶴子（うえの　ちづこ）

1948年生まれ。京都大学大学院社会学博士課程修了、平安女学院短期大学助教授、京都精華大学助教授、コロンビア大学客員教授、メキシコ大学大学院客員教授などを歴任。1993年東京大学文学部助教授、95年東京大学大学院人文社会系研究科教授。現在、東京大学名誉教授、立命館大学特別招聘教授、NPO法人WAN理事長。女性学、ジェンダー研究、介護研究のパイオニア。著書に『家父長制と資本制』（岩波現代文庫）、『近代家族の成立と終焉』（岩波書店）、『女ぎらいニッポンのミソジニー』（紀伊國屋書店）、『おひとりさまの老後』『男おひとりさま道』（ともに文春文庫）など。

文春新書

933

女《おんな》たちのサバイバル作戦《さくせん》

2013年（平成25年）9月20日　第1刷発行
2014年（平成26年）7月20日　第3刷発行

著　者　上野千鶴子
発行者　飯窪成幸
発行所　株式会社　文藝春秋

〒102-8008　東京都千代田区紀尾井町3-23
電話（03）3265-1211（代表）

印刷所　理想社
付物印刷　大日本印刷
製本所　大口製本

定価はカバーに表示してあります。
万一、落丁・乱丁の場合は小社製作部宛お送り下さい。
送料小社負担でお取替え致します。

ISBN978-4-16-660933-8

◆経済と企業

マネー敗戦　吉川元忠
金融工学、こんなに面白い　野口悠紀雄
日本企業モラルハザード史　有森　隆
エコノミストは信用できるか　東谷　暁
臆病者のための株入門　橘　玲
団塊格差　三浦　展
熱湯経営　樋口武男
定年後の8万時間に挑む　加藤　仁
ポスト消費社会のゆくえ　辻井　喬　上野千鶴子
霞が関埋蔵金男が明かす「お国の経済」　髙橋洋一
石油の支配者　浜田和幸
強欲資本主義 ウォール街の自爆　神谷秀樹
日本経済の勝ち方 太陽エネルギー革命　村沢義久
ハイブリッド　木野龍逸
エコノミストを格付けする　東谷　暁
就活って何だ　森　健

新・マネー敗戦　岩本沙弓
自分をデフレ化しない方法　勝間和代
先の先を読め　樋口武男
JAL崩壊　日本航空・グループ2010
明日のリーダーのために　葛西敬之
ユニクロ型デフレと国家破産　浜　矩子
もし顔を見るのも嫌な人間が上司になったら　江上　剛
ぼくらの就活戦記　森　健
ゴールドマン・サックス研究　神谷秀樹
出版大崩壊　山田　順
東電帝国 その失敗の本質　志村嘉一郎
修羅場の経営責任　国広　正
資産フライト　山田　順
さよなら！ 僕らのソニー　立石泰則
ビジネスパーソンのための契約の教科書　福井健策
日本人はなぜ株で損するのか？　藤原敬之
日本国はいくら借金できるのか？　川北隆雄
高橋是清と井上準之助　鈴木　隆

ビジネスパーソンのための企業法務の教科書　西村あさひ法律事務所編
サイバー・テロ 日米vs.中国　土屋大洋
ブラック企業　今野晴貴
新・国富論　浜　矩子
税金 常識のウソ　神野直彦
エコノミストには絶対分からないEU危機　広岡裕児
『ONE PIECE』と『相棒』でわかる！細野真宏の世界一わかりやすい投資講座　細野真宏
通貨「円」の謎　竹森俊平
こんなリーダーになりたい　佐々木常夫
日本型モノづくりの敗北　湯之上隆
売る力　鈴木敏文
日本の会社40の弱点　小平達也

◆考えるヒント

孤独について　中島義道
性的唯幻論序説　岸田　秀
誰か「戦前」を知らないか　山本夏彦
百年分を一時間で　山本夏彦
小論文の書き方　猪瀬直樹
民主主義とは何なのか　長谷川三千子
寝ながら学べる構造主義　内田　樹
わが人生の案内人　澤地久枝
常識「日本の論点」　『日本の論点』編集部編
勝つための論文の書き方　鹿島　茂
男女の仲　山本夏彦
東大教師が新入生にすすめる本　文藝春秋編
面接力　梅森浩一
成功術　時間の戦略　鎌田浩毅
唯幻論物語　岸田　秀
10年後の日本　『日本の論点』編集部編

「秘めごと」礼賛　坂崎重盛
大丈夫な日本　福田和也
お坊さんだって悩んでる　玄侑宗久
私家版・ユダヤ文化論　内田　樹
論争　格差社会　文春新書編集部編
10年後のあなた　『日本の論点』編集部編
退屈力　齋藤　孝
27人のすごい議論　『日本の論点』編集部編
世間も他人も気にしない　ひろさちや
信じない人のための〈法華経〉講座　中村圭志
なにもかも小林秀雄に教わった　木田　元
論争　若者論　文春新書編集部編
坐る力　齋藤　孝
断る力　勝間和代
世界がわかる理系の名著　鎌田浩毅
東大教師が新入生にすすめる本2　文藝春秋編
完本　紳士と淑女　徳岡孝夫
愚の力　大谷光真

ぼくらの頭脳の鍛え方　立花　隆・佐藤　優
丸山眞男　人生の対話　中野　雄
静思のすすめ　大谷徹奘
ガンダムと日本人　多根清史
日本版白熱教室　サンデルにならって正義を考えよう　小林正弥
イエスの言葉　ケセン語訳　山浦玄嗣
聞く力　阿川佐和子
泣ける話、笑える話　徳岡孝夫・中野　翠
金の社員・銀の社員・銅の社員　秋元征紘・田所邦雄　ジャイロ経営塾
「強さ」とは何か。　宗　由貴・監修　鈴木義孝・構成
人間の叡智　佐藤　優
選ぶ力　五木寛之
何のために働くのか　寺島実郎
日本人の知らない武士道　アレキサンダー・ベネット
〈東大・京大式〉頭がよくなるパズル　東田大志・東大・京大パズル研究会
〈東大・京大式〉頭がスッキリするパズル　東田大志・東大・京大パズル研究会
勝負心　渡辺　明

（2013. 11）B

文春新書

◆アートの世界

丸山眞男 音楽の対話　中野 雄
美のジャポニスム　三井秀樹
クラシックCDの名盤　宇野功芳・中野雄・福島章恭
ジャズCDの名盤　悠雅彦・稲岡邦弥・福島哲雄
クラシックCDの名盤 演奏家篇　宇野功芳・中野雄・福島章恭
大和 千年の路　榊 莫山
ウィーン・フィル 音と響きの秘密　中野 雄
劇団四季と浅利慶太　松崎哲久
外国映画ぼくの500本　双葉十三郎
日本映画ぼくの300本　双葉十三郎
Jポップの心象風景　烏賀陽弘道
落語名人会 夢の勢揃い　京須偕充
外国映画ハラハラドキドキ ぼくの500本　双葉十三郎
モーツァルト 天才の秘密　中野 雄
今夜も落語で眠りたい　中野 翠
天皇の書　小松茂美

愛をめぐる洋画ぼくの500本　双葉十三郎
日本刀　小笠原信夫
ミュージカル洋画ぼくの500本　双葉十三郎
美術の核心　千住 博
ボクたちクラシックつながり　青柳いづみこ
ぼくの特急二十世紀　双葉十三郎
岩佐又兵衛　辻 惟雄
巨匠《マエストロ》たちのラストコンサート　中川右介
新版 クラシックCDの名盤　宇野功芳・中野雄・福島章恭
新版 クラシックCDの名盤 演奏家篇　宇野功芳・中野雄・福島章恭
天才 勝新太郎　春日太一
マイルスvsコルトレーン　中山康樹
宮大工と歩く奈良の古寺　小川三夫 塩野米松・聞き書き
僕らが作ったギターの名器　椎野秀聰
悲劇の名門 團十郎十二代　中川右介
昭和の藝人 千夜一夜　矢野誠一
うほほいシネクラブ　内田 樹
名刀虎徹　小笠原信夫

昭和芸能史 傑物列伝　鴨下信一

◆政治の世界

日本国憲法を考える 西 修
田中角栄失脚 塩田 潮
拒否できない日本 関岡英之
憲法の常識 常識の憲法 百地 章
CIA 失敗の研究 落合浩太郎
日本のインテリジェンス機関 大森義夫
ジャパン・ハンド 春原 剛
女子の本懐 小池百合子
政治家失格 田﨑史郎
世襲議員のからくり 上杉 隆
民主党が日本経済を破壊する 与謝野馨
司馬遼太郎 リーダーの条件 半藤一利・磯田道史 鴨下信一他
鳩山一族 その金脈と血脈 佐野眞一
日本人へ リーダー篇 塩野七生
日本人へ 国家と歴史篇 塩野七生
日本人へ 危機からの脱出篇 塩野七生

小沢一郎 50の謎を解く 後藤謙次
財務官僚の出世と人事 岸 宣仁
ここがおかしい、外国人参政権 井上 薫
公共事業が日本を救う 藤井 聡
実録 政治vs.特捜検察 塩野谷晶
テレビは総理を殺したか 菊池正史
日米同盟vs.中国・北朝鮮 リチャード・L・アーミテージ ジョセフ・S・ナイJr. 春原 剛
体験ルポ 国会議員に立候補する 若林亜紀
決断できない日本 ケビン・メア
体制維新——大阪都 橋下 徹 堺屋太一
自滅するアメリカ帝国 伊藤 貫
郵政崩壊とTPP 東谷 暁
独裁者プーチン 名越健郎
政治の修羅場 鈴木宗男
日本破滅論 藤井 聡 中野剛志
特捜検察は誰を逮捕したいか 大島真生
地方維新vs.土着権力 八幡和郎
「維新」する覚悟 堺屋太一

新しい国へ 安倍晋三
アベノミクス大論争 文藝春秋編
国会改造論 小堀眞裕
小泉進次郎の闘う言葉 常井健一
憲法改正の論点 西 修

(2013. 11) D

◆社会と暮らし

リサイクル幻想　武田邦彦
東京大地震は必ず起きる　片山恒雄
「老いじたく」成年後見制度と遺言　中山二基子
ヒトはなぜペットを食べないか　山内　昶
はじめての部落問題　角岡伸彦
週刊誌風雲録　高橋呉郎
戦争を知らない人のための靖国問題　上坂冬子
犬と話をつけるには　多和田悟
同級生交歓　文藝春秋編
サンカの真実 三角寛の虚構　筒井　功
これでは愛国心が持てない　上坂冬子
戦争遺産探訪 日本編　竹内正浩
ラブホテル進化論　金　益見
風呂と日本人　筒井　功
地図もウソをつく　竹内正浩
アベンジャー型犯罪　岡田尊司

地球温暖化後の社会　瀧澤美奈子
非モテ！　三浦　展
猫の品格　青木るえか
日本の珍地名　竹内正浩
歌舞伎町・ヤバさの真相　溝口　敦
私が見た21の死刑判決　青沼陽一郎
農民になりたい　川上康介
生命保険のカラクリ　岩瀬大輔
農協との「30年戦争」　岡本重明
ゼロ円で愉しむ極上の京都　入江敦彦
世界130カ国自転車旅行　中西大輔
潜入ルポ ヤクザの修羅場　鈴木智彦
いま、知らないと絶対損する年金50問50答　太田啓之　三神万里子・解説イラスト
列島強靭化論　藤井　聡
冠婚葬祭でモメる100の理由　島田裕巳
原発・放射能 子どもが危ない　小出裕章　黒部信一
「親と子年表」で始める老いの段取り　水木　楊
日本の自殺　グループ一九八四年

夫に読ませたくない相続の教科書　板倉　京
ネジと人工衛星　塩野米松
臆病者のための裁判入門　橘　玲
がん保険のカラクリ　岩瀬大輔
「原発事故報告書」の真実とウソ　塩谷喜雄
非情の常時リストラ　溝上憲文
食の戦争　鈴木宣弘
女たちのサバイバル作戦　上野千鶴子

◆さまざまな人生

（2013. 11）G